MANDY BAGGOT
Winterzauber in London

Mandy Baggot

Winterzauber in London

Roman

Aus dem Englischen
von Claudia Franz

GOLDMANN

Die englische Originalausgabe erschien 2022
unter dem Titel »Wishing on a Star«
bei Embla Books, Bonnier Books UK Limited, London.

Penguin Random House Verlagsgruppe FSC® N001967

3. Auflage
Deutsche Erstveröffentlichung September 2023
Copyright © der Originalausgabe 2022 by Mandy Baggot
Copyright © der deutschsprachigen Ausgabe 2023
by Wilhelm Goldmann Verlag, München,
in der Penguin Random House Verlagsgruppe GmbH,
Neumarkter Str. 28, 81673 München
Published by Arrangement with HELLAS PRODUCTIONS LTD.
Umschlaggestaltung: UNO Werbeagentur, München
Umschlagmotive: alamy/parkerphotography; FinePic®, München
Redaktion: Lisa Caroline Wolf
KS · Herstellung: ik
Satz: Buch-Werkstatt GmbH, Bad Aibling
Druck und Bindung: GGP Media GmbH, Pößneck
Printed in Germany
ISBN: 978-3-442-49462-0

www.goldmann-verlag.de

PROLOG

Cincinnati, Ohio
November

»Sam, hörst du mich?«

»Bedrängt ihn nicht so. Sam, Kumpel, hier ist Tim.«

»Ist sein Helm gespalten? Ich glaube, sein Helm ist gespalten! Heißt das, dass sein Schädel gespalten ist?«

Sam Jackman lächelte innerlich, aber er war sich nicht sicher, ob die Info von seinem Gehirn an die entsprechenden Muskelpartien weitergeleitet wurde. Sein Mannschaftskollege Chad war in Panik, als wäre er seine Mutter. Aber es fühlte sich auch wirklich seltsam an. Es fühlte sich an wie … Nun, es tat weh. Sehr weh sogar. Gerade war er noch losgesprintet, auf die Goal Line zu, um alles für den Sieg zu geben – den Sieg seines NFL-Teams, der Cincinnati Bisons –, und dann war er in irgendetwas hineingerannt – in irgend-*jemanden* vielmehr – und regelrecht durch die Luft geflogen. Die Menschenmassen auf den Tribünen, die Flutlichter, die Cheerleader, alles war zu einem leuchtenden Regenbogen verschwommen, bevor er hart auf dem grasbedeckten Boden gelandet war. Mit dem Kopf zuerst. Dann waren da nur noch Sternchen.

»Atmet er?«, hörte er Tim fragen.

»Du weißt nicht, ob er atmet?!« Das war Chad, noch panischer.

»Wo sind die Ärzte?«

»Sam! Wach auf, Mann! Mach die Augen auf!« Chads Stimme war jetzt so laut, dass es in den Ohren schmerzte.

Plötzlich fühlte er sich erschöpft. Die Müdigkeit packte ihn, hüllte ihn ein und schien in jeden Winkel seines Körpers zu dringen. Sam lag bereits, daher musste er nur noch die Augen schließen …

»Sam! Sam! Bei der Arbeit wird nicht geschlafen!«

»Sam!«

KAPITEL
EINS

Richmond, London
Anfang Dezember

»Zieh, Ruthie!«

»Ich ziehe doch!«

»Dann musst du eben ziehen, als würden wir Mark Ruffalo ins Haus schleppen, nicht einen stacheligen Weihnachtsbaum. Autsch!«

Anna Heath ließ die Zweige los, als die Nadeln wie spitze Nägel durch ihre Wollhandschuhe drangen. Die Tanne war viel zu groß, um sie mühelos durch die Eingangstür ihres Reihenhauses in Richmond zu bugsieren. Außerdem auch viel zu ausladend. Sicher würde sie sowohl den Fernseher als auch den Kamin verdecken, falls sie das Monstrum je über die Türschwelle und weiter ins Wohnzimmer bekommen würde. Aber im selben Moment, als Ruthies Blick auf den Baum gefallen war, wie er da in der frühen Dezemberluft aus dem Christbaumstand vor ihrem Lieblingscafé herausragte, war klar, was kam. *Das ist er, Mum. Das ist Malcolm.*

Ruthie war mittlerweile bereits dreizehn Jahre auf der Welt, aber Anna hatte ihr immer noch nicht beibringen können, dass man nicht alles haben konnte. Das Problem war, dass Ruthie sich hundertmal am Tag in irgendetwas verliebte, und wenn es nicht den Ruin bedeutete, konnte Anna es ihr

nicht abschlagen. *Mum, hier gibt es jetzt drei Sorten heiße Scho-*
kolade – die müssen wir alle probieren. O Mum, schau doch mal,
der flauschige Stoffesel da – er heißt Larry, und du weißt selbst,
dass wir ihn nicht hierlassen können, wo er doch jetzt einen Namen
hat. Nicht, dass Ruthie verwöhnt wäre, sie litt unter Autismus. Anna konnte sich mit der Diagnose, die vor zwei Jahren
gestellt worden war, immer noch nicht abfinden.

»Malcolm tut es leid«, ertönte Ruthies Stimme irgendwo
zehn Äste weiter.

»Malcolm wird wohl ein paar Zweige opfern müssen,
wenn er bleiben will«, sagte Anna. Sie zog die Handschuhe
aus und betrachtete ihre roten Hände.

»Wir können ihn doch nicht verstümmeln. Er gehört zur
Familie!«

Anna konnte Ruthie durch Malcolms dicke Zweige hindurch nicht sehen, sich ihren Gesichtsausdruck aber zu gut
vorstellen. Die strahlend blauen Augen würden hin und her
huschen, wie sie es taten, wenn sie etwas zu fokussieren versuchten, und die dunklen Locken auf und ab hüpfen, während
sie die Äste zusammenbog, um diesen riesigen Baum irgendwie durch die Tür zu bekommen. Sie war überaus intelligent.
Immer die Klassenbeste. Im Autismus-Zentrum nannte man
das »hochfunktional«, aber schlichte Aufgaben im Alltag bereiteten ihr dagegen oft große Probleme. Ihre Mum hätte sie
am liebsten in den Arm genommen, geküsst und ihr versichert, dass alles gut werden würde – nur dass man einen in-
tegralen Teil seines Kinds nicht wegküssen konnte. Mit einer
Autismus-Diagnose hatten Anna und Ed nun wirklich nicht
gerechnet. Aber da war sie dann gewesen, drei Briefe, die ihr
Leben für immer verändern sollten und ein kluges, außergewöhnliches Kind mit einem Etikett versahen.

»Gut«, sagte Anna und schnaubte. »Ich schiebe noch einmal kräftig. Aber du sagst Bescheid, wenn ich aufhören soll.« Sie zog die Mütze über ihren braunen Bob und konnte nur hoffen, dass ihre Jeans nicht rutschte und sie der Straße ihren nackten Hintern präsentierte. Sie brauchte wirklich dringend einen neuen Gürtel.

»Leg los«, rief Ruthie zurück.

»Sicher, Ruthie? Diesmal werde ich mich wirklich ins Zeug legen«, verkündete Anna. »Ich meine … mit der Kraft von Thor und seinem Hammer und hoffentlich der Präzision von Hawkeye.«

»Mum, ich weiß, dass du stark bist. Aber du bist keine Superheldin.«

»Jetzt zertrümmerst du meine Träume«, antwortete Anna. »Also … auf drei. Eins, zwei, drei!«

Als sie mit aller Kraft drückte, schoss der Baum durch die Eingangstür. Im selben Moment erklang ein markerschütternder Schrei, den man für die *American Horror Story* hätte aufnehmen können.

»Malcolm, nein. Malcolm liegt auf mir! Malcom liegt auf mir drauf!«

Wenn Ruthie schrie, konnte sie Luzifer aus den brennenden Kreisen der Hölle heraufbeschwören. Anna hoffte inständig, dass ihre Tochter nicht ernsthaft verletzt war. Um zu ihr zu gelangen, warf sie sich buchstäblich in den Baum, bog Zweige aus dem Gesicht und kletterte um den Stamm herum. Für den Bruchteil einer Sekunde huschte ihr Blick zu dem gerahmten Foto von Nanny Gwen auf dem Sideboard. Schaute die aus dem Himmel herab und lachte über die Szene, oder fragte sie sich, warum Anna keinen Mann zu Hilfe geholt hatte? Nanny Gwen war eine selbstbewusste, unabhängige

Frau gewesen und hatte Anna zu Selbstständigkeit erzogen. Dennoch war sie bis zuletzt überzeugt davon, dass bestimmte Arbeiten für bestimmte Geschlechter nicht taugten. Aber die Zeiten hatten sich geändert, und als alleinerziehende Mutter war nun mal auch sie für alles allein verantwortlich.

»Ruthie, alles in Ordnung?«, fragte Anna, als sie sich endlich zu ihrer Tochter durchgekämpft hatte.

»Malcolm tut mir weh!« Ruthie schrie noch lauter – falls das überhaupt möglich war.

»Alles in Ordnung«, sagte Anna, packte den Baum bei den äußeren Zweigen und wollte ihn von Ruthie wegziehen. Von der war nicht viel zu sehen, nur zappelnde Glieder wie von einer Weihnachtselfe, die sich in einem Schornstein verfangen hatte. Anna musste diesen Baum hochbekommen, und zwar schnell!

»Malcolm, lass das!«

Sie musste entweder das Flurensemble opfern (besagtes Foto von Nanny Gwen, Annas Lieblingslampe mit dem hellroten Schirm, die Nanny Gwen gehört hatte, und das Telefon), oder Ruthie würde sich in ihre Panik hineinsteigern. Möglicherweise würde ein besorgter Passant die Polizei rufen …

Anna warf den Baum nach links und eilte zu ihrer Tochter. Der Telefonhörer knallte auf den Boden, gefolgt vom Geräusch splitternden Glases – Lampe oder Bild, das konnte Anna nicht sagen.

»Alles gut«, sagte Anna, als Ruthie aufzustehen versuchte, ohne irgendetwas anzufassen – nicht ganz leicht, wenn man auf dem Rücken lag. »Soll ich … deinen Arm nehmen und dir helfen?«

»Fass meine Hände nicht an!«, kreischte Ruthie, als sie

sich auf die andere Seite warf und die Ellbogen auf den Holzboden stützte, die Hände von allem fernhaltend, das sie berühren könnten. »Und schau mich nicht an.«

Anna biss sich auf die Lippe und richtete den Blick in den Flur, in dem sich Zweige und die Scherben der roten Lampe verteilten – noch eine Gefahrenquelle, die sie im Blick behalten musste. Eigentlich wollte sie Ruthie das Leben nur ein wenig erleichtern, aber manchmal blieb ihr nichts übrig, als die Scherben zusammenzukehren. Im wahrsten Sinne des Wortes.

»Kann ich jetzt duschen?«, fragte Ruthie, sobald sie auf den Beinen war. Ihr Pullover war mit Nadeln übersät. Sie schien sich ziemlich unbehaglich zu fühlen, weil sie auf dem Boden gelegen hatte, und streckte wie eine Vogelscheuche die Arme aus.

»Ja«, sagte Anna. »Natürlich. Ich lege dir Handtücher raus. Aber rühr dich nicht, hier ist überall Glas, ja?«

»Ja.«

Als Anna zur Treppe ging, betrachtete sie den Weihnachtsbaum, der sich auf dem Holzboden breitmachte, das Telefon, den zersplitterten Lampenschirm, die Weihnachtskarten, die sie geschrieben, aber noch nicht abgeschickt hatte – ein Bild der Verwüstung. Nanny Gwen hielt den Blick stumm darauf gerichtet. Was für ein fröhliches Fest. Und es hatte gerade erst begonnen.

Dr. Monroes Büro, Cincinnati

Der Kaffee hier war immer gut. Für ein Krankenhaus war das ungewöhnlich. Sam Jackman legte beide Hände um den Pappbecher mit der dunklen Flüssigkeit und genoss die Wärme, während er darauf wartete, dass der Arzt zum verabredeten Termin erschien. Draußen war es bitterkalt, und wenn es sich aufwärmte, dann nur so weit, dass man mit Schnee rechnen musste.

Sam hatte Kälte nie gemocht, aber er war daran gewöhnt. In seiner Kindheit galt Heizen als Luxus, und die Heizung wurde nur aufgedreht, wenn die Temperaturen unter null fielen. Seine Mum und sein Dad hätten sich nie als »arm« bezeichnet. *Wir sind mit einem Dach über dem Kopf, Essen im Magen und Gottes Liebe gesegnet.* Aber nach den Maßstäben der meisten Menschen waren sie es.

Sie hatten ein Secondhandleben geführt. Secondhand-schulbücher, Gebrauchtwagen und selbst genähte Kleidung, für die ihn seine Kumpels förmlich in Stücke gerissen hatten. Seine kleine Schwester Tionne hatte das allerdings viel schwerer getroffen. Wie konnte sie mit ihren Freundinnen mithalten – die Pink verehrten und in der Mall einkauften –, wenn sie wie eine abgeerntete Zuckerrohrstange aussah? Mittlerweile war das vorbei. Dafür sorgte er. Ihr Insta-Account war der beste Beweis. Früher hatte man sie wegen ihrer Kleidung verspottet, nun war Tionne Influencerin. Sam war mächtig stolz auf sie.

Er nahm den Becher in eine Hand und zog am Kragen seines Wollmantels. Es war ein Designerstück, für das er über tausend Dollar hingeblättert hatte. Ihm war klar, dass er seinen Eltern niemals erzählen durfte, wie viel Geld er für ein Kleidungsstück ausgegeben hatte. Er musste selbst zugeben, dass er vor dem Kauf gezögert und schnell zum Ständer mit den Sonderangeboten hinübergeschaut hatte: Vielleicht war Nylon die neue Wolle, wenn man auf diese Weise billiger davonkam ... Offenbar konnte man einen Menschen aus Winton Hills herausholen, Winton Hills aber nicht aus einem Menschen. Er musste sich immer noch an die Tatsache gewöhnen, dass er mittlerweile ein reicher Mann war. Und wie würde es erst werden, wenn er zur besten Football-Mannschaft der Vereinigten Staaten wechselte, den Dallas Diggers? Der Deal war fast besiegelt und würde ihn zum bestverdienenden Spieler aller Zeiten machen – so hieß es jedenfalls. Die Details des Vertrags überließ er seiner Managerin, Frankie, aber er wusste, dass Tionne, seine Eltern und er selbst nie wieder Geldsorgen haben müssten. Es sei denn, dieser Termin jetzt hatte einen anderen Zweck, als ihm mitzuteilen, dass alle Untersuchungen in Ordnung waren. Doch vielleicht waren sie das gar nicht. Vielleicht war das vor ein paar Wochen doch keine Gehirnerschütterung gewesen. Der Zusammenstoß hatte ihn ein paar Tage außer Gefecht gesetzt, mit Kopfschmerzen und Übelkeit, wie zu erwarten, selbst Advil hatte dieses Mal nichts bewirkt. Sein bester Freund bei den Bisons, Chad, war mindestens zweimal am Tag vorbeigekommen. Und wenn Sam nicht an sein Telefon gegangen war, hatte Chad ihm den Lieferservice nach Hause geschickt, um sicherzugehen, dass er auch wirklich etwas aß.

Sam betrachtete die Wände des Büros von Dr. Monroe. Zwischen den Informationsplakaten zu Cholesterin und Diabetes hingen gerahmte Zertifikate, die mit Lamettagirlanden geschmückt waren. Die Auszeichnungen zeugten von einem Profi, der hart studiert und unermüdlich geschuftet hatte, um sein Examen mit Bestnote abzuschließen. Sam hatte andere um solche Leistungen immer beneidet, weil sie eine solide Grundlage hatten. Ihn selbst bezahlten die Leute dafür, dass er mit einem Ball in der Hand rennen konnte und keinen Schaden nahm, wenn man ihn zu Boden warf. Aber in Wahrheit würde er bald einen Haufen mehr verdienen als ein Arzt, der Kranke heilte und Leben rettete. Der Gedanke an sein Glück hatte einen faden Beigeschmack …

Die Tür zum Büro öffnete sich. Zusammen mit einem eiskalten Luftstoß drangen Fetzen von Weihnachtsliedern herein; sie kamen aus den Lautsprechern auf dem Empfangstresen, an dem Sam vorbeigekommen war. Vielleicht hatte sich die Anschaffung des Mantels doch gelohnt. Und da war er nun, Dr. Monroe, drei Stifte in der Brusttasche, eine Fliege mit Zuckerstangenmuster um den Hals, die Augenbrauen wie immer gerunzelt. Vielleicht bereute er die langen Stunden am College und seine Auszeichnungen. Vielleicht wünschte er sich, er würde seinen Lebensunterhalt auch damit verdienen, einen Ball zu werfen.

»Sam«, sagte Dr. Monroe und streckte die Hand aus, als Sam sich zur Begrüßung erhob. Dann zog er die Hand wieder zurück. »Gibt man sich heutzutage noch die Hand? Oder schlägt man nur noch die Fäuste aneinander?«

Sam ballte die Hand zur Faust. »Ich könnte Ihnen den

Gruß der Bisons beibringen, wenn Sie es damit versuchen wollen.«

»Belassen wir es lieber beim Händeschütteln«, erwiderte Dr. Monroe und streckte ihm wieder die Hand hin.

Sam nahm sie. Nach der förmlichen Begrüßung ließ sich Dr. Monroe auf seinen Schreibtischstuhl plumpsen, als sei der Teil einer Schaumstoffwelt für Kinder. Dann schloss er die Augen und verstummte.

»Geht es Ihnen gut?«, erkundigte sich Sam. Vielleicht fragte nie jemand diesen Typen, der die Antworten auf sämtliche Gesundheitsprobleme kennen sollte, wie es *ihm* eigentlich ging.

»Na ja … Es fällt mir immer schwer, schlechte Nachrichten zu überbringen«, antwortete der Arzt.

Dann schlug er die Augen auf und sah Sam so direkt an, als habe der Kommentar etwas mit ihm zu tun. *Schlechte Nachrichten?* Nein, bei diesem Termin ging es darum, dass die medizinischen Untersuchungen abgeschlossen waren und er grünes Licht bekam.

»In der Tat«, fuhr Dr. Monroe fort, »das ist das Schlimmste an meinem Beruf.«

»Aha«, sagte Sam. Seine Kehle war jetzt trocken. »Reden Sie von mir?«

»Also«, sagte Dr. Monroe, setzte sich auf und begann, Papiere zusammenzulegen und gleichzeitig eine Akte aus einem Stapel zu ziehen. »Die Details werde ich erst darlegen, wenn Ihre Anwältin da ist. Wird sie noch lange brauchen?«

Sams Frage hatte der Arzt nicht beantwortet.

»Ich …« Sam war entsetzt. Er hatte Frankie gesagt, dass sie nicht kommen müsse. Dr. Monroes Sekretärin hatte ihn zwar gebeten, sie zu dem Termin dazuzubitten, aber Frankie arbeitete hart an den letzten Finessen des Vertrags. Da am Monatsende schon Weihnachten war, konnte er sich ausrechnen, wie beschäftigt sie war. Nicht wegen ihrer Pläne fürs Fest, da Frankie selbst mit Ebenezer Scrooge mithalten konnte, wenn es darum ging, sich keine Pause zu gönnen, sondern weil alle anderen dann die Arbeit einstellten. Sie musste sicherstellen, dass die Verträge unter Dach und Fach waren, bevor die Bürotüren zufielen. Sam hatte ja auch erwartet, zu einem Abschlussgespräch hier zu sein, nicht zu einer medizinischen Vorbesprechung.

»Frankie kann heute nicht«, sagte Sam. »Sie hat andere Verpflichtungen.«

»Oh«, sagte Dr. Monroe. »Verstehe.« Er knetete die Akte in seinen Händen. Hatte diese Akte mit Sam zu tun? War heutzutage nicht alles digitalisiert? Plötzlich wollte er nicht, dass die Mappe in Dr. Monroes Händen geöffnet wurde. Irgendetwas stimmte hier nicht. Er spürte, dass etwas in der Luft lag. Das ursprünglich so behagliche Ambiente mit all diesen geschmückten Zertifikaten hatte jetzt etwas Klaustrophobisches. Er musste etwas tun. Er musste das andere Team ins Spiel bringen.

»Dr. Monroe«, sagte Sam und richtete sich auf, »sagen Sie es einfach geradeheraus.« Er nickte. »Ist es wegen der Gehirnerschütterung? Das war ein harter Aufprall, ich weiß. Man muss sich nur den Helm ansehen. Ist es ein Blutgerinnsel oder so etwas? Wenn Sie mich hierbehalten oder mir Medikamente geben wollen, dann sollten Sie wissen, dass ich Ihnen vertraue. Damit kann ich leben.«

Der Arzt legte die Akte ab und zog eine Schreibtischschublade auf. Eine Flasche guten Whiskys kam zum Vorschein, gefolgt von zwei roten Plastikbechern. Es war schlimmer als ein Blutgerinnsel. Sam schluckte. Was könnte schlimmer sein als ein Blutgerinnsel?

Der Whisky wurde eingeschenkt, und Sam bekam über den Schreibtisch hinweg einen der roten Becher in die Hand gedrückt. Warum bot ihm der Doktor vor dem Mittagessen Alkohol an, wo doch eines der Plakate an der Wand eine beschädigte Leber zeigte? Dr. Monroe hatte seinen Becher bereits an die Lippen gesetzt. Sam wusste nicht, was er sagen sollte. Es fühlte sich an, als würde er wieder durch die Luft fliegen, auf seine Gehirnerschütterung zu, während das Publikum kollektiv den Atem anhielt.

Dr. Monroe stellte seinen Becher ab und griff wieder zu der Akte. »Sam, Sie wissen doch, dass die Dallas Diggers alle Arten von Untersuchungen angefordert haben, bevor der Vertrag endgültig unterzeichnet wird.«

»Klar«, sagte Sam. »Ich habe mich schon gefragt, ob die mir überhaupt noch einen Tropfen Blut lassen.« Er runzelte die Stirn. »Aber die Fitnesstests habe ich doch bestanden, oder?« Ihm war selbst nicht klar, warum er das fragte. Er wusste schließlich, wie fit er war. Er hatte sich immer um sein Wohlbefinden gekümmert, sich gesund ernährt und sein Training über alles gestellt. Fitness war alles für ihn. Seit der High School hatte er sein ganzes Leben dem Training geopfert, hatte hart gearbeitet, das Stipendium bekommen und das College absolviert, stets sein Ziel im Blick – die NFL.

»Mit den Fitnesstests hat das nichts zu tun«, teilte Dr. Monroe ihm mit. »Die haben Sie mit Bravour bestanden. So perfekt wie kaum jemand, den ich in meiner Obhut hatte.«

Trotz dieser Worte fühlte Sam sich nicht mehr wohl in seiner Haut. Es *musste* etwas mit seinem Sturz zu tun haben. Andererseits war das Spiel schon zwei Wochen her, und die

Kopfschmerzen und die Übelkeit hatten sich längst gelegt. Was konnte sich so lange nach dem Vorfall bemerkbar machen?

»Die Dallas Diggers wollten, dass kein Stein auf dem anderen bleibt. Das ist ja mittlerweile auch Standard, wenn man bedenkt, um welche Summen es hier geht.«

Einhundert Millionen Dollar. Ein Drei-Jahres-Vertrag. Und es fühlte sich immer noch wie eine Fantasiewährung an. Man konnte sich beim besten Willen nicht vorstellen, wie eine solche Summe aussah, wenn man sie in Dollarscheinen auslegte.

»Verständlich.« Sam nickte. »Welchen Test habe ich also nicht bestanden? Was auch immer nötig ist, eine kleine Schonfrist oder ein bisschen Training oder was auch immer, ich bin bereit.«

Dr. Monroe senkte den Blick auf den Plastikbecher und schien sich zu wünschen, er möge wieder halb voll sein. Der Typ sah gar nicht gut aus, und in Sams Magen begann der Kaffee zu rumoren. Irgendetwas stimmte hier ganz und gar nicht.

»Sam«, begann Dr. Monroe und schlug jetzt einen professionell sanften Tonfall an. »Es gibt keinen Weg, jemandem so etwas schonend beizubringen, daher sage ich es einfach geradeheraus. In Ordnung?«

Sam hielt die Luft an.

»Es ist der Gentest, der uns alarmiert hat«, fuhr Dr. Monroe fort. »Sam … Es tut mir leid, aber Sie tragen ein defektes Gen in sich. Die Krankheit nennt man Chorea Huntington.«

KAPITEL
DREI

Richmond

»Herr im Himmel! Ich weiß schon, Anna, dass du gesagt hast, der Weihnachtsbaum würde im Vorraum liegen. Mist.«

»Pavinder würde ausrasten, wenn das bei uns passiert wäre. Er weint buchstäblich wie ein kleines Kind, wenn er ein Haar auf dem Küchenboden entdeckt. Seine Mutter hatte einen Putzfimmel. Das hat mein Leben zerstört.«

Anna lächelte, als sie ihre Freundinnen Lisa und Neeta ins Haus ließ, wo sich immer noch Malcolm breitmachte, die Äste über den gesamten Vorraum gestreckt. Nur ein schmaler Weg blieb, um die Tür zum Wohnzimmer und den Rest des Hauses zu erreichen.

»Danke, dass ihr gekommen seid«, sagte Anna, die sich als Erste am Baum vorbeidrückte und ins Wohnzimmer voranging. In der Zeit, in der Ruthie unter der Dusche stand, hatte Anna den kleinen Holzbrenner und ein paar weihnachtliche Duftkerzen angezündet. Sie war so in Gedanken, dass sie fast auch den Korken der Rotweinflasche angezündet hätte, hatte dann im letzten Moment aber doch zum Korkenzieher gegriffen.

»Wir sind nur gekommen, weil du uns Wein versprochen hast«, sagte Lisa, nahm ein Glas aus dem Regal und hielt es Anna hin.

»Ich bin nur hier, weil einer von Pavinders Kollegen eine

Weihnachtskarte vorbeibringen wollte. Wer bringt jemandem, der gar nicht Weihnachten feiert, eine Weihnachtskarte? Außerdem gibt es dafür doch die Post«, sagte Neeta und schüttelte ihre lange schwarze Mähne. Die großen silbernen Ohrringe schaukelten.

Anna füllte Lisas Glas und nahm für Neeta auch eins aus dem Regal. Da waren sie nun, herbeigeeilt auf ihren Hilferuf, ihre beiden besten Freundinnen, die ein paar Meilen weiter am Rande von Richmond wohnten. Anna erinnerte sich noch genau an den Tag, an dem sie sich alle zum ersten Mal begegnet waren. Dreizehn Jahre war das jetzt her, und Ruthie damals drei Wochen alt. Die Hebamme kam nicht mehr ins Haus, und so lag es an Anna, ihre Tochter jede Woche zum Wiegen in die Klinik zu bringen.

Was ihr niemand erzählt hatte, war, wie die Mutter-Kind-Wiege-Sitzungen in der Klinik abliefen. Man saß splitternackt in einem Kreis, in dem alle anderen schweigend jedes winzige Detail in Augenschein nahmen. Außerdem war es unfassbar kompliziert, das Baby auszuziehen, nachdem man es zuvor gegen sämtliche Eventualitäten des britischen Wetters eingepackt hatte. Anna musste lächeln, als sie daran dachte, wie sich Ruthie mit ihren Beinchen im Ärmel ihres Strampelanzugs verfangen hatte und mit dem Lungenvolumen eines Pavarotti schrie, während Anna unter dem Druck und der allgemeinen Beobachtung ins Schwitzen geriet.

Neeta hatte, wie sich herausstellte, kein eigenes Kind, sondern sollte das Baby ihrer Cousine zum Wiegen bringen, weil sich die frischgebackene Mutter ein Hennatattoo auf den neuerdings wieder flachen Bauch malen ließ. Neeta hatte immer noch keine Kinder, und Anna hegte schon lange den Verdacht, dass ihr Mann Pavinder, so sehr er auch den

Wunsch nach einer Familie beteuern mochte, nicht für den chaotischen, schmutzigen Dauerjob der Elternschaft geschaffen war. Pavinder konnte wunderbar mit Pflanzen umgehen, auch wenn niemand verstand, was eigentlich sein Job war – nur dass der Schmutz im Labor blieb und nicht ins Heim der Khatris geschleppt wurde. Lisa hatte Zwillinge, Kai und Kelsey, die beide damals auch gewogen wurden. Lisa und Paul waren immer noch glücklich miteinander. Anders als Anna und Ed.

»Bäh, du solltest dieses Foto wirklich entsorgen. Es kann doch für die Aura eines Hauses nicht gut sein, das Bild seines Ex-Manns vor der Nase zu haben, wenn man sich eine neue Folge von *Der Bachelor* reinziehen will.«

»Neeta«, sagte Lisa mit warnendem Unterton.

Anna reichte Neeta ihr Weinglas, dann tippte sie an den Rahmen des Bilds, sodass es flach auf das Regalbrett fiel. Es war ein Familienschnappschuss, den sie Ruthie zuliebe aufbewahrte. Er zeigte Ed, Ruthie und sie auf dem Snowdon, ein paar Sommer zuvor. Ruthie hatte den Aufstieg einfach nur gehasst. Das Ungeziefer. Die Felsen. Die anderen Menschen. Die Sonne. Den Wind. Wales überhaupt. Aber dem Foto merkte man nichts davon an. Lächelnde Gesichter, eine wahre Bilderbuchfamilie – bevor dann Sekunden später Ed zufällig gegen Ruthies Arm stieß, sie einen Anfall bekam und ihr Arm von den Fingerspitzen bis zum Ellbogen mit Desinfektionsmittel eingesprüht werden musste. »Schon geregelt.«

»Hast du mal wieder etwas von ihm gehört?«, fragte Lisa, als sie sich in ihren Lieblingssessel fallen ließ – es handelte sich um einen alten von Nanny Gwen, den Anna restauriert und neu bezogen hatte – und die in Jeans steckenden Beine übereinanderschlug.

»Nein«, sagte Anna. »Jedenfalls nicht, seit er letzte Woche da war, um den Dachboden zu plündern.«

»Wie bitte?«, fragte Lisa. »Er hat was getan?«

Anna nickte. »Er hat Besitzansprüche auf vier Kisten angemeldet, die wir seit unserem Einzug hier nie ausgepackt haben. Alles Zeug, das seine Mutter uns gegeben hat. Ich wollte es nicht. Er will es eigentlich auch nicht. Und ich garantiere euch, dass Nicolette es auch nicht will.«

Es war ein schwacher Versuch gewesen, Macht zu demonstrieren, das wusste Anna. Deshalb hatte sie Ed mit der Leiter hochmarschieren lassen, damit er sich holte, was er so dringend brauchte, auch wenn sie beide wussten, dass dem nicht so war. Mittlerweile waren sie schon ein Jahr geschieden. Anna konnte den Moment nicht bestimmen, an dem ihr klar geworden war, dass die Liebe sich verflüchtigt hatte, aber dass sich ihre Beziehung verändert hatte, war ihr endgültig bewusst geworden, als sie nach Ruthies Diagnose zunehmend Trost bei ihren Freundinnen gesucht hatte statt bei Ed. Das wäre nicht passiert, wenn Ed und sie sich wie zu Beginn ihrer Ehe verbunden gefühlt hätten. Bevor sie Eltern geworden waren, war es ein »Wir gegen die Welt«. Bei einer Flasche Wein und selbst gemachter Pasta hatten sie Arbeitsfragen besprochen und gemeinsam darüber diskutiert, wie man angespannte Beziehungen im Kollegium kitten oder Kundenerwartungen befriedigen könnte. An den Wochenenden hatten sie lange im Bett gelegen und gemütlich zu Mittag gegessen, hatten zwischendurch den Hausputz erledigt und dann Spaziergänge im Richmond Park unternommen. Der Rausch der frischgebackenen Elternschaft – Blumen- und Kartengrüße der Gratulanten, dann die Entfernung der Naht an Annas Vagina – hatte nicht lange gewährt. Und dann hatte Ed eine Affäre begonnen. So ein abgenutztes, vorhersehbares Klischee.

»Ich würde ihm das Zeug trotzdem nicht geben«, empörte sich Neeta, die Kissen herumschob, um es sich bequemer zu machen. »Die Scheidung ist durch. Er lebt hier nicht mehr. Auf das, was er zurückgelassen hat, hat er keinen Zugriff mehr, wo kämen wir denn da hin? Wird er dich demnächst um die Autoschlüssel bitten? Und was ist mit Ruthies Kaninchen? Wird er eines Tages vorbeischauen, weil er beschlossen hat, dass seine neue Freundin unbedingt ein Haustier braucht?«

»Nein«, sagte Anna. »Nicolette ist eher der Hundetyp.« Nicht dass sie Eds ehemalige Geliebte und jetzige Freundin beschattet hätte. Anders als zu Beginn war es keine Obsession mehr, nun da fast ein Jahr seit dem formalen Ende der Geschichte vergangen war. Wenn Eddie die Seligkeit mit einer Frau gefunden hatte, die Selfies in nichts als Gummistiefeln postete, ein paar Schreibtischlampen strategisch platziert, dann sei's drum. Trotzdem war es immer besser, sich zu wappnen. Auch wenn das bei Körbchengröße E – sollten die geposteten Dessousschildchen denn korrekt sein – nicht ganz einfach war.

»Woher willst du das wissen? Wenn du ihn immer reinlässt, dann betrachtet er das als Einladung, nach Belieben hereinzuspazieren und sich zu bedienen.«

»Neeta«, sagte Lisa. »Nicht so laut. Wo ist Ruthie eigentlich?«

»Oben in ihrem Zimmer«, sagte Anna, nahm einen Schluck Wein und rückte eine Weihnachtskarte auf dem Kaminsims zurecht, bevor sie sich neben Neeta setzte. »Sie kann nicht noch einmal herunterkommen, wenn sie geduscht hat.

Angeblich wird … ihr Schlafanzug dreckig, wenn sie hier in diesem Raum ist.« Sie schluckte. Niemand verstand so recht, was der Autismus im Mechanismus von Ruthies Verstand anrichtete, aber immerhin konnte Anna mit ihren Freundinnen darüber reden. Fremden gegenüber, das musste Anna zu ihrer Schande zugeben, erfand sie der Einfachheit halber lieber Ausreden.

Seit der Scheidung hatte Ed beschlossen, einer dieser Fremden zu sein. Er hatte sogar aufgehört, sich mit seiner Tochter ernsthaft auseinanderzusetzen. Er tauchte immer nur kurz in ihrem Leben auf, um dann gleich wieder zu verschwinden, als sei sie unter den Vergnügungen, unter denen er wählen konnte, ein weniger attraktives. Allerdings hatte er keine Kinder, unter denen er wählen konnte. Er hatte Ruthie. Aber seit Ruthies Diagnose offiziell war, schienen sich Eds väterliche Pflichten zunehmend darin zu erschöpfen, seine nicht desinfizierten Finger von ihr zu lassen.

»Paul kommt in einer Stunde, um uns mit dem Baum zu helfen«, sagte Lisa, das Thema wechselnd. »Sobald er Kai zum Kickboxen gebracht hat. Biete ihm bitte keinen Kaffee an. Er ist auf Koffeinentzug, bis ihm seine Eltern den nächsten Schnupperkurs für Hobby-Baristas schenken.« Sie schüttelte den Kopf. »Letztes Jahr war es, als würden wir mit einem überdrehten Komiker zusammenwohnen, eine ganze Woche lang.«

»Danke«, sagte Anna, plötzlich von Rührung gepackt. »Weil ihr für mich alles stehen und liegen gelassen und euch auf den Weg gemacht habt.«

Sie schluckte, damit dieses Gefühl der Zerbrechlichkeit in ihre Brust sackte. Nicht das Gerede über Ed regte sie auf, und auch nicht Ruthie oder die Tannennadeln, die sich in ihre Haut bohrten. Der zerbrochene Lampenschirm oder das vermeintliche Kopfschütteln von Nanny Gwen waren es auch nicht. Eher das alles zusammen, außerdem die täglichen schweren Gedanken, ob ihr Leben eigentlich in Ordnung war.

Sie war eine fünfunddreißigjährige Mutter, die einen Drahtseilakt vollführte, um irgendwie das Gleichgewicht zu halten. Wie eine Zirkusnummer war das, bei der unentwegt alle Teller rotieren mussten: Man wusste genau, welcher Teller Aufmerksamkeit brauchte, bevor er zu trudeln begann. War es nicht Ruthie, war es ihr Chef Adam. Oder Ruthies Nachhilfeassistentin in der Schule (Janice). Und war es keiner von ihnen – oder Ed, der vierte –, war es Mr Rocket (Ruthies Kaninchen), der zu einer Art Hannibal Lecter mutierte, wenn Ruthie sich nicht um ihn kümmerte. Meistens war Anna abends vor zehn im Bett und fragte sich, wie ihr die Stunden des Tages schon wieder zwischen den Fingern verrinnen konnten. Die Zeiten, in denen sie sich eine Maniküre gönnen oder bei einem Latte beim Friseur sitzen konnte, waren längst vorbei. Wenn sie mal fünf Minuten für eine ungestörte Dusche hatte, war das schon ein seltener Luxus.

»Das würdest du für uns doch auch tun«, sagte Lisa. »Du *hast* es für uns getan.« Sie lächelte. »Denk nur daran, wie wir diesen Pakettypen gefesselt haben, weil er die Päckchen absichtlich in der Gegend herumgeschmissen hat. Was wäre nur ohne deine Knotenkünste, die du als Pfadfinderin erworben hast, aus mir geworden?«

»Und ich habe gar nicht alles stehen und liegen lassen«, sagte Neeta und nahm noch einen Schluck von ihrem Wein. »Es ist doch wunderbar, hier zu sein und sich nicht dieses langweilige Gerede über die Beschaffenheit von Böden anhören zu müssen. Oder über die Frage, ob man, wenn man den Christbaum im Januar in den Garten pflanzt, einzig die Nachbarn verärgert. Pavinders Kollegen reden, als würde plötzlich eine nadelfreie Tanne auf die Erde fallen und Heilung für das Mosaikvirus schaffen.«

»Ehrlich gesagt«, erklärte Lisa lächelnd, »hatte ich auch nichts vor, als ein winziges Oberteil zu bügeln, das Kelsey *unbedingt* am Ohne-Uniform-Tag in der Schule tragen *muss*. Und natürlich heimlich eine Folge *Chesapeake Shores* zu schauen.«

»Umso besser«, sagte Anna und stellte ihr Weinglas auf den Couchtisch. »Da ihr nun einmal da seid und die Auszeit genießt, könnt ihr mir auch gleich helfen, einen eindrucksvollen Restrukturierungsplan für den Chip Shop zu entwickeln – angefangen bei einem neuen Namen.«

»Was?«, fragte Neeta. »Das Ding, in dem man auch chinesisches Essen und Pizza bekommt?«

Das war auch schon das Hauptproblem an dem Job, den Adam ihr übertragen hatte, mit der zeitlichen Vorgabe »vor Januar«. Wie sollte man einen Laden restrukturieren, der alles gleichzeitig sein wollte? Anna wusste, dass sie diesen ungeliebten Auftrag nur bekommen hatte, weil sie Teilzeit arbeitete, noch dazu im Homeoffice. Laut Stellenbeschreibung war sie die »Restrukturierungsexpertin« des Unternehmens, das sich auf Firmengründungen, Unternehmenswachstum und Qualitätsmanagement spezialisiert hatte. Kurz, man schanzte ihr Betriebe zu, die kurz vor der Pleite standen oder hinter den wirtschaftlichen Erwartungen zurückblieben, damit sie Verbesserungsvorschläge unterbreitete. In diesem Fall hätte sie es aber nicht schlimmer treffen können. Ihr Verstand war ohnehin schon in tausend Teile zersplittert, ihre Konzentration auf dem Tiefpunkt. Da sie allerdings jetzt projektweise bezahlt wurde, war der Lohn schon ein gewaltiger Anreiz. Deshalb hatte sie ihre ersten – ziemlich mäßigen – Ideen noch nicht in den Kamin geworfen.

»Drei mit einer Klappe?«, schlug Lisa wenig überzeugt vor.

»Das klingt nach einem Film mit Sandra Bullock, Zöpfchen im Haar und Maschinengewehr über der Schulter«, erklärte Neeta.

Drei mit einer Klappe. Gar nicht so schlecht. Etwas banal, aber wesentlich besser als alles, was ihr selbst eingefallen war. Anna hegte die Hoffnung, dass sich, wenn sie nur den richtigen Namen hatte, alles andere von selbst fand.

»Wie wäre es mit … Fritten, Frittata und Frittierter Reis?«, schlug Neeta vor.

»Das würde man nie auf ein Schild bekommen«, antwortete Lisa.

Anna ließ sich in die Kissen auf ihrem Sofa sinken, während Neeta laut dachte und Lisa ihre Vorschläge zerriss, und genoss das Zusammensein mit ihren Freundinnen. In solchen schönen Momenten ertrug sie ihr Leben als alleinerziehende Mutter besser. Es fühlte sich nicht so chaotisch an, wenn sie sich von der Liebe anderer getragen fühlte.

KAPITEL
VIER

American Airlines

»Darf ich Ihnen etwas bringen, Sir?«

Darf ich Ihnen etwas bringen? Wie wär's mit einem Rückspulknopf fürs Leben? Klicken Sie auf die Pfeiltaste und erleben Sie, wie die letzten vierundzwanzig Stunden Ihres Lebens an Ihnen vorbeiflitzen …

»Sir?«

Sam riss sich zusammen und sah zu der Stewardess auf. Sie war etwa vierzig Jahre alt, adrett und attraktiv. Ein langes Leben lag noch vor ihr, mit vielen Stunden in den Lüften und sicher einem Typen und Kindern, die daheim auf sie warteten … Er schluckte. »Ich nehme eine …« Dann hielt er inne. Eine Diät-Cola, hatte er sagen wollen, aber wem wollte er etwas vormachen? Die Saison war gelaufen. Sein ganzes Leben war gelaufen. Was hatte es ihm genützt, auf Alkohol zu verzichten und gedämpftes statt gebratenes Huhn zu essen? Hier war er gelandet. Und weiter als hierhin würde er auch nicht kommen.

»Ich nehme ein Bier«, sagte Sam. »Und einen Rotwein bitte. Und haben Sie Chips? Die mit den Rillen?«

Wer war er überhaupt? Sein zwölfjähriges Selbst, das die gesparten Münzen zählte, um sie in einen Snackautomaten zu stecken? Während ihm bei dem Gedanken an die Dinge, die andere täglich und achtlos in sich hineinstopften, schon das Wasser im Munde zusammenlief?

»Sir, Sie befinden sich in der First Class. Wir haben Besseres zu bieten als Chips. Der Dinner Service wird gleich bei Ihnen sein.«

Sie stellte die Getränke auf sein Tischchen und schob den Servierwagen weiter. Er riss den Verschluss der Bierdose auf und kippte die Flüssigkeit in sich hinein, als sei es Wasser nach einem Spiel. Dann schob er die Fensterblende hoch und sah auf die Erde hinab. Da war er nun also, hoch über den Wolken, und hatte eine Entscheidung getroffen. Solange er noch konnte. Er zog die Blende wieder herab, nahm noch einen Schluck und schloss die Augen. Er hatte Chorea Huntington.

Wie der Name eines besonders edlen Bourbon klang das. Ich nehme einen Huntington on Ice. Oder wie eine Speise im Restaurant. Ich nehme das Huntington mit Pommes, Zwiebelringen und Sauce Béarnaise. Leider war es keins von beidem. Es war eine Krankheit, die sich, wann immer es ihr beliebte, auf die Nervenzellen seines Gehirns stürzen und seine Bewegungs- und sogar seine Denkfähigkeit zerstören konnte.

Er war fünfundzwanzig, kurz davor, den größten Deal seines Lebens abzuschließen, und würde nun langsam, aber sicher zugrunde gehen. In Windeseile würde er vom Fittesten zum Gebrechlichsten mutieren, einfach so. Die Chance, auf die er all die vergangenen Jahre hingearbeitet hatte, würde zerplatzen, sobald sich die Nachricht herumsprach. *Eine Nachricht.* Darauf würde man ihn reduzieren, wenn es herauskam. Der Typ, dem die Welt zu Füßen lag und der nun den entscheidenden Schritt seiner Karriere verpasste. All diese Opfer und Mühen – der Verzicht auf Partys und Drogen und Alkohol am Steuer und tiefergehende Beziehungen –, nur damit er jetzt in ein großes, schwarzes Loch fiel.

In Dr. Monroes Büro hatte es diesen Moment gegeben, in dem es sich so angefühlt hatte, als würden ihm dicke Wattebäusche in die Ohren gestopft. Alles hatte dumpf geklungen, bis auf das unaufhörliche Pochen seines Herzens. Sam wusste nicht, ob der Rhythmus – heftig, laut, allzu gegenwärtig – die Intensität der Situation verstärkte oder ob er ihn daran erinnern sollte, dass sein Herz trotz der Diagnose immer noch schlug und keinerlei Anzeichen von Ermüdung zeigte. Aber der Tumult in seinem Innern hatte auch zur Folge gehabt, dass Dr. Monroes Worte auf nahezu taube Ohren gestoßen waren. Sein überfordertes Gehirn hatte sich wahllos Wörter und Sätze herausgegriffen. *Weitere Untersuchungen. Ein Termin beim genetischen Berater. Das Durchschnittsalter, in dem es bergab geht, liegt zwischen dreißig und fünfzig.* Er war in seinem Mantel in Schweiß ausgebrochen. Beim genetischen Berater war er bereits vor den ganzen Untersuchungen gewesen, die die Dallas Diggers verlangt hatten. Eigentlich hatte er es für eine Formalität gehalten. Er hatte noch *nie* ein schlechtes Ergebnis bei einer medizinischen Untersuchung gehabt. Das war Teil des Problems. Es waren sein Talent und seine Fitness, die ihn auszeichneten und für die Akzeptanz in einer Welt sorgten, in der er sich seine gerechte Chance hart hatte erkämpfen müssen. Plötzlich fühlte er sich wieder wie der kleine Junge, der alle beneidete, die hatten, was er nicht hatte – nur dass es diesmal nicht um Dollars, sondern um Sand in der Uhr des Lebens ging.

Sam legte den Kopf an die Lehne und schloss die Augen. Wie auf Autopilot war er in seine Wohnung zurückgefahren, hatte wahllos Zeug in eine Tasche gestopft und sich seinen Reisepass geschnappt. Dann hatte er ein Taxi zum Flughafen genommen. *Weit weg*. Das war alles, was er denken konnte. Sich von dieser Zeit, diesem Ort, dieser Diagnose entfernen. Er hatte auf die Abflugtafel geschaut und den Flug gewählt, der in den nächsten Stunden die längste Strecke zurücklegen würde. Solange es noch ging, tat er das, was er immer am besten gekonnt hatte. Rennen.

KAPITEL
FÜNF

Richmond

»Dad!«

Diese drei Buchstaben, in enormer Lautstärke hervorgestoßen, hatten zur Folge, dass Anna ihren starken Kaffee und die beiden Schmerztabletten so schnell hinunterschluckte, dass sie sich die Zunge verbrannte. Es war noch nicht einmal halb neun. Und es war Samstag. Hatte Ruthie die Haustür geöffnet? Oder hatte Ed immer noch einen Schlüssel? Bei diesem Gedanken sprang Anna auf und marschierte aus der Küche in die Vorhalle. Den Windfang schloss sie hinter sich. Alles hatte Grenzen. Sie waren geschieden. Er mochte immer noch Ruthies Vater sein, sie mochten auf eine jahrelange gemeinsame Geschichte zurückblicken, aber es war aus. Und auch wenn dieses Haus einst Eds Heim gewesen war, gehört hatte es ihm nie.

Anna war hier bei Nanny Gwen aufgewachsen. Böden, Wände und Decken waren über die Jahre hinweg renoviert und ersetzt worden, aber das Knochengerüst dieses Orts barg immer noch viele Erinnerungen: das lichtdurchflutete Wohnzimmer, in dem Nanny Gwen einer blutjungen Anna Tanzunterricht gegeben hatte; die Küche, in der Nanny Gwen versucht hatte, die Rezepte ihrer eigenen Großmutter nachzukochen, und dann auf ganzer Linie gescheitert war; das Schlafzimmer mit der hohen Decke und Annas Lieblingsmöbel, einem Kleiderschrank aus Walnussholz, der immer noch nach Nanny Gwens Lieblingsparfüm roch, *Lily of the Valley*. Ein Seitenblick auf Nannys Foto in der Vorhalle verlieh Anna die Kraft, sich der Szene zu stellen.

Da stand Ed, die Derbyschuhe auf der Fußmatte mit der Aufschrift »Willkommen«. Was für eine Ironie – willkommen war er nun wirklich nicht. Vor allem nicht, wenn er sich selbst Zutritt verschafft hatte. Was hielt er da in der Hand? Einen Schlüssel? Anna sah schnell weg, weil sie sich das einbilden *musste*, und richtete den Blick auf sein Haar. Er hatte immer so schöne Haare gehabt, fast weißblond, strubbelig, aber durchaus zu bändigen. Er trug es immer noch so wie damals, als sie sich kennengelernt hatten. Damals war sie einundzwanzig gewesen und er noch sehr nett, ein guter Junge und durchaus sexy. Mit ihm hatte sie sich nie so gelangweilt wie mit ihren ersten wenigen Freunden. Die Hochzeit schien ein folgerichtiger Schritt zu sein, und dann kam auch schon Ruthie. Im Nachhinein hätte sie es vielleicht langsamer angehen oder die Beziehung erst einmal auf die Probe stellen sollen. Vielleicht war alles zu einfach gewesen. So einfach, dass es, als Ed dann derjenige war, der die Beziehung auf die Probe stellte, ein Leichtes gewesen war, sie aufzugeben.

Anna wollte sich schon eine Art Begrüßung abringen, als ein schrilles Geräusch erklang.

»Was ist in der Schachtel? Was ist da drin?«

Anna war so sehr damit beschäftigt gewesen, den Mann auf ihrer flugs umgetauften »Nicht-willkommen«-Matte zu ignorieren, dass sie die kunstvoll verpackte Schachtel neben ihm gar nicht bemerkt hatte.

»Ruthie«, sagte Anna und trat nun vor. »Beruhige dich. Du hattest doch gerade erst deine Coco Pops.« Ruthie übergab sich manchmal, wenn sie aufgeregt war und gerade erst gegessen hatte.

»Himmel«, sagte Ed und trat einen Schritt zurück. »Ich hätte gedacht, dass ihr längst gefrühstückt habt.«

Anna presste die Zähne zusammen. Da hatte sie ausnahmsweise einmal etwas getrunken und war spät ins Bett gegangen, und prompt wurde sie von Ed erwischt. Der Baum war noch nicht geschmückt, aber sie wusste, dass sie Ruthie nicht länger hinhalten konnte. Sie könnte es eigentlich heute noch tun, wenn sie ihren leichten Kater loswerden würde ... und ihren Ex-Mann.

»Darf ich das aufmachen?«, fragte Ruthie mit großen Augen. Sie war vollkommen aus dem Häuschen und knibbelte mit den Fingern am Klebeband herum. Sie würde es sowieso tun.

»Nicht, wenn es ein Weihnachtsgeschenk ist«, begann Anna. »Du kennst doch die Regeln: Vor dem 25. Dezember machen wir gar nichts auf.«

»Na ja«, sagte Ed, der sich immer noch abseits hielt. »Diese Regel muss ich leider außer Kraft setzen. Es wird vor Weihnachten noch ein wenig Luft brauchen.«

Luft? War das etwas zum Aufblasen? Anna hoffte, dass es nicht mit Helium gefüllt war. Nie würde sie diesen Ballon in Form einer Sieben vergessen, aus der Ruthie und ihre Freundinnen abwechselnd inhaliert hatten, worauf die Party eine dramatische Wendung genommen hatte, die Anna die Rechnung für eine Komplettreinigung eines Mercedes S-Klasse eingebracht hatte.

Plötzlich war ein Geräusch zu hören, ein Miauen, absolut unverkennbar. In Annas Brust bildete sich ein Klumpen. Er würde doch wohl nicht ... Er *konnte* doch wohl nicht ...

»O Gott! Das ist … das ist …« Ruthie hyperventilierte fast, als eine gewaltige, langhaarige Tigerkatze den Kopf aus der Schachtel steckte, den Schwanz hoch erhoben, die grünen Augen so starr, als erwäge sie die Auslöschung aller anwesenden Menschen. Es stimmte. Er hatte für Ruthie eine Katze gekauft. Es sei denn …

»Ist das eines dieser Betreuungsprojekte, von denen man so viel hört?«, fragte Anna schnell, als die Katze aus der Schachtel sprang und auf dem Teppich landete.

»Betreuungsprojekte?«, fragte Ed und wirkte genauso verständnislos wie früher immer, wenn Anna ihn gefragt hatte, warum er bei eBay Dinge ohne ersichtlichen Nutzen gekauft hatte.

»So etwas wie … wenn man sich jemanden sucht, der für einen die Großmutter spielt. Das sieht man doch ständig im Fernsehen.« Irgendwie hatte sie schon den Kürzeren gezogen – während Ruthie bereits ihr Herz an etwas verloren hatte, das sie gar nicht behalten konnte, wenn es nicht nur für einen vorübergehenden Zeitraum war.

»Ich nenne sie …«

»Nein!«, rief Anna, sprang vor und nahm die Katze auf den Arm. Ruthie hatte sie noch gar nicht berührt. Eine gefühlsmäßige Bindung würde gar nicht erst entstehen, wenn Anna die Katze zurück in den Karton und den Karton zusammen mit Ed aus dem Haus bugsieren würde. Nur dass sich die Katze nun leider aufbäumte, dieser Brocken mit den Pfoten von der Größe menschlicher Fäuste …

»Mum! Du darfst Cheesecake nicht wehtun!«, rief Ruthie.

Nun, da sie einen Namen hatte, war die Sache gelaufen. Das schien selbst die Katze zu ahnen, da sie es für geboten hielt, so engelsgleich zu miauen, wie sie es vielleicht nie wieder tun würde. Was hatte Ed da nur geritten? Ohne sie zu fragen! Anna setzte die Katze ab, richtete sich auf und starrte Ed an. Sie konnte nicht mehr an sich halten.

»Kann ich kurz mit dir reden?«, fragte sie.

»Frohe Weihnachten!«, sagte Ed. »Ist das kurz genug?«

Wollte er sie auf den Arm nehmen? Anna verschränkte die Arme vor der Brust. Cheesecake, die auf den Boden geplumpst war, reckte ein Bein hinter den Kopf und leckte sich den After.

»Ich muss mit dir reden«, sagte Anna bestimmt. »Im Wohnzimmer.«

Eds Antwort wartete sie gar nicht erst ab. Sie öffnete die Tür zu ihrer Rechten und trat in den Raum, der fast vollständig von Malcolm eingenommen wurde. Mist, auf dem Fensterbrett stand eine geöffnete Weinflasche, die sie nicht mehr wegräumen konnte. Anna blieb so stehen, dass Ed sie beim Eintreten nicht sehen konnte. Der hatte die Hände in die Taschen seiner dunkelblauen Jeans gesteckt und wirkte geradezu nervtötend entspannt. Nun, sie selbst war nicht entspannt. Sie kochte!

»Du hast Ruthie tatsächlich eine Katze gekauft?«, fragte sie.

Ed zuckte mit den Schultern. »Die hat sie sich gewünscht, als ich sie das letzte Mal gesehen habe.«

»Ed! Sie wünscht sich eine Katze, seit sie sprechen kann! Und wir haben immer Nein gesagt. Unser Leben und die Straße vor dem Haus sind nichts für Katzen. Mr Penderghast hat fünf Katzen verloren, bis es ihm zu viel wurde und er sich für einen Wellensittich entschieden hat.«

Wieder zuckte Ed mit den Schultern. Was sollte das? Hatte er sich das bei Nicolette eingefangen? *Apathie*. Hier sollte es darum gehen, dass eine Katze keine gute Idee war, und nicht um Annas Kränkung, weil Ed ein leichtes Leben hatte, während sie selbst bei der Arbeit immer die Gruseljobs abbekam und in ihrem Privatleben vor allem wohlmeinendes Mitleid erntete.

»Von derartigen Plänen hast du mir nichts erzählt, Ed!«, sagte Anna.

»Es sollte eine Überraschung sein! Überraschungen verrät man nicht vorher.«

»Aber keine Überraschung für mich. Die Katze ist für Ruthie. Du hättest mir vorher davon erzählen müssen, damit ich …«

»Damit du was?«, fragte Ed, nahm die Hände aus den Hosentaschen und gestikulierte. »Damit du mir erzählen kannst, dass das keine gute Idee ist?«

»Nun … ja!«

»Ich soll also nicht mitreden dürfen, wenn es darum geht, was gut für Ruthie ist?«, platzte es aus Ed heraus.

»Wie bitte?«

»Darum geht es doch bei diesem ganzen Theater, nicht wahr?«, fuhr Ed fort, verließ seinen Posten an der Tür und marschierte in Annas Lebensraum, als hätte sich zwischen ihnen nichts verändert. »Du willst doch nur die Kontrolle behalten … wie immer.«

Was passierte hier? War das wirklich wahr? Oder war ihr Kater schlimmer als gedacht. Anna schüttelte den Kopf und bereute es sofort wieder, weil er pochte, als hätte jemand eine Hantel dagegengeknallt.

»Ed, du hast Ruthie ein Tier geschenkt. Nicht irgendein Tier, sondern eines, das vielleicht achtzehn Jahre lang lebt und an jedem einzelnen Tag Pflege und Aufmerksamkeit verlangt.«

»Wenn ich es recht verstanden habe, gehst du sowieso davon aus, dass sie noch vor Weihnachten überfahren wird. Ein paar Büchsen Katzenfutter, und du bist sie los!«

»Ed! Das ist gemein.«

»Und was soll daran nett sein, wenn du mir verbieten willst, meiner Tochter eine Katze zu schenken? Ich weiß, dass sie dieses Tier lieben wird.«

Ed nahm die Flasche vom Fensterbrett und betrachtete sie, als müsse er überlegen, ob er sie als Beweismittel dem Jugendamt übergeben sollte. »Lange Nacht, was?« Er drohte mit dem Finger. »Und mal im Ernst: Was ist das für ein Baum? Der wäre eher etwas für den Trafalgar Square!«

Bevor Anna etwas sagen konnte, flog die Tür auf, und Ruthie stand im Türrahmen, die Kapuze ihres Sweatshirts so stramm um den Kopf gezogen, dass man nur ihre Augen sah. So trat sie auf, wenn sie sich unsichtbar machen wollte, weil die Situation zu knifflig war. In ihren Armen hatte sie die Katze. Die schmiegte sich wie eine professionelle Tierschauspielerin an das Kind und ließ den Kopf von Ruthies Ellbogen herabhängen, ein Bild des Entzückens.

»Hört auf zu schreien!«, rief Ruthie. »Ihr wisst doch, dass ich empfindliche Sinne habe. Eine Tür zu schließen trägt nicht wirklich dazu bei, die Lautstärke zu reduzieren.«

»Tut mir leid, Ruthie«, sagte Anna sofort.

Ruthie trat auf Ed zu und legte ihm die Katze in den Arm. »Ich kann sie nicht behalten«, sagte Ruthie. »Falls es eine Sie ist, das habe ich noch nicht überprüft. Ich würde es tun, wenn ich sie behalten würde … ihn … aber das geht nicht.«

Die Katze schien von dem Ortswechsel nicht begeistert zu sein. Ihr Lächeln verwandelte sich in eine Grimasse, als Ed herauszufinden versuchte, wie man sie am besten hielt.

»Ruthie, sei nicht albern. Du hast immer eine Katze gewollt, und jetzt hast du eine«, sagte Ed, während sie nun an seinem Pullover hochkletterte.

»Aber Mum hat immer Nein gesagt«, erinnerte Ruthie ihn. »Und ich möchte nicht gegen Regeln verstoßen.«

Anna schluckte. Es zerriss ihr das Herz. Sie hätte nichts lieber getan, als Ruthie zu sagen, sie könne die Katze behalten. Aber das war nicht möglich, und das wusste Ed auch.

»Nun komm schon, Ruthie. Wo soll ich denn hin damit? Sie hat sogar einen Stammbaum. Ihr Name besteht aus vier Wörtern. Ich habe sämtliche Papiere für sie.«

Natürlich hatte er die! Damit demonstrierte er nur seinen Wohlstand, während Anna hart arbeiten musste, um das Gleichgewicht zu halten, das Ruthie so dringend brauchte. Sie hatte das Haus, das war das Wichtigste. Für diese Stabilität hatte Nanny Gwen vor Ewigkeiten gesorgt. Aber Strom war nicht billig, genauso wenig wie eine anständige Internetverbindung. Ed konnte Vollzeit arbeiten, Anna nicht. Und was Ed nach der Scheidung zum Lebensunterhalt beitragen musste, war lachhaft.

»Du kannst sie behalten«, sagte Ruthie, eine Hand an der Klinke. »Vielleicht freut sich dein neues Baby über eine Katze!«

Als Ruthie den Raum wieder verließ, taumelte Anna zur Seite und fiel direkt in den Weihnachtsbaum.

KAPITEL
SECHS

London

Ein verschnörkelter Wegweiser zeigte »nach Putney«, während ein anderer »nach Richmond« wies. Sam wurde bewusst, dass er zwar wieder an einem Scheideweg stand, ihm die Entscheidung aber nicht so schwerfallen würde wie die, in ein Flugzeug nach Großbritannien zu steigen.

Als der Flieger in Heathrow gelandet war, hatte er ein Taxi genommen und dem Fahrer das Ziel überlassen – im Umkreis von zehn Meilen, so lautete seine einzige Bedingung. *Richmond bildet sich ein, etwas Besseres zu sein, aber es ist sehr hübsch. Ich fahre mit meiner Frau dorthin, wenn ich mich danebenbenommen habe. Nette Restaurants und Parks. Die Weihnachtsbeleuchtung ist wunderbar, aber Geschenke kaufen Sie dort besser nicht. In Putney dreht sich alles ums Rudern.*

Immer noch unentschlossen, hatte Sam sich zusammen mit seinem Rucksack an diesem Ort der Entscheidung absetzen lassen.

Nun ließ er den Rucksack fallen und überlegte, ob er sein Handy herausholen sollte. Seit er es für den Flug ausgeschaltet hatte, hatte er es nicht mehr in der Hand gehabt. In diesem ganzen Szenario war nicht er selbst der Patient, sondern die Dallas Diggers: Sobald Dr. Monroe die Ergebnisse des Gentests weitergeleitet hätte, wäre die Nachricht heraus. Er öffnete den kleinen Reißverschluss vorne am Rucksack und fröstelte. Kalt war es in England. Frost lag auf dem Gras, selbst jetzt – wie spät war es eigentlich? – am Nachmittag. Die verschneiten Winter in Ohio kannte er gut; vielleicht hätte er daran zurückdenken sollen, als er seine Sachen gepackt hatte. Tatsächlich konnte er sich kaum noch daran erinnern, wie er die paar Hemden und T-Shirts, eine Jeans, eine Sporthose und einen Pullover in den Rucksack gestopft hatte. Außer diesem Zeug, einem Laptop und Unterwäsche hatte er nur, was er am Leib trug.

Seine Finger stießen auf das Handy. Er betrachtete die glänzende schwarze Oberfläche. Mit nur einem Tastendruck könnte er es anschalten, könnte sich dem stellen, was auch immer ihn erwartete. Als ein Mann an ihm vorbeieilte, einem struppigen weißen Hund mit Halstuch hinterher, fragte sich Sam, von wem wohl die erste Nachricht sein würde. Von seinem Trainer bei den Bisons, Tim? Von Frankie? Oder von Chad, der eines dieser zwanglosen Treffen vorschlug, die unweigerlich in eine Poolparty ausarteten, über die man in der nächsten Promishow sprechen würde? Die Diggers? Nein, denn wenn die es bereits wussten, würden sie erst mit Frankie sprechen. Die Diggers waren ein millionenschweres Unternehmen, sie würden ihm keine Nachricht schreiben und erklären: *Haben von deinen Problemen gehört, wir sind raus.*

Tionne. Er zuckte zusammen. Sonst rief er sie einmal am Tag an oder schrieb ihr eine Nachricht, außerdem lud er sie jeden zweiten Freitag zum Eis ein. Dieser Termin stand seit Jahren fest. Einmal hatte er versucht, sich aus der Affäre zu ziehen, weil die Jungs etwas trinken gehen wollten und er schon zu oft Nein gesagt hatte, aber vergeblich. Tionne hatte keinen Hehl daraus gemacht, dass sie ihn in diesem Fall nicht mehr als ihren Bruder ansehen würde. Ihm war klar, dass sie es nicht so meinte. Wie selbstsüchtig sie sich auch aufführen mochte, im tiefsten Innern war sie immer noch das kleine Kind, das wegen seiner Zöpfe gehänselt wurde und den großen Bruder brauchte. Wie sollte er ihr die Situation erklären? Er war immer der Starke gewesen, und was war er jetzt? Angeschlagen? Schwach? Bei der Vorstellung fröstelte er.

Er steckte das Handy in die Tasche zurück und richtete den Blick wieder auf den Wegweiser. Dann traf er eine Entscheidung.

KAPITEL
SIEBEN

Bean Afar, Richmond

Obwohl das Café immer überfüllt war, hatte es seit jeher einen beruhigenden Einfluss auf Ruthie gehabt. Seit dem Moment, da sie gehen konnte, war Anna immer mit ihr hierhergekommen. Es war schon einer von Nanny Gwens Lieblingsorten gewesen. Damals hieß es noch Spooner's, und es gab den ganzen Tag über Frühstück, außerdem Picknickkörbe, Tee in Jumbotassen und nachmittags riesige Kuchenstücke.

Ein Besuch hier hatte Anna ein paar Momente geschenkt, in denen Ruthie glücklich und zufrieden war und sie selbst durchatmen konnte. Der Kaffeeduft, der sich mit dem von den Espressomaschinen aufsteigenden Dampf mischte, hatte denselben Effekt wie ein Wellnesstag. Hier gab es nur normale Menschen mit gewöhnlichen Anliegen: Kaffee fürs ganze Büro holen, nach dem Joggen einen Saft trinken, Freunde treffen. Aztekische Blumentöpfe standen neben nie benutzten, knallbunten Flaschen. Ein Hauch von Exotik.

Das Problem damals war nicht, dass sie an die Wände ihres geliebten Hauses starrte, während sie ihren Ehemann immer noch zutiefst darum beneidete, dass er an seinen Arbeitsplatz flüchten konnte. Obwohl sie außerordentlich glücklich über ihr Baby war, hatte Anna ihre neue Aufgabe nie so angenommen, wie sie es ihrer Meinung nach tun sollte – oder wie es die Elternratgeber nahelegten. Mutter zu sein war hart.

Noch härter war es, wenn die eigene Mutter das Heft schnell an die Großmutter weitergegeben hatte und die dann zu früh gestorben war, um Ratschläge geben zu können.

Vielleicht hatte sie, Anna, doch etwas von der kalten, selbstsüchtigen Art ihrer Mutter geerbt. Vielleicht hatte auch ihre Mutter einst Trost in einem Café gesucht und den Tag verflucht, an dem sie beschlossen hatte, die Pille abzusetzen. Kurz nach Ruthies Geburt hatten die finsteren Gedanken Anna überwältigt. Wenn sie in den Spiegel sah, schaute ihr oft die schlanke, dunkelhaarige Gestalt ihrer Mutter entgegen. Die seelenlosen Augen, das herrische Lächeln, niemand sollte hinter die Fassade blicken – ihre Mutter wollte es so, wie ihr irgendwann klar geworden war. Ein Machtspielchen war das.

Vielleicht war das erblich, dachte sie, wenn sie in Windeln und gerissenen Feuchttüchern versank. Vielleicht war die Unfähigkeit, eine gute Mutter zu sein, in der DNA festgeschrieben. In diesen Tagen, Wochen und Monaten unauslöschlicher Angst und Depression ertappte sich Anna manchmal sogar bei dem Gedanken, dass sie eines Tages ausrasten und Ruthie wie ein Bündel auf einer Bank im Richmond Park zurücklassen könnte. Jetzt schüttelte sie den Kopf und verscheuchte die düsteren Erinnerungen. Sie hatte es nicht getan. Mit Lisas und Neetas Hilfe hatte sie die schlimmsten Zeiten überstanden. Und was ihre Mutter betraf, hatte sie keine Ahnung, wo die jetzt war. Sie hatten keinen Kontakt mehr, seit sie uneingeladen und betrunken auf ihrer Hochzeit aufgetaucht war und sämtliche Aufmerksamkeit auf sich gezogen hatte. Nanny Gwen hatte sie hinauskomplimentiert, und was auch immer sie gesagt – oder angeboten – hatte, so etwas war nie wieder vorgekommen.

Das Baby. Ed würde ein Kind mit Nicolette bekommen. Würden sie vor der Geburt heiraten? Würde Nicolette die bessere Mrs Heath werden? Eine, die nicht fluchte und schwitzte?

»Die Lebkuchenmänner sind nicht regelmäßig.«

Ruthies Stimme durchbrach Annas Gedanken und die weihnachtliche Radiomusik. Es war warm hier, und die Fenster waren beschlagen. Anna sah zu den Lebkuchenmännern hinüber, die zur Dekoration aufgehängt waren: zwei braune Arme, zwei braune Beine, drei schwarze Knöpfe, ein rotes Lächeln …

Ruthie seufzte. »Auf der einen Seite hängen vier, auf der anderen drei. Und der da hält Händchen mit einem Schneemann. Das passt doch gar nicht. Glaubst du, Esther ändert das, wenn ich sie darum bitte?«

»Keine Ahnung«, antwortete Anna und schlang die Finger um ihren Lieblingskaffee, eine kräftige Mischung aus Kenia. »Aber sie wird es dir nicht übel nehmen, wenn du sie fragst.« Ruthies Bedürfnis nach Ordnung war hier wohlbekannt. Es begann mit einer ungeraden Anzahl von Donuts auf dem Tresen und endete noch lange nicht bei der Inschrift auf der Tafel dahinter. Das Angebot musste in Gruppen von zwei, vier oder sechs aufgelistet sein, sonst konnte Ruthie die Augen nicht von dem Ungleichgewicht losreißen.

Ruthie legte die Lippen an den Becher mit der heißen Schokolade und nippte. Einmal. Zweimal. Dreimal. Viermal. Das tat sie nicht immer. Das Muster konnte variieren, je nachdem, was ihr der Verstand in bestimmten Situationen auftrug. Außerdem hing alles davon ab, wie gestresst sie war. Dass der eigene Vater noch ein Baby bekam, würde jeden beunruhigen, aber auf Ruthie konnte es extreme Auswirkungen haben. Anna fragte sich schon die ganze Zeit, wie lange Ruthie das Geheimnis bereits kannte. Sie betrachtete ihre Tochter, die in ihrem flauschigen überdimensionierten Lieblingsoberteil steckte, und verspürte einen Stich in der Magengegend, wenn sie sich vorstellte, irgendjemand oder irgendetwas könne ihr wehtun. Dieses Gefühl kannte ihre Mutter sicher nicht – diesen Mutterinstinkt, der keinen Zweifel daran ließ, dass du dieses von dir geschaffene Wesen um *jeden* Preis verteidigen würdest.

»Ruthie«, begann Anna sanft. »Wann hat dir Dad von diesem … Baby erzählt?«

Ruthie verdrehte die Augen. »Man kann das nicht aussprechen, als sei ›dieses Baby‹ ein Ding.«

»Habe ich das getan?«, fragte Anna, obwohl sie es natürlich selbst wusste. Sie hatte das Wort »Baby« ausgesprochen, als sei es mit stinkenden Exkrementen verkrustet, eine Beleidigung für ihre Zunge. Aber wie unerfreulich das Ganze für sie selbst sein mochte, dieses Baby würde zu einem Teil von Ruthies Leben werden, so wie auch Nicolette Teil von Ruthies Leben war.

»Mum«, sagte Ruthie. »Du hast es gesagt, als sei ›dieses Baby‹ Voldemort.«

»Schsch!«, machte Anna. »Dürfen wir diesen Namen hier überhaupt aussprechen?«

»Außerdem hat Dad mir gar nicht von dem Baby erzählt«, erklärte Ruthie, den Blick auf ihr Getränk gerichtet. »Ich war dabei, als Nicolette mit ihren Freundinnen zusammengesessen und mit einem Kästchen herumgefuchtelt hat. Alle haben gejohlt und mit Alkohol angestoßen. Ich dachte erst, es sei ein Covid-Test, und da alle so begeistert ›positiv‹ riefen, habe ich mich erkundigt, was denn so toll daran sei, Corona zu haben. Sie hat dann diese Stimme aufgesetzt, mit der sie immer über Dinge redet, die sie nicht essen darf, Kohlenhydrate zum Beispiel. Und dann hat sie gesagt: ›Du wirst große Schwester!‹«

Anna schloss die Augen. Ein Kind mit Autismus so mit einer gewaltigen, lebensverändernden Neuigkeit zu überrumpeln war sicher keine gute Idee. Man hätte Ruthie das mit Bedacht übermitteln müssen, in einer Atmosphäre, in der sie sich wohlfühlte, nicht in einem kreischenden Kreis angetrunkener Weiber. Und wie mit der Katze stellte sich die Frage, wieso Ed ihr selbst nichts davon erzählt hatte. Er war ihr ausgewichen, nachdem sie sich aus Malcolms stacheligen Armen befreit hatte.

Vage Worte wie »Wir warten auf den ersten Ultraschall« und »Wir haben es gerade erst unseren Familien erzählt« waren aus seinem verkniffenen Mund gedrungen. Der letzte Satz hatte sie getroffen. Und das wurde nicht besser, wenn Anna jetzt hören musste, dass Ruthie es von Frauen erfahren hatte, die definitiv nicht zur Familie gehörten.

»Was auch immer du nun empfindest, es ist vollkommen in Ordnung«, erklärte sie Ruthie.

»Das sagen Leute immer, wenn sie eigentlich eine bestimmte Meinung hören wollen, schwarz oder weiß.«

Hochintelligent, wie gehabt. Es war immer wieder erstaunlich, dass der Autismus schlichteste Alltagsprobleme zu einer großen Herausforderung werden ließ, während komplexe Knacknüsse wie die Fragen bei »Wer wird Millionär?« locker bewältigt wurden.

Ruthie seufzte. »Mir wäre es lieber, wenn kein Baby kommen würde. Aber ich werde es nicht im Schlaf ersticken.«

Anna nickte. »Gut zu wissen.« Kam da noch mehr? Das wusste man nie. Manchmal folgte eine gewaltige Welle an

Informationen, manchmal verarbeitete Ruthie die Dinge in ihrem Innern, bevor sie auch nur einen winzigen Gedanken äußerte.

»Dad möchte wohl auch nicht, dass ein Baby kommt«, fuhr Ruthie fort.

»Wieso denkst du das?«, fragte Anna.

Ein weiterer Seufzer. »Ich habe mitbekommen, wie er mit Onkel Jason geredet hat. Er sagte, er sei total angepisst.«

»Ruthie!«, rief Anna.

»Was denn?«, fragte Ruthie irritiert. »Das ist doch nur ein Wort. Für mich würde es keinen Unterschied machen, wenn ich ›Rote Beete‹ sagen würde. Es sind die Menschen, die den Worten Macht verleihen.«

Anna fühlte sich bemüßigt, ihrer Tischnachbarin ein »Entschuldigung« zu signalisieren, einer Frau mit einem To-go-Becher, auf dem »Brian« stand.

»Ich frage mich allerdings, wie es *dir* mit dem Baby geht«, sagte Ruthie.

»Oh.« Anna ließ sich wieder gegen die Stuhllehne sinken. »Na ja, ich werde nicht … ich meine … Mit mir hat das ja nichts zu tun, oder?«

»Mum, deine Körperhaltung verrät dich, als hättest du dir ein Neonschild umgehängt. Du hasst das Baby.«

»Ruthie! Das tue ich nicht!« Anna registrierte, dass nun sie selbst zu laut war, und senkte die Stimme zu einem Flüstern. »Niemand hasst ein Baby. Es sei denn, irgendetwas stimmt nicht damit. Mit der Person, meine ich, nicht mit dem Baby.«

»Nein, aber du magst Nicolette nicht. Und du magst es auch nicht, dass Dad mit Nicolette zusammen ist. Während du niemanden hast.«

Das brachte die Situation auf den Punkt. Nicolette war jetzt keine Affäre mehr, sondern eine offizielle – schwangere – Lebensgefährtin. Während Anna die Ex war. Ausgemustert. Aber sie wollte ihre Gefühle nicht auf Ruthie übertragen.

»Wir sollten jemanden für dich suchen!«, erklärte Ruthie, als müsse man nur in einen Supermarkt gehen und einen geeigneten Partner aus dem Regal nehmen, aus dem Fach neben dem Roastbeef. Dass Ruthie sich in so etwas hineinsteigerte, wollte Anna auch nicht.

»Mr Dandruff ist nett. Abgesehen von diesem peinlichen LOL.«

Ruthie sagte nicht L-O-L. Sie sagte LOL, als sei das ein eigenständiges Wort. Und wer war überhaupt Mr Dandruff?

»Das ist mein Sportlehrer«, fuhr Ruthie fort. »Der neue, bei dem du noch keinen peinlichen Auftritt beim Elternsprechtag hattest. Er sieht ein bisschen aus wie dieser Schauspieler, den du so toll findest ... Richard Soundso.«

»Richard E. Grant?«

»Iiieh. Den magst du doch gar nicht.«

Anna beugte sich vor, jetzt fast interessiert. »Aber nicht Richard Armitage?«

»Doch!«, rief Ruthie begeistert.

Sofort stellte sich Anna vor, wie ein Richard-Armitage-Verschnitt in kurzen Hosen über den Sportplatz rannte. Ruthie musste übertreiben. Hätte Anna früher einen solchen Sportlehrer gehabt, hätte sie vielleicht auch sportlichen Ehrgeiz entwickelt. Wenn ihr Lisa nicht Belohnungen in Form von Kalorienbomben versprochen hätte, hätte sie sich sogar einem schlichten Zirkeltraining verweigert.

»Soll ich ihm sagen, dass ich echt Probleme mit … mit meinen Beinen habe und … Und weil ich besondere Bedürfnisse habe, wird Mr Dandruff mit dir über ein paar spezielle, aber nicht zu schwierige Übungen für mich sprechen müssen.«

»Nein!«, rief Anna sofort. »Nein.« Sie setzte die Tasse an die Lippen, und die Richard-Armitage-Traumwolke löste sich in Luft auf. »Ruthie, mir geht es gut. Ich suche wirklich niemanden. Mein Leben ist mehr als ausgefüllt. Ich habe dich, ich habe Lisa und Neeta, und bei der Arbeit habe ich mein neuestes Projekt, das *wirklich absolut super* läuft …«

Wirklich absolut super lief es wahrhaftig nicht. Es lief überhaupt nicht. Inmitten der etwas wirren, weinseligen Träume hatte sie verzweifelt nach einem Wort gesucht, das sich auf Zervelatwurst reimte. Sie hatte keine Vorstellung, wie sie diese Restrukturierung angehen sollte, und das kannte sie gar nicht von sich. Vielleicht war das kurze Briefing doch zu kurz gewesen. Vielleicht musste sie ganz von vorne anfangen und Mr Wong fragen, welche Erwartungen er an sie hatte.

»Ich weiß, dass ich dir das Leben noch schwerer mache«, sagte Ruthie sanft, und ihre strahlend blauen Augen trübten sich ein. »Und mir ist selbst klar, dass ich mich auf eine Veränderung nur schwer einstellen könnte …«

»Ruthie …«

»Aber du könntest natürlich trotzdem einen Freund haben. Wenn du nur wolltest. Und wenn er nie mein Zimmer betreten würde, und sei es auch nur, um zu schauen, ob die Heizung läuft. Und wenn er in die Armbeuge husten würde und nicht in die Hand. Und wenn er K-Pop und Marvel mögen würde.«

Anna lächelte. »Na gut, ich werde mir Mühe geben.« Sie würde es nicht tun. Im Moment konnte sie keine weiteren Komplikationen gebrauchen. Außerdem war Dezember. Welcher zurechnungsfähige Mensch würde sich kurz vor Weihnachten verabreden? In ihrem Leben war einfach zu viel los, mit der Arbeit, der Sorge um Ruthie und all den Aktivitäten, die Ruthies Schule anleierte, einschließlich jener, die später am Nachmittag stattfinden würde: der Schulweihnachtsmarkt. Sie würde Neeta am Winter-Warmers-Stand helfen, wo es im Wesentlichen Suppe, Brötchen und vegane Rinderbrühe gab.

»Und danke, dass ich Cheesecake behalten darf«, fügte Ruthie hinzu. An ihrer Nase klebte ein Marshmallow von ihrer heißen Schokolade.

In der Tat, nun hatten sie zum Kaninchen noch eine Katze, um die Anna sich kümmern musste. Wie hätte sie hart bleiben können, nach der Sache mit dem Baby? Das war das Los der Mütter: Sie hatten es mit den großen Fragen zu tun und mussten ständig entscheiden, welche Schlachten sie schlagen wollten. Und heute hatte eine langhaarige Tigerkatze, deren wahrer Name Professor Poe-Cadbury Frost lautete, den Sieg davongetragen.

KAPITEL
ACHT

Montague Road, Richmond

Dies war wirklich ein hübscher Stadtteil. Nicht wie das London, das Sam aus dem Internet kannte. Die Nachrichten, die er daheim gesehen hatte, zeigten Hochhausviertel und überfüllte Bahnhöfe neben all dem Geschichtsträchtigen. Klar, er war nicht so dumm zu denken, dass London aus den Houses of Parliament und dem Buckingham Palace bestand, aber diese Häuser hier waren wirklich bezaubernd. Sie hatten etwas Heimeliges, Ländliches.

Drei oder gelegentlich auch vier Stockwerke hoch waren sie, außerdem weiß getüncht und mit großen Erkerfenstern und Fensterläden versehen. Die ausladenden Veranden waren festlich geschmückt. Man sah Kränze, die ziemlich teuer wirkten, mit mehr Silberglocken und goldenen Bändern als Efeu und Kiefernzapfen. In den Zweigen der Bäume und Hecken vor den Häusern hingen Lichterketten und schienen nur darauf zu warten, das Viertel bei Einbruch der Dunkelheit zu erleuchten.

Seiner Mom würde es hier gefallen. Sie würde die ordentlichen Einfahrten und Vorgärten und die Gardinen an vielen Fenstern bewundern, um dann zu erklären, dass an einem solchen Ort gute Menschen leben mussten. Wenn seine Mutter »gute Menschen« sagte, meinte sie im Wesentlichen »reiche Menschen«. Ob jemand ein guter Mensch war, hatte nach Sams Erfahrung allerdings wenig damit zu tun, was er auf dem Konto hatte.

Trotz seiner Bemühungen hatte seine Mutter immer alles abgelehnt, was er ihr angeboten hatte. Irgendwann war ihm klar geworden, dass er raffinierter vorgehen musste. Er erfand Lügen. Er sagte, er habe einen Mannschaftswettbewerb gewonnen und müsse das Preisgeld spenden – einen Teil für wohltätige Zwecke, den anderen für die Familie. Oder: Man habe ihm ein Auto spendiert, damit man auf der Unternehmenswebsite und auf Plakaten mit seinem Namen werben dürfe.

Vermutlich ahnte seine Mutter, dass er sich auf diese Weise bei ihr bedanken wollte, weil sie ihn aufgezogen hatte, aber sie hat nie etwas gesagt. Er hatte gehofft, dass er seine Eltern, sollte der Deal mit den Dallas Diggers in trockenen Tüchern sein, endlich zum Umzug bewegen könnte: in eine bessere Wohnung in ihrem Viertel oder in ein Haus mit Garten und Hollywoodschaukel in einer ruhigen, friedlichen Gegend, wo sich seine Mutter etwas entspannen konnte. Und sein Vater könnte in den Ruhestand gehen oder wenigstens seltener bei dem Autohändler arbeiten. Vielleicht würde Sam ihm einen Oldtimer kaufen, einen Pontiac Firebird. Den könnte er in aller Ruhe instand setzen, und vielleicht könnte Sam ihm sogar dabei helfen.

Huntington. Für etwas anderes ist jetzt kein Platz mehr. Du versagst bei der einzigen Sache, die du je konntest. Und die Uhr läuft.

Sam mochte den ganzen Tag an diesem unbekannten Ort herumlaufen und ihn mit Cincinnati vergleichen, aber das ließ das Konzert in seinem Kopf nicht verstummen. Sobald sein Gehirn aufhörte, sich auf die Dinge vor seinen Augen oder eine Erinnerung an die Heimat zu konzentrieren, war es, als würden die Fans der Bisons seinen Namen brüllen, wenn er einen Touchdown machte.

Vielleicht war es ja eine Fehldiagnose. Das war ein Gedanke, dem er gerne lauschte. So etwas passierte ständig. Jemandem wurde gesagt, er hätte Krebs, und dann stellte sich heraus, dass es sich bei dem vermeintlichen Geschwür um etwas handelte, das man im Alter von drei Jahren verschluckt hatte und das dann mit dem Körper verwachsen war. Oder Patienten bekamen zu hören, ihnen blieben nur noch wenige Wochen, und dann lebten sie fünf Jahre später immer noch und liefen Marathon.

Eine zweite Meinung. Das war es, was er brauchte. All die Sorgen könnten unbegründet sein. Warum hatte er nicht daran gedacht, als er aus Dr. Monroes Büro gelaufen war? Vielleicht hatte er auch schon etliche Nachrichten von dem Arzt höchstpersönlich, der ihm mitteilen wollte, dass man die Testergebnisse vertauscht hatte. Vielleicht gab es da draußen irgendeinen armen Typen, der meinte, alle Zeit der Welt zu haben, obwohl er längst dem Tod geweiht war. *Du solltest dein Handy anschalten.*

Er kaute auf seiner Lippe herum, als seine Füße die Bewegung einstellten und der Rucksack seine Schultern noch enger umschloss. *Wovor hast du Angst? Davor, dass du, wenn du all die verpassten Nachrichten und Anrufe siehst, nicht mehr so tun kannst, als habe es diesen Arzttermin nie gegeben?*

Als er auf die Uhr sah, knurrte sein Magen. Er musste etwas essen, sich ein Hotel suchen und dann über die nächsten Schritte nachdenken.

Whittington School, Richmond

»Ist es eigentlich rassistisch, dass sie mir immer den Suppenstand geben?«

Anna warf Neeta einen Blick zu. Die sah von den Brötchen auf, die sie mit etwas bestrich, das wie Butter schmecken sollte, ohne Butter zu sein. Es war erstaunlich warm unter der Plane mit dem Ofen und den bunten Lichterketten an der Zeltkante. Anna überlegte, ihre Mütze abzunehmen. Sie blickte zu Ruthie hinüber, die ihre nackten Hände in die Ärmel gezogen hatte und ihren Freundinnen dabei half, den Stand aufzubauen, an dem man die Anzahl der Zuckerstangen im Glas erraten sollte. Ruthie würde ihre Mütze niemals abnehmen, selbst nicht, wenn die Sonne herauskäme. An Tagen wie diesem war sie Teil ihrer Rüstung. Das Gute war, dass sich die meisten Stände im Freien befanden. An der frischen Luft ertrug Ruthie große Menschenmengen deutlich besser, zumal sie schnell entwischen konnte, wenn es ihr zu viel wurde – solange es keine Insekten oder Büsche in der Nähe gab. Ihre Freundinnen behielten sie im Blick, überließen Ruthie die Aufgaben, die ihr nicht zuwider waren, und hielten Tücher und Desinfektionsmittel bereit. Es gab keine Garantie, dass ein Tag ohne Komplikationen verlaufen würde, aber Anna hatte eine vollgepackte Tasche dabei, sodass sie gegen fast jede Eventualität gerüstet waren …

»Das ist Linsen-Kichererbsen-Paste. Offenbar denkt Celia Duke, dass jeder, der mal in Indien war, automatisch die nötigen Superkräfte erwirbt, um Hülsenfrüchte perfekt zuzubereiten. Und wenn man dann noch Verwandte in Indien hat, kann das nur bedeuten, dass man auf diesem Gebiet eine Meisterin sein muss.«

»Ich bin mir sicher, dass sie das nicht denkt, Neeta«, versicherte Anna. »Aber dass du die besten Gerichte aus Hülsenfrüchten zauberst, stimmt trotzdem.«

Anna wusste, dass der Suppenstand in den letzten drei Jahren immer an Neeta vergeben worden war, weil niemand so gut kochen konnte wie sie. Anna wusste auch, dass die Damen vom Schulkomitee einen gewissen Neid verspürten. Aber Neeta konnte keine Komplimente annehmen – in keinerlei Hinsicht. Sie würde nie auf die Idee kommen, dass sie ernst gemeint sein könnten. Immer suchte sie nach dem Haken. Andererseits wusste Anna auch, dass Neeta den Suppenstand liebte und tödlich beleidigt wäre, wenn er an jemand anderen vergeben würde. Neeta war ins Schulkomitee eingetreten, nachdem sie urplötzlich ihr Kunststudium abgebrochen hatte, weil ihr Collegeprofessor der Kunstfälschung bezichtigt worden war. Der Fall war durch die Medien gegangen, und Neeta war über die Verbindung mit diesem Typen derart verstört gewesen, dass sie sämtliche Malutensilien verbrannt und ihre Staffelei mit einem Vorschlaghammer zertrümmert hatte. Anna und Lisa hatten sie davon überzeugen wollen, dass nicht alle Künstler so schlimm waren und sie die Kunst auf keinen Fall aufgeben sollte. Aber wenn Neeta einen Beschluss gefasst hatte, ließ sie sich durch nichts davon abbringen.

»Keine Frage, ich brauche einen Job!«, rief Neeta unvermittelt und knallte den Deckel auf den Topf mit der Suppe, die sie an die Besucher verkauften. »Ich brauche etwas Eigenes. In letzter Zeit hatte ich ein paar gemeinnützige Gemeindeprojekte. Das ist natürlich schön, aber manchmal denke ich, es ist vielleicht *zu* schön. Ich fürchte, Pavinder und ich sind in einem Stadium unserer Ehe angelangt, in dem ich ihm beweisen muss, dass noch etwas anderes in mir steckt.«

»Hey, Neeta. Wo kommt das denn jetzt her?«, fragte Anna, die gerade die Brötchen mit Alufolie bedeckte, und warf ihrer Freundin einen besorgten Blick zu. Kannte Pavinder denn nicht alle Seiten seiner Frau? Schließlich waren sie schon mehr als vierzehn Jahre verheiratet! Aber wenn Anna an Ed und sich selbst dachte, musste sie zugeben, dass Neeta vielleicht etwas Wahres sagte.

»Pavinder redet immer mehr von den Leuten bei seiner Arbeit.«

»Pavinder hat immer schon viel über seine Arbeit geredet.« Selbst Anna wusste, wie man Gerste auskeimen ließ.

»Über seine Arbeit schon. Aber nicht über die Leute dort.« Neeta seufzte, und ihre Finger spielten am Schürzenknoten an ihrer Hüfte herum. »Da sind Adil und Nancy und Sarahh mit zwei H und Monica – keine Ahnung, wie man die schreibt –, und da ist auch noch Jessica. Jessica erwähnt er ziemlich oft. Sie war es auch, die gestern die Weihnachtskarte vorbeigebracht hat. Warum sagt er Jessica nicht einfach, dass wir nicht Weihnachten feiern? Weil er sie nicht verletzen möchte!«

Wollte Neeta einen Job, oder ging es darum, dass sie Pavinder unterstellte, er hätte eine Affäre mit fast allen Frauen aus einem Lou-Bega-Song? Ihre Freundin wirkte tatsächlich besorgt.

»Neeta, wie kommst du nur auf so etwas?«, fragte Anna, schenkte schnell hochkonzentrierten Orangensaft in ein Glas und reichte es ihrer Freundin. Wein gab es hier nur am Tombolastand.

»Ich weiß nicht. Vielleicht hat es mit diesen schrecklichen Zeitschriften zu tun, die mir Lisa immer gibt, wenn sie sie ausgelesen hat. Wenn Pavinders Mutter zu Besuch kommt, muss ich sie verstecken. Die sind absolut albern, aber man wird trotzdem süchtig danach.«

Neeta wirkte jetzt leicht hysterisch, und so sanft sie für gewöhnlich war, sie konnte im null Komma nichts wie ein Vulkan explodieren. Wie Ruthie, nur dass Neeta nicht unter Autismus litt. Aber sie war offenbar ernsthaft besorgt. Möglicherweise brodelte es schon länger in ihr als die Linsen in der Suppe.

»Ich bin zu nett, oder? Jedenfalls nach außen hin«, rief Neeta. »Ich sage genau die richtigen Dinge, bin höflich und tue immer das Richtige, wie man es von einer guten indischen Ehefrau erwartet. Und dann? Ich werde schon wie Pavinders Mutter. Pavinder wird sich nach jemandem umsehen, der viel attraktiver ist als ich, während ich noch denke, die besten Linsengerichte von Richmond zu kochen.«

»Neeta!«, rief Anna, da ihre Freundin die Stimme erhoben hatte. Bruce und Eliott, die den Stand mit den kunstvollen Kränzen aus Perlen, Federn und Knöpfen betrieben, zeigten mittlerweile mehr als flüchtiges Interesse. »Das klingt gar nicht nach dir!«

»Nein«, stimmte Neeta zu. »Denn ›ich‹ ist die Person, die ihren Ehemann nach einem harten Arbeitstag in bequemer Kleidung empfängt und nicht in einem Outfit, das man in einem verruchten Schlafzimmer an die Wand ketten kann.«

O Gott! Was mit Kichererbsen und Linsen begonnen hatte, verwandelte sich allmählich in die Tiefenanalyse einer Ehe. Wo war nur Lisa, wenn man sie am dringendsten brauchte? Sie waren ein gutes Team, wenn es darum ging, sich gegenseitig zu unterstützen und Probleme im Gespräch zu lösen.

Kunden! Wenn Neeta Suppe servieren müsste, hätte sie gar keine Zeit für diese absurden Vermutungen. Und Anna könnte sich in Ruhe überlegen, was sie Neetas kreisenden Gedanken entgegensetzen sollte. Ihre Freundin war übertrieben selbstkritisch. Wenn man Anna fragte, hatte Pavinder mit Sicherheit keine Affäre.

»Weihnachtssuppe! Kommen Sie und holen Sie sich Ihre Weihnachtssuppe!«, rief Anna, so laut sie konnte. »Linsen und Gemüse oder herrlich gewürzte Kichererbsen, nur ein Pfund die Schale. Herbei! Herbei!«

Herbei? Ihr Job war es, die Produktivität von Unternehmen zu steigern und das Verlangen nach ihren Produkten zu wecken. Das sollte sie besser können!

»Was soll das?«, fragte Neeta, die immer noch aussah, als sei sie dem Siedepunkt näher als die Suppe. Den Orangensaft hatte sie in einem Zug hinuntergestürzt.

Musik war das, was sie nun brauchten. Etwas Festliches, um die Menge in Stimmung zu bringen, bevor das Whittington-Blasorchester auftrat. Im Auto hatte Ruthie etwas auf ihrem Handy gehört. Mariah Carey oder Michael Bublé wären jetzt ideal. Anna tippte auf den Startbutton, und es erklang …

»Ice Ice Baby« von Vanilla Ice. Schlimmer noch, das Handy hatte sich irgendwie mit dem Lautsprechersystem verbunden und dröhnte in voller Lautstärke los. Celia Duke und Jennifer Atkinson, die Schulleiterinnen, wären von dem Text sicher alles andere als begeistert. *Stell das aus!* Anna musste nichts tun, als die Musik ganz schnell wieder auszustellen … Nur dass Annas Hände plötzlich die Fähigkeit verloren zu haben schienen, den Touchscreen zu bedienen, als gehörten sie einer gigantischen Comicversion ihrer selbst. Prompt ging das Stück von vorne los. Immer noch drückte sie verzweifelt auf dem Display herum, bis sie beschloss, dass sie den Song vielleicht besser wegwischen sollte. Oder sollte sie einfach den Stecker der Lautsprecher ziehen?

»Was tust du da?«, erkundigte sich Neeta. »Bist du dieses Jahr für die Beschallung zuständig?«

O Gott, wann begann diese schlüpfrige Stelle? Es blieb keine Zeit mehr. Plötzlich bewegte sich Annas Mund, und sie vollführte Bewegungen, die niemals den Weg in die Öffentlichkeit finden durften. Rappen musste sie, und zwar lauter als die Musik, die über den Platz schallte. Könnte die nicht in einen Text über den Suppenstand verwandelt werden, zu Werbezwecken sozusagen?

Lecker und deftig,
Lecker und deftig,
Leute kommt, probiert sie, holt sie euch,
Neetas brandneue Supersuppe.
Die hält euch warm wie 'ne Daunendecke,
füllt eure Bäuche wie der Chinese um die Ecke,
warum nicht gleich zwei, dann wachsen wir auch,
lasst Geld auf die Schule herabregnen.
Die Suppe bekommt ihr, wir den Zaster,
stellt euch an, macht die Polonaise,
wir lassen die Linsen springen, ihr die Knete,
dann bekommt die Schule auch neue Stifte.

Weihnachten, deswegen sind wir hier,
tun unser Bestes mit festlicher Miene,
Wir wissen, die Suppe wird euch schmecken.
Oder spendet mit Steuervorteil,
jegliches Magenproblem
wird dieses Mahl beheben.
Kommt an unsere Theke,
euer Hunger, wir werden ihn beheben!

Plötzlich endete der Rap und wurde durch einen aufgekratzten Michael Jackson ersetzt, der »Rockin' Robin« sang. Alles wieder im Normalbereich. Puh! Ein paar Leute, die sich aus unerfindlichen Gründen versammelt hatten, um Annas Darbietung aus der Nähe mitzuverfolgen, applaudierten müde und trollten sich dann, um handgefertigte Schneekugeln, flauschige Stoffalpakas und vollständig aus Trocknerflusen hergestellte Pullover – kein Witz! – zu begutachten.

»Anna«, sagte Neeta. »Alles in Ordnung mit dir?«

Neeta betrachtete sie mit diesen großen braunen Augen, die irgendetwas zwischen Neugierde und Misstrauen verrieten. Das war der Ausdruck, den sie aufsetzte, wenn sie versuchte, einen zu durchschauen. Anna nickte und kehrte zu ihren Brötchen zurück. In ihrem Kopf schwirrten aber noch mehr Gedanken als sonst herum. Fraßen Katzen mit Stammbaum andere Dinge als Katzen der Arbeiterklasse? Musste sie nun, da sie eine Katze im Haus hatte, verstärkte Sicherheitsmaßnahmen für Mr Rockets Käfig ergreifen – so wie damals, als dieser wilde Dachs in der Nachbarschaft herumgelaufen war? Und wie lange würde die Phase noch anhalten, in der Ruthie sich zu jedem Gericht Kartoffelsalat wünschte?

»Du hast meine Suppe nämlich soeben ›deftig‹ genannt«, fuhr Neeta fort. »Du hast es sogar gerappt. Laut. Jeder konnte es hören. Dabei habe ich ohnehin schon Angst, dass die Suppen dieses Jahr nicht so gut sind wie sonst, weil sie mit Paranoia und Neid gewürzt sind.«

Das war der Moment, in dem die Emotionen Anna überwältigten. Bevor sie etwas dagegen unternehmen konnte, liefen ihr Tränen über die Wangen, als hätte ihr jemand eine Zwiebel in die Augen gerieben. Sie drehte sich von Neeta weg und schnappte sich ein Blatt Küchenrolle, damit nichts auf die Brötchen tropfte.

»Gut«, befand Neeta streng. »Heraus damit. Was ist los?«

Anna holte tief Luft, aber die Tränen schienen nicht versiegen zu wollen. »Es ist wegen Ed«, erzählte sie Neeta. »Er bekommt noch ein Kind.«

KAPITEL
ZEHN

»Ed hat den Verstand verloren.«

»Er wird keinen Schlaf bekommen. Jahrelang. Und das ganze Geld verlieren, das er sparen wollte, um sich die Midlife Crisis mit einem Motorrad oder einem Flugsimulator zu versüßen.«

»Neeta!«, rief Lisa.

»Was? Ist doch wahr. Wenn Pavinder fünfundfünfzig ist, also in dem Alter, in dem sein Vater den ersten Herzinfarkt hatte, will er mit einer Harley-Davidson quer durch Amerika fahren.«

Annas Hände zitterten ein wenig, als sie den Pappbecher mit der herrlich sämigen heißen Schokolade an die Lippen setzte und sich fast ein wenig besänftigt fühlte. Neeta hatte Freiwillige für ihren Stand rekrutiert und Lisa geschrieben, dass sie heiße Schokolade für alle besorgen solle. Dann hatte sie ihre Freundinnen in eine Zeltecke geführt.

Hier waren sie weit genug vom Tumult entfernt, um nicht sofort ins Auge zu fallen, aber Anna konnte Ruthie trotzdem im Blick behalten. Der galt jetzt ihre ganze Aufmerksamkeit. Mit roten Wangen zeigte Ruthie den Leuten das Glas mit den Zuckerstangen, während ihre Freundin Emily die geratene Anzahl in eine Liste eintrug. Mittlerweile hatte sich der Weihnachtsmarkt gefüllt, und Anna wurde bewusst, dass es nicht günstig wäre, wenn drei Helferinnen ausfielen. Sobald sie den Zuckerkick bekommen hatte, würde sie sich zusammenreißen.

»Weiß Ruthie es schon?«, fragte Lisa und schob ihren Stuhl ein Stück an Anna heran.

Anna nickte. »Sie weiß es schon eine ganze Weile. Mindestens ein paar Wochen, glaube ich.«

»Und sie hat nichts gesagt?«

Anna hatte sich auch schon gefragt, ob das nicht merkwürdig war. Normalerweise konnte Ruthie nichts, das sie beunruhigte, für sich behalten. Sie konnte Sorgen nicht einfach beiseiteschieben, da sie sich unweigerlich in den Vordergrund ihres Bewusstseins drängten. Warum hatte sie es also für sich behalten und dann nur durch einen Zufall preisgegeben?

»Ist es denn in Ordnung für sie?«, fragte Neeta. »Es ist sogar für mich ein Schock, obwohl ich nicht mal mit ihm verwandt bin.«

»Keine Ahnung«, gab Anna zu. »Manchmal weiß man einfach nicht, wie es in Ruthie aussieht.« Es war nicht so, dass Ruthie keine tieferen Gefühle hatte. Oft blieben ihre Gefühle aber an der Oberfläche, weil sie sich so besser schützen konnte, das hatte Anna herausgefunden.

»Dieser Mann ist jedenfalls das Allerletzte«, stellte Lisa fest, bevor sie an ihrer heißen Schokolade nippte.

»Und er wird ein bitterarmes Mistvieh sein, wenn er erst einmal knöcheltief in Babyscheiße watet«, fügte Neeta hinzu. »Und wo wir schon bei Knöcheln sind: Meine Cousine sagt, dass das der Ort ist, wo ihr Beckenboden die meiste Zeit hängt. Nicolettes Heimtrainer wird ihr dann auch nicht mehr helfen.«

Anna lächelte vage. Die Süße der Schokolade an ihren Geschmacksknospen und die bedingungslose Liebe ihrer Freundinnen taten überraschend gut.

»Warum hast du es uns eigentlich nicht gestern Abend erzählt?«, fragte Lisa. »Du weißt schon, als wir alle ein Glas Wein in der Hand hatten.«

»Ohne die Verdienste heißer Schokolade schmälern zu wollen«, ergänzte Neeta, »es geht doch nichts über vergorene Trauben, wenn man es mit Verrückten zu tun bekommt.«

»Gestern Abend wusste ich es noch gar nicht. Ed stand heute Morgen auf der Matte. Mit einer Katze.«

Angesichts von Cheesecake – den Namen aus dem Stammbaum konnte sie sich immer noch nicht merken – und der Schwangerschaft waren so viele Neuigkeiten durch ihr Wohnzimmer gesaust und von Malcolms Ästen abgeprallt, dass Anna sich noch gar nicht mit der Tatsache auseinandergesetzt hatte, dass Ed einen Schlüssel zum Haus haben musste. Sie sollte unbedingt die Schlösser austauschen. Andererseits hatte sie alles daran gesetzt, die Haustür samt der Messingbeschläge zu retten. Die Tür hatte eine original Buntglasscheibe – verschlungene Rosen –, und Nanny Gwen hatte der kleinen Anna endlose Geschichten dazu erzählt. *Die Rosen haben in einem Palastgarten gestanden. Ein Mädchen namens Anna hat auf einem Markt Rosen verkauft.*

»Was? Mit einer Katze?«, fragte Lisa und hätte fast ihre Tasse fallen gelassen.

»Katzen«, zischte Neeta. »Ich bin überhaupt kein Katzenfan. Die pissen überall hin und schauen dich immer so an, als fühlten sie sich dir haushoch überlegen.« Sie dachte einen Moment nach, bevor sie fortfuhr. »Katzen haben viel Ähnlichkeit mit Pavinders Tante Brinda.«

Unvermittelt legte Lisa ihre Hand auf Annas Oberschenkel. »Ich weiß, dass du nichts davon wissen willst, aber … Warum versuchst du nicht doch noch einmal, jemanden kennenzulernen?« Sie drückte ihren Oberschenkel. Anna wusste, dass ihre Freundin sie nur aufmuntern wollte, aber Lisa hatte ziemlich kräftige Hände, weil sie mit Kai all diese Ballsportarten betrieb. Es war, als würde sie von einem Rugbyprofi gekniffen.

»Hast du nicht gehört? Ich habe jetzt eine Katze.« Anna seufzte. »Und ein berufliches Projekt, mit dem ich mich immer noch herumquäle. Außerdem gibt es da auch noch Ruthie, und bald … ist Weihnachten.«

»Es würde doch nur einen winzigen Moment dauern, dein Profil zu reaktivieren«, sagte Neeta. Sie griff in die Manteltasche und tippte auf den Bildschirm ihres Handys.

»Neeta, um Gottes willen«, sagte Anna und sah sich um, wo sie ihre Schokolade abstellen könnte, um ihrer Freundin im Bedarfsfall in den Arm zu fallen.

»Was ist mit dem hier zum Beispiel?«, fragte Neeta und hielt ihr das Handy hin.

»Nicht übel«, befand Lisa, die sich vorgebeugt hatte. »Das ist jedenfalls kein Archivfoto von Tom Cruise. Und zu viele Filter wurden offenbar auch nicht eingesetzt. Der Typ wirkt fast natürlich.«

Anna schüttelte den Kopf und musste an alle die Male denken, an denen sie den Rat ihrer Freundinnen befolgt und sich auf ein Date eingelassen hatte. Sie hatte sich gesagt, dass sie nichts zu verlieren hätte. Man würde einfach ein bisschen Spaß haben und etwas miteinander trinken, was noch nicht bedeutete, dass sie sich mit dem Typen auf einen zweiten Drink treffen müsste, wenn er nicht ihr Fall war. Und auch wenn sie ihn doch noch mal wiedersehen wollte, musste es nicht gleich die große Liebe sein. Es gab keine Regeln, wenn man fünfunddreißig war und geschieden. Man musste auch nicht mehr dem ewigen Zyklus folgen: heiraten, Kinder kriegen, irgendwann nachmittags Quizshows schauen, bis man schließlich ins Gras biss. Alles war ein wenig lockerer (wie ihre Taille), etwas leichter (definitiv nicht wie ihre Taille) und nicht notwendigerweise für die Ewigkeit gedacht (vielleicht wie ihre Taille, wenn sie öfter Pilates machen würde). Trotzdem hatte sie sich immer leicht unbehaglich gefühlt. Männer ihres Alters wollten niemanden mit einer Tochter im Teenageralter, einige ältere Typen waren *zu* begeistert von der Idee, dass sie eine Tochter im Teenageralter hatte, und einer hatte sie sogar gefragt, ob sie das Gefühl von Marmelade auf der Haut mochte …

»Falls du mit ›natürlich‹ Paolo Nutini meinst«, sagte Neeta, die immer noch auf dem Bildschirm herumtippte.

»Oooh, genau, er hat etwas von ihm«, stimmte Lisa zu.

Wieder schüttelte Anna den Kopf »Ich bin wirklich nicht auf der Suche.«

»Aber du brauchst etwas für dich. So wie ich etwas für mich brauche«, hielt Neeta sich dran. »Einen Job hast du schon, daher brauchst du etwas anderes. Und was ist so falsch an etwas Ablenkung in Form eines Mannes?«

»Na ja, neue Katze, Job, Ruthie, Ed …«

Sie war nicht mehr mit Ed verheiratet, aber er war Ruthies Vater, daher mussten sie sich absprechen, was durch Ruthies besondere Bedürfnisse nicht leichter wurde. Aber diese Neuigkeiten über Nicolette sollten sie nicht derart treffen! Ruthie war es, für die es die größten Auswirkungen bedeutete.

»Oje, jetzt habe ich doch glatt geklickt!«, verkündete Neeta plötzlich, sprang auf und wedelte mit ihrem Handy herum.

Neetas Verhalten zog die Aufmerksamkeit von Leuten auf sich, die soeben versuchten, dem Rentier einen Schwanz anzuheften. Es war kein echtes Rentier, sondern ein Pferd aus der Turnhalle, dem man ein paar Decken umgehängt, ein Geweih aufgesetzt und einen Apfel als Nase verpasst hatte.

»Was hast du getan?«, fragte Anna und gab sich Mühe, ruhig zu bleiben. »Ich dachte, du bist nur auf der Website! Hast du meinen Account reaktiviert?« Sie runzelte die Stirn. Konnte Neeta das von ihrem Handy aus überhaupt tun? Gab es da keine Passwörter, die nur sie selbst hatte? Anna konnte sich nicht erinnern.

»Aber ich glaube, ich habe ihn nur gehuggt«, sagte Neeta.

»Das ist in Ordnung«, antwortete Lisa, gelassen wie immer. »Wenn du ihn gespoont hättest, wäre es schon schlimmer.«

»Ich habe jemanden umarmt?«, rief Anna. »Von *deinem* Handy aus? Nimm das sofort wieder zurück. Es muss doch einen Button für ›unhug‹ geben.« Nun sprang sie ebenfalls auf.

»Anna«, sagte Lisa in ihrer ruhigen Art. »Wir wissen, dass du viel am Hals hast, aber du musst deine eigenen Interessen auch mal an erste Stelle setzen.«

Meine Interessen an erste Stelle setzen. Vor die Interessen von Ruthie und Adam und dem Dreifachimbiss, die an den Rändern ihres Verstands nagten, während sie mit den Herausforderungen des Lebens jonglierte.

»Stell dir doch nur vor«, begann Neeta. »Du donnerst dich auf, schminkst dich wie Katy Perry, nippst an diesem prickelnden Wein, der nach Kirschen schmeckt …«

»Lambrini Cherry!«, ging Lisa dazwischen. »Den *liebe* ich. Aber erzählt das nicht Paul. Er möchte in den Rotary Club aufgenommen werden und denkt, dass wir wie Leute auftreten müssen, die gedünsteten Seebarsch und schweren Rotwein mögen.«

»Lisa, du ruinierst mein schönes Szenario«, beschwerte sich Neeta. »Hör auf mich, Anna.« Sie legte Anna einen Arm um die Schultern und zog sie auf ihren Platz zurück. »Du hast dich also schick gemacht, bist ein wenig angeheitert vom billigen Fusel, und da ist er nun … im schlimmsten Falle in einem nur mittelmäßigen Restaurant … dein Date, jemand Neues, Attraktives. Jemand, der noch nicht jede Geschichte oder Erinnerung kennt, die du je erzählt hast.«

»Ein interessanter Typ«, übernahm Lisa. »Und *interessiert*. Er möchte dir *zuhören*. Er möchte alles über diese erfolgreiche Fünfunddreißigjährige wissen, die Preise im Projektmanagement gewonnen und ihr Haus mit einem Minibudget renoviert und zum begehrenswertesten Objekt der gesamten Straße gemacht hat …«

Anna musste lächeln, als die Herzlichkeit ihrer Freundinnen ihre ansteckende Wirkung entfaltete. Fast ging es ihr schon besser. Vielleicht stellte sie ihr Licht tatsächlich unter den Scheffel. Schließlich war sie nicht ausschließlich Mutter. Es gelang ihr nur nicht oft, diese oberste, meist genutzte Schicht abzulegen.

»Mit der begehrenswertesten MILF als Zierde des Schlafzimmers«, fügte Neeta hinzu. »Der ›Mother I'd like to fuck‹, falls du nicht verstanden haben solltest.«

»Nun ja«, sagte Lisa. »Ich denke, Anna bekommt eine Vorstellung von unserer Idee.«

»Wenn er auf den Hug reagiert, werde ich ihn fragen, ob er schon einmal in dieser Bar in der Nähe von Aldgate war. Da, wo man sich wie ein Outlaw aus dem Wilden Westen anziehen muss«, sagte Neeta. »Da wollte ich immer schon mal hin.«

Anna hatte keine Ahnung, warum diese Bar der geeignete Rahmen sein sollte, um sich ein Bild von einer Person zu machen, aber Neeta dachte eben manchmal unkonventionell. Und egal, ob sie sich wieder auf diese Dating-Apps stürzte, das Gespräch mit ihren Freundinnen hatte sie bereits aufgemuntert. Das Ziel war erreicht. Es gab schlimmere Dinge im Leben als einen Ex-Mann, der mit seiner Neuen ein Kind bekam.

Wenn sie selbst ein Kind bekäme zum Beispiel – das wäre unendlich viel schlimmer und käme nicht infrage, egal wie heftig dieses Dating-Spielchen ausgehen mochte. Andererseits brauchte ein Baby – anders als Frosty Pamplemousse oder wie auch immer Cheesecake wirklich hieß – kein Katzenklo, das sie würde reinigen müssen.

Anna sah quer durch das Zelt hindurch, vorbei an den letzten Herausforderern, die auf das Pferd zutaumelten, und wollte ihre neu gewonnene Sicherheit dadurch krönen, dass sie einen Blick auf Ruthie warf. Die würde ihr Bestes geben, um sich auf die Menschen hier einzulassen. Ruthie liebte Weihnachten und alles, was dazugehörte – die Musik, den Schmuck, die Weihnachtsmärkte, den Gesang, das Essen, die Kälte. Sie war wie der Weihnachtsmann selbst, nur dass nicht so viele Leute auf ihren Knien sitzen wollten. Anna reckte den Hals. Der Zuckerstangenstand wurde nun von einer Menschenmenge belagert. Wie würde Ruthie damit klarkommen?

»Er heißt übrigens Douglas«, fuhr Neeta fort.

»Wie alt?«, fragte Lisa. »Der Name löst bei mir Assoziationen an einen Sechzigjährigen aus.«

»Ich kann ... Ruthie nicht mehr sehen.« Anna stand auf und ging langsam zur offenen Seite des Festzelts. In ihrem Innern machte sich Panik breit, aber sie bemühte sich, sie mit einer gehörigen Portion Menschenverstand in Schach zu halten. Dies war ein sicherer Ort. Außerdem verschwand Ruthie nicht mehr einfach so. Es sei denn, irgendetwas löste Panik in ihr aus ...

»Was?«, fragte Neeta, die schon neben Anna stand und die Augen abschirmte, um die Stände hinter dem Rasen in Augenschein zu nehmen. »Ich rufe Pavinder an und frage ihn, ob sie wieder in unserem Gewächshaus ist.«

Ruthie war erst ein einziges Mal einfach von der Bildfläche verschwunden. Damals, mit acht, war sie zu Neeta und Pavinder nach Hause gegangen, weil sie das Versprechen, sie dürfe sich die Pflanzen anschauen, als sofortige Einladung verstanden hatte. Offenbar hatte sie sich bei irgendeiner Gelegenheit die Adresse eingeprägt. Neetas Zuhause lag allerdings viel zu weit weg, um jetzt als mögliche Erklärung herzuhalten. Ruthie war mittlerweile auch älter und verständiger und hatte versprochen, ihre Mutter nie wieder durch eine solche Hölle zu schicken ...

»Keine Panik«, sagte Lisa, die nun auch neben ihnen stand. »Vermutlich ist sie mit einem der Kinder losgezogen, um sich ein Hotdog oder so zu holen. Ich werde Kai und Kelsey eine Nachricht schreiben, falls wir sie nicht gleich finden.«

Aber Anna konnte ihre Tochter nirgendwo sehen. Wo war ihr viel zu langer Batikmantel, aus dem unten nur die Turnschuhe herausschauten? Und die leuchtend pinkfarbene Bommelmütze? Ihre strahlenden Augen und das noch strahlendere Lächeln?

»Ich habe ihr nicht Bescheid gesagt, dass ich kurz weg bin.« Anna hatte bereits das Zelt verlassen und stapfte mit den Stiefeln über das gefrorene Gras. »Ich dachte, das sei in Ordnung, weil ich sie ja sehen konnte, aber … das war es nicht.«

»Anna, warte«, rief Lisa, als Anna plötzlich davonrannte.

Anna konnte nicht warten. Sie musste Ruthie sofort finden.

KAPITEL
ELF

Sam biss in die dicke Wurst in dem langen Brötchen und schloss die Augen. Nun gut, das war nicht unbedingt sein Lieblingssnack, aber das Fleisch mit dem Senf und dem Ketchup obendrauf reichte, um seinen knurrenden Magen kurzzeitig milde zu stimmen. Himmel, war das gut. Da stand er nun, mitten in England, auf einem fast gefrorenen Boden, bei irgendeiner Art von Weihnachtsfeier.

»Whittington Academy«, verriet ihm das Schild an der Seite des Gebäudes. Es sah aus wie eine Schule und lag inmitten einer Parklandschaft. An seine eigene Schule hatte er ganz andere Erinnerungen. Sie lag eingequetscht zwischen einem Parkplatz und einer stillgelegten Fabrik, in der die Gangs herumhingen. Hier war es dagegen geradezu malerisch. Man hatte Tische aufgestellt, um alle möglichen Dinge zu verkaufen – Figuren, die glitzerten oder wie Schnee aussahen, Mützen und Schals, Holztiere, gewaltige Kuchen in Zellophan verpackt. Für seine Mutter wäre dieser Ort ein Paradies. Ihrer Meinung nach war Weihnachten ein Fest, an dem alle teilhaben konnten, auch Menschen, die nicht viel hatten. *Das Wesentliche ist nicht, was man hat, Sam. Das Wesentliche ist, was man daraus macht.* Da war etwas dran.

Sam biss noch einmal in sein Hotdog und wünschte, er hätte gleich zwei gekauft. Seinem Dad hätten sie geschmeckt. Über die Hotdogs bei den Bisons hatte er sich dagegen immer beschwert – das sei eine Menge Nichts für fast sechs Dollar. Chad wiederum hatte die Hotdogs der Bisons sogar nach Beverly Hills einfliegen lassen. Noch ein Bissen, und sein Hotdog war fort.

»Gib sie mir zurück!«

»Du bist doch plemplem!«

»Gib sie mir zurück, habe ich gesagt!«

»Wirst du jetzt in Tränen ausbrechen wie ein kleines Baby?«

»Nein, ihr werdet die Schlacht von Wakanda erleben.«

Sam drehte sich um und erblickte ein Stück weiter am schmiedeeisernen Zaun eine kleine Gruppe. Neben drei großen Teenagern stand ein deutlich jüngeres Mädchen, trotzig, die Hände in einer Haltung, als würde sie die Miyagi-Do-Schläge aus *Cobra Kai* vorbereiten. Einer der Jungen hielt eine pinkfarbene Mütze in für sie unerreichbare Höhen.

»Wenn du sie berührst, bekommst du sie zurück«, erklärte der Junge.

Das Mädchen schien nachzudenken. Ihre Haltung entspannte sich etwas, als würde sie ihre Möglichkeiten abwägen. Dann sprang sie in die Höhe und wollte sich die Mütze in voller Streckung schnappen, scheiterte aber. Nach einem unsanften Aufprall landete sie im frostbedeckten Gras. Die Jungen lachten laut und gehässig. Sam verspürte sofort dieses vertraute Kribbeln in den Eingeweiden. Hänseleien. So etwas hasste er.

»Hey!«, rief er und näherte sich der Gruppe. »Alles in Ordnung bei euch?«

»Was geht dich das an?«, fragte der größte Junge.

»Was mich das angeht?«, fragte Sam. »Hast du das gerade gefragt?«

74

»Bist du taub?«, fragte der Junge mit der Mütze und erntete einen Lacher von seinen Freunden.

Sam trat näher. »Nein, aber du bist ein Dummkopf. Gib die Mütze zurück.«

Die Jungs schienen sich zu beratschlagen. Er sah nur, dass sich ihre Augenbrauen und die Lippen bewegten. Vereinzelt drangen auch Geräusche aus ihren Nasen. Er trat noch einen Schritt vor. Urplötzlich wirkten die Jungen nicht mehr so selbstsicher, einer zog sich sogar ein Stück zurück. Seine Forderung stand nicht mehr zur Diskussion.

»Jetzt!«, befahl Sam.

Die Mütze flog zu dem Mädchen. Der Junge, der sie ihr weggenommen hatte, zog eine Grimasse. »Die stinkt sowieso.«

Lachend rannten die drei über den Rasen. Den Bruchteil einer Sekunde lang überlegte Sam, ihnen nachzujagen. Mit ihm konnten sie es nicht aufnehmen, selbst mit Vorsprung nicht. Schneller als er war keiner – außer vielleicht Usain Bolt. Dem war er mal bei einer Wohltätigkeitsveranstaltung begegnet, aber damals war es nicht der richtige Zeitpunkt, um ihn herauszufordern.

»Wow!«

Als Sam sich umdrehte, hatte sich das Mädchen vom Boden erhoben und schaute ihn mit riesigen blauen Augen an. In ihren behandschuhten Händen hielt sie einen Stab, und am Ende des Stabs steckte die Mütze.

»Sie waren wie ... Falcon und ... Nick Fury in einer Person.«

Sam lächelte. Er war gerade erst in England angekommen, und schon wurde er mit den überwältigenden Marvel-Charakteren verglichen? Dieser Empfang gefiel ihm.

»Nun«, sagte Sam, »möchtest du wissen, was ich mit diesen Figuren noch gemeinsam habe?«

»Sie können fliegen? Sie haben nur ein Auge? Nein, ich sehe keine Flügel, dafür aber beide Augen. Also ...« Das Mädchen schnappte nach Luft. »Sind Sie Schauspieler?«

Sam schüttelte den Kopf. »Nein. Aber ich heiße Sam. Wie Falcon und Samuel L. Jackson. Der, der Nick Fury spielt.« Er hatte keine Ahnung, warum er das ins Spiel gebracht hatte. »Jetzt wünschte ich mir fast, ich hätte Flügel.«

»Ich bin Ruthie, und Sie sind lustig«, antwortete das Mädchen. »Und wirklich groß. Größer als Samuel L. Jackson, glaube ich. Und Amerikaner. Sind Sie aus Washington? Das D.C. lasse ich immer weg, weil ich ganz und gar Marvel bin.«

»Ich komme aus ...« Was tat er da? Wollte er jetzt auf einem Weihnachtsmarkt einem Kind sein Herz ausschütten? Schnell riss er sich zusammen. »Gehört dir die gar nicht?« Er deutete auf die pinkfarbene Mütze, die am Ende des Stocks steckte, als habe das Mädchen einen Preis errungen.

»Doch, doch, das ist meine. Aber sie ist jetzt für mich gestorben.« Sie nickte, als sei das ein vollkommen verständlicher Satz. »Jedenfalls bis meine Mum sie desinfiziert hat – und auch alles, was sie auf dem Weg von hier bis zum Auto berührt hat. Und dann auch das, was sie im Auto und zu Hause berührt hat, bis sie in der Waschmaschine gelandet ist. Danach wird sich meine Mutter die Hände waschen, zweimal sogar, weil Acne Aaron, Gross Gregory und Icky Ibrahim sie in den Fingern hatten.«

Wow, was für ein Aufwand.

Sam wollte schon etwas sagen, als ihn eine fremde Stimme übertönte.

»Wer sind Sie? Und warum reden Sie mit meiner Tochter?«

Die Stimme war fuchsteufelswild. Aber die Besitzerin der Stimme sah hinreißend aus. Sie hatte schwarze Haare, von denen unter der Mütze allerdings nicht viel zu sehen war; ihre schlanke Figur steckte in Jeans, Stiefeln und einem nicht allzu weiten Pullover. Ihre Augen waren so blau wie die des Mädchens, nur dass sie nicht so freundlich waren. Tatsächlich legten sie sogar nahe, dass sie ihn, sollte er etwas Falsches sagen, in den Schwitzkasten nehmen würde.

»Hallo, Ma'am. Mein Name ist …«

»Hat Ed Sie geschickt?«, fuhr die Frau fort. »Spionieren Sie uns aus? Ich war nur kurz abgelenkt, eine einzige Sekunde lang, und Ruthie weiß, dass sie nicht einfach fortlaufen soll, und … und …«

Die Frau unterbrach sich. Ihre Augen wanderten von Sam zu ihrer Tochter. »Ruthie, warum steckt deine Mütze auf einem Stock?«

»Mum, das ist Falcon«, verkündete Ruthie stolz. »Er ist Amerikaner, aber nicht aus Washington. Und er ist kein Spion.« Die nächsten Worte flüsterte sie. »Er ist ein Superheld.«

Jetzt hatte er wieder ihre volle Aufmerksamkeit. Er wünschte, sein Rucksack wäre groß genug, um darin zu verschwinden. Was tat er hier? In der Nähe einer Schule? Wieso aß er Hotdogs und ließ sich wegen eines Weihnachtsmarkts von nostalgischen Gefühlen überwältigen? Mitten in England …

»Hören Sie, ich werde jetzt einfach gehen«, sagte Sam, rückte seinen Rucksack zurecht und wandte sich dem Tor zu.

»Sie wollen also einfach gehen, was? Ohne auch nur ein einziges Wort darüber zu verlieren, was Sie mit einem halbwüchsigen Mädchen am Rande eines Weihnachtsmarkts zu schaffen haben!«

»Was?« Sam drehte sich wieder zu ihr um.

»Mum!«, rief Ruthie. »Falcon hat mir geholfen! Acne Aaron, Gross Gregory und Icky Ibrahim haben mir meine Mütze geklaut, und jetzt ist sie schmutzig, und meine Ohren sind eiskalt, genau wie du gesagt hast, und dieser Stock ist viel schwerer, als er aussieht.«

Die Miene der Frau wurde weich. Am liebsten wäre er noch eine Weile geblieben, nur um sie lächeln zu sehen, aber leider schien sie der Meinung zu sein, dass seine Anwesenheit hier einen ganz anderen Grund hatte.

»Anna! Was ist los? Alles in Ordnung mit Ruthie? Ruthie, warum steckt deine Mütze an einem Stock?«

Jetzt würde sich Sam schnell verabschieden. Verstärkung war eingetroffen, in Gestalt einer anderen Frau, die ihn, sobald sie über das Bild von einer Mütze am Stock hinweggekommen war, ebenfalls mustern würde, als wäre er zur Fahndung ausgeschrieben.

»Auf Wiedersehen, Ruthie«, sagte er zu dem Mädchen. »Und wenn diese Typen dich wieder belästigen, renn einfach weg, so schnell du kannst. Dagegen sind sie machtlos.«

Er winkte und machte sich auf den Weg.

»Mum! Du darfst ihn nicht einfach gehen lassen, du hast dich nicht einmal bedankt. Er war wirklich nett und hat sie dazu gebracht, mir die Mütze wiederzugeben.«

Es wurde Zeit, ein Hotel zu suchen, Schlaf nachzuholen, weiter die Finger vom Handy zu lassen, einer möglichen Verhaftung zu entgehen …

Er verließ das Grundstück der Schule und fragte sich, welche Richtung er einschlagen sollte.

»Entschuldigung!«

Er drehte sich um. Da stand sie wieder, weit weniger aggressiv als zuvor, aber noch weit davon entfernt, ihn umarmen zu wollen. Er wusste nicht, was er sagen sollte. *Ich bin nicht pädophil? Ich bin auch kein Superheld? Drüben in den Staaten könnte schon jemand die Notrufnummer gewählt haben, darauf kann ich hier verzichten?* Tatsächlich sagte er gar nichts, sondern wartete einfach, weil er sie noch ein wenig anschauen wollte … Herrgott, was war nur los mit ihm? Vermutlich lag es am Jetlag.

»Ich … ich möchte mich entschuldigen«, sagte die Frau. »Weil ich vom Schlimmsten ausgegangen bin. Offenbar habe ich mich von meiner Fantasie leiten lassen … zu viele Real-Life-Crime-Serien. Ich hätte auf meine Tochter hören sollen, bevor ich mir wegen Ihres langen Mantels, unter dem sich alles verbergen könnte, und Ihres sperrigen Rucksacks ein Urteil über Sie bilde.«

»Sie haben mich aufgrund meines Mantels und meines Rucksacks verurteilt?«, fragte Sam.

»Nicht wie in einer … Castingshow für Modedesigner«, antwortete die Frau. Sie seufzte. »Das klingt alles ziemlich schräg, tut mir leid. Lassen Sie es mich noch einmal versuchen. Ich entschuldige mich bei Ihnen, weil ich das Schlimmste unterstellt habe. Meine Tochter sagt, ich soll mich bei Ihnen bedanken, weil Sie sie gegen diese Idioten verteidigt haben. Die sollten eigentlich noch suspendiert sein, von ihrem letzten Übergriff.«

Jetzt wirkte die Frau, als ruhe die ganze Last der Welt auf ihren Schultern. Ihre Augen hatten jeden Glanz verloren, die

Kampfeslust war erloschen, und die überbordende Energie war aus ihrem Körper gewichen.

»Solche Typen sind die Pest«, sagte Sam. »Trotzdem sollten Sie wissen, dass ich der Meinung bin, sie hätte sich zur Wehr setzen sollen, wenn ich nicht gekommen wäre. In ihr brennt ein Feuer, so viel ist sicher.«

Nun verzog sich ihr Mund zu einem Lächeln, und sie nickte. »Das stimmt.«

»Gut«, sagte Sam und packte seinen Rucksack. »Jetzt sollte ich aber gehen. Solange ich noch Falcon bin und nicht ...« Er hielt inne und suchte gedanklich nach dem schlimmsten Schurken. »Thanos.«

»Unbedingt«, sagte die Frau und nickte wieder.

Sam warf ihr noch einen letzten Blick zu, bevor er vom Bürgersteig hinuntertrat. Das Auto hörte er gar nicht.

KAPITEL
ZWÖLF

Anna hatte noch nie miterlebt, wie jemand angefahren wurde. Es fand keineswegs in Zeitlupe statt, mit einem Körper, der die Motorhaube hinaufrollte, dann in die Luft stieg und schließlich sanft auf dem Asphalt landete, wie man es im Fernsehen immer sah. Diese Landung war hart und schockierend.

Bevor sie auch nur begreifen konnte, was sie da gerade gesehen hatte, setzten sich ihre Füße in Bewegung, liefen um ein Auto herum und rannten auf die Straße, wo die gestürzte Gestalt dieses großen, breiten und irgendwie auch erstaunlich gut aussehenden Mannes lag. Totenstill. Sein Rucksack hatte sich zum Nacken hochgeschoben.

»Ist alles in Ordnung mit ihm? Ich habe ihn nicht gesehen. Er ist mir direkt vors Auto gelaufen.«

Das war die Fahrerin des Wagens, zitternd, bleich, die Hand um ihr Handy geklammert. Anna war hin und her gerissen, ob sie sie bitten sollte, einen Krankenwagen zu rufen, oder sich erkundigen, ob sie während der Fahrt Nachrichten geschrieben hatte.

Eine Bewegung war zu sehen. »Falcon« lebte jedenfalls noch. Anna ging auf die Knie und fragte sich, ob sie ihn anfassen durfte. War es in Ordnung, wenn sie seinen Mantel öffnete oder den Rucksack beiseiteschob? Warum wusste sie nichts über solche Dinge? Blut entdeckte sie keins, aber war das nun gut oder schlecht? Innere Verletzungen waren oft schlimmer, oder?

»Ich rufe einen Krankenwagen«, entschied sich Anna laut. Sie nahm ihr Handy aus der Jeanstasche und wollte die Neun drücken.

»Nein ... tun Sie ... das nicht.«

Das war er. Die Stimme klang schwach, aber verständlich. Sie schüttelte den Kopf und sah zu, wie er sich wieder bewegte, sehr vorsichtig.

»Tut irgendetwas weh?«, fragte Anna und streckte den Arm aus, um ihn zu stützen, als er sich aufsetzte.

»Was ist passiert?«, fragte er. »Sind diese ... armseligen Typen zurückgekommen?« Er fuhr sich mit der Hand an den Kopf.

Sollte das ein Scherz sein? Wenn er einen Scherz machte, konnte er nicht allzu schlimm verletzt sein.

»War er ... schon vorher Amerikaner?«, fragte die Fahrerin, die nicht zu wissen schien, ob sie vortreten oder zurückweichen sollte. »Wir haben es doch nicht mit einem dieser Fälle zu tun, in denen jemand in einer anderen Sprache zu reden beginnt oder plötzlich Klavier spielen kann, oder?« Sie schniefte. »Er ist vor meinen Wagen gelaufen. Sie sind meine Zeugin.«

Anna konzentrierte sich wieder auf den Verletzten. »Sie sind einfach auf die Straße gelaufen.«

»Ja«, antwortete er. »Ich habe vergessen, dass ihr Engländer auf der falschen Seite fahrt.« Er wollte sich weiter aufrichten, ruderte aber mit den Armen.

»Falcon!«

Anna zuckte zusammen, als sie Ruthies Stimme hörte. Im nächsten Moment war ihre Tochter auch schon auf der

Straße, außer sich. Sie ging nicht in die Knie, beugte sich aber schützend über den Mann. So wichtig war er schon für sie geworden. Viel zu vertrauensvoll. Viel zu naiv.

»Wird er wieder gesund?«, fragte Ruthie.

Was sollte Anna dazu sagen? Das Ausmaß der Verletzungen hatte sie noch nicht herausgefunden. Sie hatte überhaupt noch nichts getan.

»Ich habe Fotos gemacht!«, sagte Neeta, die nun ebenfalls auftauchte. »Von Ihrer Position auf dem Boden, Sir, und auch von der Position Ihres Wagens, Madam. Ich habe ein Lasermessgerät, das Ihre Geschwindigkeit und Ihre Bewegungskurve berechnen kann. Ich kann nur hoffen, dass Sie die Geschwindigkeitsbegrenzung eingehalten haben.«

Es gab zu viele Stimmen, zu viele Meinungen. Anna kam da nicht mehr mit. Während Neeta und die Fahrerin über Bremswege diskutierten, legte sie dem Mann eine Hand auf die Schulter.

»Ich sollte einen Krankenwagen rufen«, sagte Anna zu ihm.

»Nein, mir geht es gut. Ich brauche nur … einen Moment.«

»Hm … Denken Sie, Sie schaffen es, ein Stück zu gehen? Ungefähr eine halbe Meile?«

»Liegt da … das nächste Hotel?«

»Nein«, sagte Anna. »Da liegt mein Haus. Dann muss ich Sie nicht ins Krankenhaus bringen und kann Ihnen … etwas Heißes zu trinken bringen und …«

»Und Sie können meine neue Katze kennenlernen, Cheesecake«, mischte Ruthie sich ein. »Und mein Kaninchen, Mr Rocket.«

War ein heißes Getränk wirklich hilfreich, wenn jemand von einem Auto angefahren wurde? Oder sollte er besser erst einmal gar nichts zu sich nehmen? Süßer Tee war immer Nanny Gwens Allheilmittel gewesen. Und wenn das nicht half, dann Gin. Aber egal, das richtige Mittel konnte Anna zu Hause am Laptop recherchieren. Sollte dieser Mann unterwegs zusammenbrechen, könnte sie immer noch den Krankenwagen rufen. Und im Falle von Spätfolgen hatte Neeta ihre Fotos als Beweismittel.

»Ein paar Blocks schaffe ich schon«, sagte der Mann, der nun fast auf den Beinen stand.

»Sind Sie sicher?«, fragte Anna. Was tat sie da nur? Noch wenige Minuten zuvor hatte sie gedacht, er wolle Ruthie entführen, und nun lud sie ihn zu sich nach Hause ein, obwohl sie gar nicht wusste, wie man solche Verletzungen behandelte?

»Fahren Sie die drei hin!«, befahl Neeta und deutete auf die Fahrerin, die sich zu ihrem Wagen zurückgezogen hatte. »Sie werden sie nach Hause fahren – wenn Sie können. Das ist ja wohl das Mindeste, oder?«

Anna betrachtete ihre Freundin, die enthusiastisch nickte. Der armen Frau in ihrem Wagen blieb gar keine andere Wahl. Offenbar war die Entscheidung bereits gefallen.

DREIZEHN

Annas und Ruthies Zuhause, Richmond

Sams Rippen schmerzten jedes Mal, wenn er mehr als oberflächlich einatmete. Auf seinem Schoß hockte ein schwarzweißes Kaninchen. Offenbar hatte sich sein Leben in die Fernsehadaption eines Harlan-Coben-Thrillers verwandelt. Auf dem Küchentisch vor ihm stand eine Tasse mit süßem Tee, der nichts mit dem süßen Tee seiner Heimat zu tun hatte. Erstens war er heiß, zweitens enthielt er Milch. Früher hätte er gedacht, die Briten spinnen, aber tatsächlich fand er ihn köstlich.

»Mum hat Cheesecake in den Waschraum gesteckt«, sagte Ruthie, die das Kaninchen sanft streichelte. »Sie sind sich noch nicht begegnet, Mr Rocket und sie, daher weiß sie noch nicht, dass man Familienmitglieder nicht frisst. Die Katze haben wir gerade erst bekommen. Wir haben noch keine Katzenklappe und auch kein Katzenklo. Sie soll erst einmal auf ein mit Mehl bestreutes Backblech pinkeln.«

Cheesecake ist der Name der Katze. Kein Nachtisch. Sam nickte. »Gute Idee.«

»Wie geht es Ihnen jetzt?«

»Ruthie«, sagte die Frau und wandte ihre Aufmerksamkeit vom Geschirr in der Spüle ab. »Das hast du Falcon schon vor zwei Sekunden gefragt.«

»Zwei Sekunden kann gar nicht sein. Es hat länger als zwei

Sekunden gedauert, ihm von Cheesecake zu erzählen. Möchten Sie *Loki* sehen? Wir haben kein Sky mehr, das hat Dad abgemeldet, aber dafür Netflix und Disney+.«

Was sollte man darauf antworten? Er sollte ein Hotel anrufen und ein Zimmer reservieren, sobald er seinen Tee ausgetrunken hatte. Er wollte gerade etwas sagen …

»Ruthie, warum gehst du nicht ins Wohnzimmer und schaltest *Loki* an. Ich werde nur noch bei … Falcon Fieber messen.«

Sie würde was tun? Sam rührte sich auf seinem Küchenstuhl. Sofort schoss der Schmerz durch seinen Körper. Er biss die Zähne zusammen und ließ sich nichts anmerken. Ihm ging es gut. Obwohl er mal wieder durch die Luft gewirbelt worden war. Es ging nicht um Punkte, und er war nicht bewusstlos.

»Na gut«, sagte Ruthie. »Aber macht nicht so lange.«

Sobald Ruthie die Küche verlassen hatte, nahm Anna Sam das Kaninchen vom Schoß und steckte es in einen Transportkäfig auf der Arbeitsfläche. Unbeeindruckt von dem Ortswechsel, knabberte es an einer Möhre. Anders als Sam, der auch einen Ortswechsel vorgenommen hatte, aber sein Gleichgewicht immer noch nicht wiedergefunden hatte, im Gegenteil. Wie lange war es her, dass er die USA verlassen hatte? Der Unterschied zwischen den Zeitzonen würde ihn umbringen, wenn der Unfall es schon nicht getan hatte.

»Tut mir leid. Ich nehme an, dass Sie nach dem Unfall anderes brauchen als ein Kaninchen auf dem Schoß und endloses Gerede über Marvel.«

»Haben Sie … vielleicht … eine Advil?«

Der Zeigefinger der Frau schoss in die Höhe, als würde sie angestrengt nachdenken. »Warten Sie einen Moment. Das kenne ich. In zig amerikanischen Fernsehshows wird davon gesprochen. Ibuprofen. Ja, habe ich.« Sie drehte sich um und öffnete ein Schränkchen, das eine Menge Medikamente zu enthalten schien. Er schluckte. Würde das auch seine Zukunft sein? Gab es überhaupt ein Medikament gegen das, was er hatte?

»O Gott, Sie bluten!«

Sie hatte sich wieder umgedreht und sah ängstlich in seine Richtung. »Was?« Aus irgendeinem Grund sah Sam zu dem Kaninchen hinüber. Das niedliche Ding hatte zuvor seinen Finger ins Maul genommen und seine Haut angeritzt, bevor er seine Absicht bemerkt hatte.

»Vielleicht … sollten Sie Ihren Pullover ausziehen. Lassen Sie mich schauen. Ich habe … alte Kreppbandagen und … irgendeine Art Salbe, die ich mir auf die Hand geschmiert habe, nachdem ich mich an einer Elektroschockpistole verbrannt hatte. Wenn wir Glück haben, finde ich noch etwas Besseres.«

»Sagten Sie, ich blute?« Er drehte den Kopf, um über die Schulter zu schauen. Im nächsten Moment wünschte er, er hätte das nicht getan, da sein ganzer Oberkörper aufschrie. Seine Finger griffen nach dem Saum seines Pullovers und versuchten, ihn hochzuziehen.

»Warten Sie«, sagte die Frau, übernahm das Ganze und hatte ihm mit einer einzigen leichten Bewegung den Pullover über den Kopf gezogen. »Das muss man machen, wie man ein Pflaster abreißt.«

»Was?«, fragte Sam. Diese ganze Unterhaltung verwirrte ihn. Vielleicht war er doch mit dem Kopf aufgeknallt.

»Also«, sagte die Frau sanft, »alles in Ordnung. Na ja, nicht ganz, aber es könnte deutlich schlimmer sein. Sieht nach Kontakt mit Steinen und Asphalt aus.«

Er verstand kein Wort. Aber dann spürte er, dass Stoff

auf seine Haut gelegt wurde. Die Frau stand neben ihm und drückte die Bandage an.

Sie lächelte. »Ich bin übrigens Anna. Nur für den Fall, dass Sie sich fragen sollten, wie die Frau heißt, die so offensichtlich keine Krankenschwester ist und ihre Panik nur mühsam unterdrücken kann.«

»Sam«, antwortete er. »Was ich mich vor allem frage, ist … Haben Sie sich wirklich an einer Elektroschockpistole verbrannt?«

»Ja«, antwortete sie. »Aber ich kenne Sie noch nicht lange genug, um ins Detail zu gehen.«

Sie hatte überwältigende Augen. In diese Augen zu schauen lenkte seinen Verstand von der Tatsache ab, dass er von der Taille an aufwärts nackt war. Sie sollte weiterreden.

»Wie sieht es da hinten aus? Denken Sie, es muss genäht werden?« Er konnte nur hoffen, dass nicht. Im Moment hatte er die Nase voll von Krankenhäusern.

»Vermutlich nicht, aber ich bin keine Fachfrau. Ich versuche nur, die Blutung zu stillen. Aber Sie haben eine Menge Blutergüsse hier hinten.«

Während Anna sorgfältig seinen Oberkörper inspizierte, stellte sie sich plötzlich die Frage, was genau sie da eigentlich tat. Ein halb nackter Mann saß in ihrer Küche. In Ruthies und ihrem Zuhause. Ohne dass sie auch nur die geringste Vorstellung davon hatte, wer er überhaupt war. Die ganze Szene könnte ein ausgefeilter Trick sein, um an ihr Laptop zu kommen und ihre Passwörter abzugreifen. Andererseits reagierte Ruthie, so naiv sie sein mochte, außerordentlich sensibel auf Bosheit. Und sie hatte Falcon ins Herz geschlossen … *Sam*. Sein Name war Sam.

»Einige der blauen Flecken sind schon älter«, sagte Sam.

»Aha«, antwortete Anna, hob das Geschirrtuch an und drückte es dann sanft wieder auf die Wunde. »Sind Sie auf der Flucht vor der Polizei?«

Sie spürte, wie sich sein Oberkörper hob und ein leises Lachen in die Luft entließ. »Nein.«

»Machen Sie so etwas regelmäßig, um Schmerzensgeld zu kassieren? Ich meine, haben Sie nur so getan, als wären Sie angefahren worden? Hechtsprung auf die Motorhaube, dann tot stellen?«

»Erwarten Sie darauf wirklich eine Antwort?«, sagte er. »Ich bin mir ziemlich sicher, dass ich mir eine Rippe gebrochen habe, und da ist es nie ein großer Spaß, wenn man lachen muss.«

»Sie haben sich eine Rippe gebrochen? Dann sollten wir Sie sofort ins Krankenhaus bringen! Sie müssen geröntgt werden und richtige Schmerzmittel bekommen. Also stärkere als die hier, bei denen das Haltbarkeitsdatum schon abgelaufen ist.«

»Hey«, sagte er. »Entspannen Sie sich. Alles gut. Ich habe mir in meinem Leben schon sämtliche Rippen gebrochen. Es wäre nur gut, wenn ich … nicht mehr angefahren würde, solange ich hier bin. Und nicht verblute. Wie läuft's an der Front?«

In der Tat sollte sie sich besser um diese Wunde kümmern, statt ihn in ein Gespräch zu verwickeln. Sie hob das Geschirrtuch wieder an.

»Ich denke, es wird. Es gibt ein paar tiefe Kratzer, aber ein Verband hilft bestimmt.«

Sam schüttelte den Kopf. »Kein Verband. Es ist besser, Luft dranzulassen. Ich warte noch einen Moment, dann ziehe ich meinen Pullover wieder an.«

»Um Gottes willen, tun Sie das nicht«, sagte Anna. »Der ist schmutzig. Ich kann ihn waschen und ... etwas anderes suchen, das Sie anziehen können.«

»Das müssen Sie nicht. Ich raube Ihnen nur Ihre Zeit. Immerhin habe ich schon dafür gesorgt, dass Sie die Weihnachtsparty verpassen.«

»Party?« Sie musste lachen.

»Was ist daran so lustig?«

»Die Vorsitzende des Festkomitees würde Sie buchstäblich an den Pranger stellen und mit Mincepie bewerfen, wenn sie das Wort ›Party‹ hören würde. Als wir die Idee dazu hatten, bestand sie darauf, von ›einem Weihnachtsmarkt‹ zu sprechen. Schon ›Feier‹ klang in ihren Ohren zu gewöhnlich.«

»Und Menschen an den Pranger zu stellen und mit Hackfleischpastete zu bewerfen ist die feine Art?«

»Genau«, sagte Anna. »Andererseits ... An jedem zweiten Stand Kunsthandwerk zu verkaufen, Süßkartoffeln in die Suppe zu werfen, ganz zu schweigen von der Schulband, die schon zweimal im Kinderfernsehen aufgetreten ist, das alles hat wenig mit einem gewöhnlichen Weihnachtsmarkt zu tun.«

In diesem Moment wurde ihr bewusst, dass sie immer noch mit dem Geschirrtuch hinter seinem breiten, muskulösen Rücken stand, viel zu nah, obwohl es keinerlei Grund dafür gab. Als sie das Tuch wegnahm und zurücktrat, rutschte ihr Fuß auf einem von Mr Rocket angenagten Salatblatt aus und ließ sie straucheln.

»Hoppla, alles in Ordnung?«

»Oje, ja, alles okay.«

Trotz seiner Verletzungen hatte er sie mit seinem straffen, starken Arm festgehalten. Das war entsetzlich peinlich, aber irgendwie auch sexy. Wie konnte sie so etwas auch nur denken? Aber was noch wichtiger war: Wer war er eigentlich?

Anna richtete sich auf und knibbelte das Salatblatt von ihrem Schuh. »Kinder und Haustiere. Immer liegt etwas herum.«

»Sie können Geschwister zu Ihrer Liste hinzufügen. Immer wenn meine Schwester mich besucht, sieht meine Wohnung hinterher aus, als hätte eine Dragqueen ihre Kosmetikschublade ausgeschüttet.«

Er hatte eine Schwester. Das war immerhin eine Information. Anna befreite ihre Finger von dem Salatblatt, dann öffnete sie die Luke der Waschmaschine und steckte seinen Pullover hinein.

»Machen Sie hier Urlaub?« Anna nahm ein Spülmaschinentab, warf es hinein, schloss die Luke und drückte auf Start.

»Nein ... ich ... oder doch ... irgendwie schon, könnte man sagen.«

Nun, das war leicht irritierend. Sie richtete sich auf und blieb, wo sie war, mit dem Rücken an der Arbeitsfläche, während sich die Maschine mit Wasser füllte. Die Küchenmesser standen in Griffnähe, sollten die Dinge eine unangenehme Wendung nehmen.

»Entschuldigung«, begann Sam. »Das klang etwas komisch. Es ist schon eine Art Urlaub. Aber ich habe ihn nicht geplant ... Ich meine, ich habe ihn nicht sehr gut geplant. Ich wollte ... keine Ahnung ... ein paar Sehenswürdigkeiten anschauen und Geschenke besorgen und plötzlich bin ich hier gelandet.«

»Auf dem Weihnachtsmarkt einer Schule in Richmond?« Anna zog eine Augenbraue hoch.

»Das kann ich erklären«, sagte Sam. »Das hat einfach mit dem Geruch von karamellisierten Zwiebeln und Würsten zu tun. Ich hatte einen Riesenhunger. Das Essen im Flieger ist eben ... Essen im Flieger.«

»Und wo wohnen Sie?«, fragte Anna.

»Na ja«, begann er und nahm seine Tasse. »Wissen Sie noch, was ich über meine Urlaubsplanung gesagt habe? Aber das ist schon in Ordnung. Mir ist jedes Hotel recht. Kennen Sie ... wissen Sie ... Kennen Sie ein gutes?«

Er hatte keine Unterkunft. Das wurde ja immer unheimlicher. Und in diesem Moment befand er sich in ihrer Küche, mit nacktem Oberkörper. Die ganzen zwei Meter und wer weiß wie viele Zentimeter!

Plötzlich knallte die Küchentür auf. Ruthie stand da, die Hände in den Hüften, und wirkte stinksauer. »*Loki* ist schon seit Ewigkeiten bereit zum Schauen. Kommst du, Sam? Du musst Malcolm kennenlernen. Er ist noch größer als du.«

VIERZEHN

»Was ist los? Du bist schon seit Stunden in der Versenkung verschwunden. Ich habe dir acht Nachrichten geschickt.«

Anna kroch aus dem Wohnzimmer in den Vorraum und zuckte jedes Mal zusammen, wenn unter ihr eine Diele knarrte. Ihr fiel ein, dass sie etwas Ähnliches getan hatte, als sie sich zum ersten Mal mit Ed getroffen und ihn auf einen »Kaffee« zu sich nach Hause eingeladen hatte. Sie hatte immer versucht, Nanny Gwen nicht zu wecken, während besagter »Kaffee« durch die Maschine lief, aber es hatte nie funktioniert. Immer war Nanny Gwen von irgendwoher erschienen und hatte Anna daran erinnert, dass sie am nächsten Tag früh raus müsse – selbst dann, wenn mit dem frühen Start nur ihr spätes Frühstück bei Spooner's am Wochenende gemeint war. Ed hatte sie dann immer ungestüm und vor den Augen von Nanny Gwen geküsst. Ihre Großmutter hatte aus ihrer Unzufriedenheit mit Annas Partnerwahl nie ein Hehl gemacht, aber am Ende hatte sie ihre Entscheidung akzeptiert und Anna immer unterstützt. Jetzt zog sie vorsichtig die Tür zu, warf dem Foto von Nanny Gwen ein verhaltenes Lächeln zu und schlich sich auf Zehenspitzen in die Küche. Die Tür schloss sie hinter sich.

»Anna!«, rief Neeta. »Wenn ich nicht sofort dein Gesicht statt des Fußbodens sehe, rufe ich die Polizei.«

Anna nahm ihr Handy und legte den Finger an die Lippen. »Ruthie schläft. Im Wohnzimmer.«

»Was? Aber sie schläft doch sonst *ausschließlich* in ihrem Bett.«

»Ich weiß«, antwortete Anna. »Aber sie hat sämtliche Folgen von *Loki* gesehen und drei Bananenshakes getrunken.« Sie zog sich einen Stuhl herbei und setzte sich an den Küchentisch.

»Das freut mich für sie, aber ...«

»Erzähl mir lieber, wie es noch auf dem Weihnachtsmarkt war«, ging Anna dazwischen. »Es tut mir furchtbar leid, dass ich so überstürzt aufgebrochen bin. Hattest du dieses Jahr wieder Rekordeinnahmen?«

»In der Tat. Es gab sogar einen Bieterkrieg bei der stillen Auktion für meinen Süßwarenkorb. Sehr still war sie übrigens nicht. Alle schrien ihre Angebote heraus, immer in Fünf-Pfund-Schritten. Sehr würdelos. Aber das ist nicht der Grund, warum ich dir acht Nachrichten geschickt habe. Hast du keine einzige davon gelesen?«

»Ein paar waren nur Bitmojis«, gab Anna zurück.

»Das ist keine Antwort. Was ist mit diesem heißen Typen? Bitte sag mir, dass du dir seine Nummer hast geben lassen ... Und versichere mir schnell, dass er nach dem Unfall kein Aneurysma erlitten hat.«

Annas Blick wanderte zum Heizkörper hinüber, wo Sams Pullover trocknete. »Er ... hat kein Aneurysma erlitten.«

»Und seine Nummer? Denn wenn Douglas nicht mit einem Hug antwortet, hast du eine andere Option.«

Anna schluckte, da sie wusste, was passieren würde, wenn sie die Wahrheit sagte. Neeta würde kreischen und nach Luft schnappen und, sobald Anna aufgelegt hatte, Lisa anrufen.

»Er ist noch hier.«

»Was?« Neetas Gesicht war auf einmal groß und aufgebläht, als habe sie sich in einen riesigen Marshmallow verwandelt. Einen überglücklichen Riesen-Marshmallow.

»Alles vollkommen harmlos. Ruthie hat darauf bestanden, dass wir uns gemeinsam *Loki* anschauen, und irgendwann saß Cheesecake auf seinem Schoß, und Ruthie meinte, er dürfe Cheesecake nicht verscheuchen. Dann ist er eingeschlafen und Ruthie auch, und jetzt weißt du alles.«

»Nennst du dich jetzt Cheesecake?«

»Quatsch«, sagte Anna. »Das ist Ruthies Name für die neue Katze.«

»In deinem Wohnzimmer schläft also ein heißer Typ?«

»Ich wundere mich, dass du es so siehst und mir nicht mit deiner üblichen Warnung kommst, wie sonst vor meinen Dates. *Was? Ihr habt euch an einem öffentlichen Ort getroffen? Steig nie mit einem Fremden in einen Wagen. Steh sofort auf und geh, wenn er seine Mutter mehr als einmal erwähnt.*«

»Hat er seine Mutter denn mehr als einmal erwähnt?«

»Nein. Aber wir hatten auch nicht viel Zeit zum Reden. Ruthie hat sämtliche Folgen mitgesprochen, und ich habe heißen Tee und Milchshakes serviert, außerdem eine Pizza aus Fladenbrot mit Weihnachtskäse, weil ich keinen normalen mehr hatte. Jetzt ist die Packung geöffnet, und er wird nicht mehr bis zum Fünfundzwanzigsten halten. Am Weihnachtsmorgen werde ich meinen Toast wohl mit Emmentaler belegen müssen, und mittags gibt's dann ein Brötchen mit Kräuterfrischkäse.«

»Vergiss den Käse! Das ist doch ein gewaltiger Fortschritt. Das bist du, voller neuer Energie nach dem Babydesaster. Das bist du, die ihre Vagina wieder zum Leben erweckt hat!«

Anna hatte gar nicht gewusst, dass ihre Vagina gestorben war. Na gut, sie mochte schon eine Weile nicht mehr im Fokus der Aufmerksamkeit Dritter gestanden haben, aber sie war vorhanden und unversehrt und musste auch nicht mit einer professionellen Heckenschere freigelegt werden. Trotzdem, ihre Vagina hatte mit dem Mann, der in ihrem Wohnzimmer schlief, nichts zu tun. Anna würde nur sicherstellen, dass es ihm gut ging. So wie er es für Ruthie getan hatte, als diese Typen sie belästigt hatten.

»Lass mich sehen, was du anhast«, sagte Neeta plötzlich.

Anna drehte ihre Kamera nach unten. »Dasselbe, was ich am Suppenstand anhatte.«

»O Gott, du musst dich umziehen! Du wirst riechen wie die Küche meiner Großmutter. Glaub's mir, nicht einmal mein Großvater wollte Sex mit einer Frau haben, die so riecht wie das Essen, das er sich mittags in den Mund gestopft hat.«

»Neeta! Ich werde keinen Sex mit ihm haben!«

Hatte sie zu laut gesprochen? Sie lauschte auf mögliche Geräusche von Ruthie oder Sam oder Cheesecake, aber das Einzige, was sie hörte, war das schwache Summen der goldenen Birnchen der Lichterkette, die sie um den Türrahmen drapiert hatte.

»Ist er verheiratet?«

»Weiß ich nicht.«

»Lebt er in der Nähe?«

»Nein. Er macht hier nur Urlaub. Er möchte sich die Sehenswürdigkeiten anschauen und Weihnachtsgeschenke kaufen. Außerdem hat er eine Schwester.« Das war schon alles, was sie über ihn wusste. Außer ... »Und er hat eine Menge Blutergüsse. Nicht nur vom Unfall.«

Neeta schnappte nach Luft und riss begeistert ihre großen

braunen Augen auf. »Käfigkämpfer! Oder ... oder ... Stuntman. Ein böser Junge.«

Anna runzelte die Stirn. »Klingt alles andere als verlockend.«

»Nicht, wenn du etwas für immer suchst. Aber wenn es dir nur darum geht, jemanden zu finden, der mit dir die Laken schmutzig macht.«

»Neeta!«

»Lisa würde das genauso sehen. Falls du sie anrufen und ihre Meinung einholen möchtest.« Neeta schnaubte. »Immer diese vornehme britische Zurückhaltung. Die kommt uns nur in die Quere. Mein Neujahrsvorhaben für nächstes Jahr ist übrigens Selbstermächtigung. Meine Selbstermächtigung. Ich werde keine lächerlichen Festmähler für Pavinder und seine Kollegen mehr ausrichten, das lässt mich nur devot aussehen. Ich werde auch kein Interesse an Fungiziden mehr heucheln. Ich werde die Göttin meines eigenen Schicksals werden.«

»Das ist großartig.« Anna holte tief Luft und musste daran denken, was Neeta auf dem Weihnachtsmarkt gesagt hatte. »Wirst du denn mit Pavinder reden? Wenn du ihm erzählst, wie es dir geht, absolut aufrichtig, dann wird er dich sofort beruhigen können, da bin ich mir sicher. Und vielleicht habt ihr dann eine Chance, wieder zusammenzufinden.«

»Göttinnen des eigenen Schicksals schreiben ihre eigene Geschichte«, antwortete Neeta knapp.

»Natürlich«, sagte Anna. »Da bin ich unbedingt bei dir. Aber das muss ja nicht bedeuten, dass in keinem der neuen Kapitel Pavinder vorkommt.« Oder war es das, was Neeta wollte?

»Hängt davon ab, wie er sich den Epilog vorstellt.«

»Das wirst du nicht wissen, wenn du nicht mit ihm redest.«

»Genau«, schloss Neeta. »Aber ich bin noch nicht bereit, mir das alles anzuhören. Außerdem habe ich auch keine Lust, weiterhin so zu tun, als würde es hier um irgendein bescheuertes Buch gehen. Lass uns doch lieber über die Tatsache reden, dass du einen Mann im Haus hast, der weder Ed noch der Stromableser ist.«

»Na gut«, stimmte Anna zu. »Ich werde das Thema fürs Erste fallen lassen. Aber, Neeta, ich bin immer für dich da, ja? Egal, was passiert.«

»Kontrolliere sein Handy«, sagte Neeta, um das Thema zu wechseln.

»Was? Wieso?«

»Weil man alles Wesentliche über jemanden erfährt, wenn man sich sein Handy anschaut. Da muss man nicht einmal tief graben, weißt du?«

Das wusste Anna. Auf diese Weise hatte sie von Eds Affäre erfahren. Sie hatte das Handy nicht einmal heimlich entsperren müssen. Die Nachricht war einfach aufgeploppt, unverfroren und ohne Rücksicht darauf, was sie auslösen könnte. Gott sei Dank war es nicht Ruthie gewesen, die sie entdeckt hatte.

»Ich werde nicht auf sein Handy schauen«, antwortete Anna. »Er ist nämlich nur hier, weil er verletzt ist. Sobald er aufwacht, rufe ich ihm ein Uber-Taxi, auf Nimmerwiedersehen.«

»Face-ID braucht nur einen kurzen Blick auf das Gesicht, dann ist es schon entsperrt. Pavinder ist nicht einmal aufgewacht.«

»Ich werde jetzt auflegen.« Anna stand auf.

»Ruf mich an, sobald du ihn ins Taxi gesetzt hast, nur damit ich weiß, dass er sich nicht in einen dieser Waldmenschen aus *Yellowjackets* verwandelt hat. Lass ihn vielleicht nicht in die Nähe des Kaninchens.«

Anna beendete das Gespräch, bevor Neeta noch überschnappte. Als sie ihr Handy auf den Küchentisch legte, fiel ihr Blick auf Sams Rucksack auf dem Boden neben dem Kühlschrank. Sie schüttelte den Kopf. Nein, sie würde sich von ihrer durchgeknallten Freundin nicht verrückt machen lassen. Sie würde nicht die Privatsphäre von Menschen verletzen, vor allem nicht, wenn sie ihr Kind vor Quälgeistern gerettet und eine ganze Staffel von Marvel-Spin-offs erduldet hatten. Nachdem sie das Küchenlicht wieder ausgeschaltet hatte, wollte sie ins Wohnzimmer zurückkehren und schauen, ob sich Ruthie oder ihr Gast gerührt hatten. Was sie zuvor noch gar nicht bemerkt hatte, war, dass der Reißverschluss an Sams Rucksack ein Stück offen stand …

KAPITEL
FÜNFZEHN

Sam hörte Stimmen.

»Was reimt sich auf ›Schmaus‹?«

»Haus.«

»Zu langweilig. Irgendetwas anderes.«

»Laus.«

»Ruthie!«

»Wie wär's mit Maus? Dir würde das gefallen, Cheesecake, nicht wahr?«

Das nun folgende Miauen klang, als wäre die Katze beleidigt, dass man ihr nichts Größeres angeboten hatte. Allmählich kam er offenbar zu sich.

»Ich bin mir sicher, dass im *Richmond Reporter* irgendetwas über einen Imbiss stand, der Probleme mit Nagetieren hat. Aber ich nehme an, dass sie im Jahr der Ratte gar nicht anders können. Haben wir das Jahr der Ratte? Daraus ließe sich vielleicht etwas machen.«

Er träumte nicht. Er war gegen ein Auto gelaufen. Besser gesagt: Das Auto hatte ihn angefahren. Und er war in England. London. O Gott, war er erledigt! Er rieb sich das Gesicht. Sein Kinn fühlte sich an, als wäre es von den Stoppeln einer ganzen Woche übersät. Wie lange hatte er wohl geschlafen?

»Sam ist wach! Hallo, Sam!«

Wie spät war es? Was für einen Tag hatten sie? Und warum trug dieses Mädchen eine glänzend weiße, mit Lametta geschmückte Hose und ein T-Shirt mit dem Bild von ... war das der Besitzer von Virgin Atlantic?

»Hallo ... Ruthie.« Er richtete sich in seinem Sessel auf. Seine Muskeln, seine Knochen, alle jaulten in seinem Innern auf.

»Ich gehe jetzt zum Stepptanz. Wir proben für unsere Weihnachtsaufführung. Errätst du, wer ich bin?«

Sie drehte sich um die eigene Achse und stemmte, als sie die Figur beendet hatte, die Hände in die Hüften. Sam hatte nicht die geringste Idee. Er schüttelte den Kopf. »Du wirst es mir wohl sagen müssen.«

»Ich bin Maria! Du weißt doch, die Mutter von Jesus.« Sie zog das T-Shirt von ihrem Körper weg. »Wir tragen nicht die klassischen Kostüme. Das ist Richard Branson, der Besitzer von ...«

»Vielleicht möchte Sam erst mal einen Kaffee, bevor er sich das alles anhört.«

Anna kam herein, eine große Tasse mit kleinen Pünktchen in der Hand. Sie trug Jeans und einen leuchtend roten Pullover, der ihre Augenfarbe betonte. Sam Jackman, wirst du etwa rot?

»Wow, danke. Aber wenn ich den jetzt trinke, kann ich heute Nacht nicht schlafen«, sagte Sam.

Anna runzelte die Stirn. »Sie brauchen über zwölf Stunden, um Koffein abzubauen?«

Sams Herz tat einen Satz. »Wie spät ist es denn?«

»Acht Uhr, du Dummkopf. Acht Uhr morgens. Außerdem ist Sonntag«, verkündete Ruthie und machte einen Hip-Hop-Move.

Sam sprang auf, als hätte er etwas angestellt und müsse schnell weg. Er war die *ganze* Nacht hier gewesen? Es war

Morgen? »Ich muss gehen.« Er sah sich nach seinem Rucksack und seinem Mantel um. Dann blickte er an sich hinab. Er trug das langärmelige, blau-schwarz gestreifte Oberteil, das Anna ihm am Vorabend gegeben hatte. Sollte er es ausziehen? Oder sollte er es behalten, reinigen lassen und später zurückbringen?

»Trinken Sie einen Kaffee«, sagte Anna und hielt ihm wieder die Tasse hin.

Der Kaffee roch wirklich verlockend. Und sein Magen war buchstäblich leer, da er das Hotdog längst verdaut hatte. Oder hatte er gestern Abend hier etwas gegessen? Eine vage Erinnerung an Pizza stieg in ihm auf.

»Ich … möchte Sie aber nicht noch länger belästigen«, sagte Sam.

»Mum hat nichts dagegen«, sagte Ruthie. »Vor allem nicht, wenn du ihr hilfst, einen Reim auf ›Schmaus‹ zu finden.«

Sam nahm den Becher entgegen, und Anna kehrte zu ihrem Laptop zurück. In der Ecke des Wohnzimmers stand ein kleiner Tisch, der halb hinter dem gewaltigen Weihnachtsbaum verschwand. Er war mit Notizbüchern, Stiften, Textmarkern und Aufklebern übersät; mittendrin stand ein gerahmtes Foto von Ruthie in einem Spiderman-Kostüm. Das reinste Chaos herrschte dort, aber von der sympathischen Art, die auf harte Arbeit und Effizienz schließen ließ.

Im Stehen nahm er einen Schluck von der heißen schwarzen Flüssigkeit. Keine Milch. Woher wusste sie das? Hatte er das gestern Abend erzählt?

»Sause?«, schlug er vor.

Anna drehte sich auf ihrem Stuhl um. Sie trug nun eine

schwarze Hornbrille, eine von dieser Art, die Frauen noch attraktiver machte, wie er fand.

»Eine Silbe zu viel«, sagte Anna. »Aber vielleicht könnte ich es mit ›Saus und Braus‹ versuchen.«

»Ich gebe Cheesecake etwas zu fressen«, sagte Ruthie. »Wird sie oder er sich mit Thunfisch zufriedengeben, solange wir noch kein Katzenfutter haben?«

»Mist«, sagte Anna. »Ich hatte ganz vergessen, dass wir noch kein Futter haben. Ja, Ruthie, Thunfisch ist gut. Sei aber vorsichtig mit der Büchse und …«

»Ich weiß! Ich werde auch meine Handschuhe tragen.«

Ruthie verließ den Raum, auf dem ganzen Weg ihre Stepptanzfiguren vollführend. Sam trat an den Schreibtisch heran. »Woran arbeiten Sie denn?«

»Oh«, sagte Anna, während sie auf der Tastatur herumtippte. »Überaus geheime Regierungsgeschäfte. Wie man in Number Ten eine Party feiert und damit davonkommt.«

»Aha.«

»War nur ein Scherz. Wer würde so etwas tun wollen? Nein, im Moment bin ich damit beschäftigt, drei Imbisse zu restrukturieren und ihnen ein neues Image zu verpassen. Die Sache hat aber noch keine Form angenommen. Niemand scheint zu wissen, ob man verschiedene Läden daraus machen soll oder einen einzigen, der alles abdeckt. Um auf Nummer sicher zu gehen, entwickle ich Konzepte für beide Zwecke, bis sich der Besitzer endgültig entscheidet.«

»Und das koordinieren Sie alles von hier?«, fragte Sam.

Anna drehte sich zu ihm um. »Wollen Sie sagen, dass dieser Ikea-Tisch samt Ikea-Stuhl, eingeklemmt zwischen einem Weihnachtsbaum und der Zimmertür, nicht das Charisma eines Marketinggenies versprüht?«

»Ich würde es nie wagen, so etwas auch nur anzudeuten.«
Er grinste. »Ist das da eine leere Pommestüte?«

Anna sah zum Schreibtisch zurück. Dann drehte sie sich wieder um. »Unfassbar, dass ich darauf reingefallen bin. Ich lasse nie leere Fast-Food-Verpackungen auf dem Schreibtisch liegen.«

Sam lachte. »Punkt für mich.«

»Was arbeiten Sie denn?«

»Was ich arbeite?« Sam wusste selbst nicht, warum er die Frage wiederholt hatte.

»Haben Sie denn ein riesiges Büro? Nicht so ein Loch, in dem alle Streuner willkommen sind?«

Er lächelte. »Meistens arbeite ich draußen … auf dem Rasen.«

Warum sagte er es ihr nicht einfach? Er musste ja nicht alles verraten. Andererseits war seine Anonymität dahin, wenn er ihr erzählte, dass er Football spielte. Würde sie ihn kennen? Wollte er, dass sie wusste, für wen die Welt ihn hielt?

»Rasen«, wiederholte Anna und klang nun wirklich neugierig.

»Mum!«, hörte man Ruthie schreien. »Ein Handschuh wurde aufgeschlitzt, und jetzt habe ich Thunfisch am Finger! Ich sterbe!«

Anna sprang auf, ein paar Notizbücher zu Boden reißend. »Hören Sie, wenn Sie wollen, kann ich Sie ins Zentrum von Richmond mitnehmen. Das liegt auf dem Weg zu Ruthies Probe, und ich kenne ein gutes Mittelklassehotel, das ein Zimmer frei haben könnte.«

»Das wäre toll. Danke.«

»Gut. Ich kümmere mich nur schnell um dieses Problem hier, dann kann es losgehen.«

»Klar«, sagte er. »Danke.«

Aber als er dann allein im Raum stand, fiel ihm wieder ein, warum er hier war, auf der Flucht. Selbst wenn der Arzt die Nachricht noch nicht weitergegeben hatte, würden sofort Gerüchte kursieren, wenn er das Training verpasste. Er musste unbedingt Kontakt zu jemandem aufnehmen. Selbst wenn er nicht die ganze Wahrheit sagte, konnte er ein wenig Zeit gewinnen, bevor die wahren Gründe ans Licht kamen. Und dann? Er hatte keine Idee.

Als er tief Luft holte, wurde sein Blick von dem Heizkörper unter dem Fenster angezogen. Ein Topf stand dort, um Tropfen aufzufangen.

Richmond

»Und jetzt: Hop-on-hop-off-Tour«, sagte Anna, als sie das Gebäude hinter sich ließen, in dem Ruthie eine Stunde lang die Weihnachtsvorführung ihres Steppkurses proben würde. »Ich nehme einen Umweg und zeige Ihnen die berühmtesten Stätten Richmonds.«

Dann unterbrach sie sich und warf einen Seitenblick zum Beifahrersitz hinüber. »Entschuldigung. Natürlich nur, wenn Sie Zeit haben. Ich habe welche. Zu Hause warten nur ein Kaninchen, dessen Stall gesäubert werden will, und eine Katze, die offenbar das Sofa als Kratzbaum benutzt. Vielleicht sollte ich mir, neben all den anderen Dingen, auch einen Kratzbaum anschaffen.«

»Es ist eine süße Katze.«

»Es ist eine süße Katze, die wir nicht brauchen.«

»Als ich so alt war wie Ruthie, habe ich es auch immer geschafft, von meinen Eltern das zu bekommen, was ich wollte. Eis, obwohl ich nicht Geburtstag hatte. Längeren Ausgang. Filme, für die ich noch viel zu jung war.«

»Die Katze ist gar nicht von mir. Sie ist ein verfrühtes Weihnachtsgeschenk von meinem Ex. Obwohl wir uns während unserer Ehe immer einig waren, dass Ruthie keine Katze bekommen soll.«

Anna seufzte. Da war Ed nun wieder, mitten in ihren Gedanken, durch ihre eigene Schuld. Sie konzentrierte sich auf die Straße. Es herrschte dichter Verkehr, natürlich. Richmond zeigte sich von seiner besten Seite. Trotzdem liebte sie diesen Ort. Hier war sie aufgewachsen, er war ein Teil von ihr. Sie kannte nicht nur ein Mittelklassehotel, sie kannte alle Hotels, Pubs, Cafés und Parks. Die Themse.

Nanny Gwen war eine begnadete Reiseführerin gewesen und hatte alles in den schönsten Farben ausgeschmückt. *Nirgendwo in London ist der Fluss so herrlich wie an diesem Abschnitt. Hier lassen sich die hübschesten Enten treiben. Deine Enten, Anna.* Als Ed vorgeschlagen hatte, im Herzen der City eine vollkommen überteuerte Wohnung mit Vollverglasung und Blick auf die Eisenbahngleise – zweifellos ein Pluspunkt – zu mieten, hatte sich Anna aus den genannten Gründen gesperrt. Sie hätte sich einfach nicht vorstellen können, woanders zu leben; Richmond war der Ort, an dem man eine Familie gründete.

Was sollte es bringen, ein paar wilde, sorglose Jahre an einem coolen Ort mit farblich changierenden Lichtbändern an der Küchendecke zu verbringen, wenn man sich am Ende nur nach Richmond zurücksehnte? Als ihre Großmutter dann verstarb, wurde das Wohnungsproblem vollkommen neu aufgerollt. Anna hatte ein Eigentum geerbt, von dem sie, müsste sie es sich selbst verdienen, nur träumen könnte. Aber die Freude war nicht ungetrübt. Ihr wunderschönes Haus, das einzige Zuhause, das sie je gehabt hatte, war ihr nur durch den Verlust ihrer geliebten Großmutter zugefallen.

»Schmutzige Wäsche?«, fragte Sam.

»Was?« Anna war von ihren Gedanken fortgetragen worden, während sie im Stau standen.

»Mit Ihrem Ex? Sie sagten, er habe eine Katze besorgt, die nicht geplant war.«

»Die ungeplante Katze ist im Moment die geringste meiner Sorgen.«

»Das Leben kann einem ganz schön hart mitspielen, was?«, sagte Sam und sah aus dem Fenster auf die High Street.

»Den Kalenderspruch kannte ich bisher noch gar nicht. Sie sollten Ihr Talent nutzen«, neckte sie ihn.

»Samstag: Das Leben spielt Ihnen ganz schön hart mit. Sonntag: Was reimt sich auf ›Schmaus‹?«

Anna lachte laut auf. Er war witzig, auf eine intelligente Weise. Genau die Art von Humor, die sie mochte.

»Ich sollte eingeschnappt sein«, verkündete sie. »Ich sollte Sie sofort aus dem Wagen werfen, statt Ihnen die Attraktionen Richmonds zu zeigen.«

»Bitte, Ma'am. Ich bin fremd an diesem Ort und habe mir vielleicht ein paar Rippen gebrochen.«

Anna ließ die Kupplung kommen und fuhr langsam an. »Schauen Sie sich diese wundervolle Weihnachtsbeleuchtung an. Schade, dass Sie letzte Nacht nichts davon mitbekommen haben.«

»Wirklich zu schade.«

»Und das da ist mein Lieblingscafé.« Sie zeigte aus dem Fenster. »Ruthie liebt die heiße Schokolade dort. Und sollte Esther mir verraten, woher sie diese vollmundigen, kräftigen, dunklen Bohnen bezieht, würde ich sogar darüber nachdenken, ein zweites Mal zu heiraten.«

»So gut sind die?«

»So gut.«

»Woher wussten Sie eigentlich, dass ich meinen Kaffee ohne Milch trinke?«, fragte Sam.

»Na ja«, begann Anna, »ich habe natürlich Ihr Gepäck durchwühlt, als Sie geschlafen haben.«

Warum hatte sie das gesagt? Das sollte ein Scherz sein, aber Neeta hatte so etwas Ähnliches tatsächlich vorgeschlagen. Sie musste einen Rückzieher machen.

»War nur ein Scherz«, sagte Anna etwas zu laut. »So etwas würde ich nie tun. Es sollte witzig sein, aber das war es nicht und …«

»Dabei war ich schon überaus beeindruckt«, sagte Sam, »dass Sie aus ein paar Wäschestücken herauslesen, wie ich meinen Kaffee trinke.«

»Ist das wirklich alles, was Sie dabeihaben? Diesen einen Rucksack?«

Den, der in diesem Moment im Fußraum lag, zwischen seinen riesigen Füßen. Komisch war das schon, dass jemand mit nur einem einzigen Rucksack aus den USA herüberkam. Andererseits, wenn sie es recht bedachte – wohin auch immer sie fuhr, ein Rucksack von dieser Größe wäre schnell mit Desinfektionstüchern, Einweghandschuhen und etlichen Tüten von Ruthies Lieblingsbonbons vollgestopft. Außerdem wusste sie gar nicht, ob er wirklich aus den USA kam. Dass er mit amerikanischem Akzent sprach, bedeutete nicht automatisch, dass er auch dort lebte.

»Ich wollte Geschenke besorgen. Ich dachte, ich kaufe mir hier einen Koffer, um alles zurückzutransportieren.«

»Wohin denn zurück?«

»Was?«

»Entschuldigung. Ich dachte, Sie seien Amerikaner, aber ich bin miserabel im Erkennen von Akzenten. Sie könnten genauso gut Kanadier sein oder … Australier.« Sie hatte keine Ahnung, warum sie das gesagt hatte. »Ooh, schauen Sie, hier ist die Weihnachtsdekoration besonders schön.«

Sie schoben sich immer noch im Schneckentempo voran. »Lichterketten um jeden Baum, und da der Januar so trübselig ist, lässt man sie bis zum ersten Februar hängen. Das heitert die Menschen ein wenig auf, wenn alles nebelig und düster ist.«

»Klassische warme Lämpchen! Die gefallen mir viel besser als die blinkenden vom Typ Las Vegas.«

Er hatte ihr nicht erzählt, woher er kam. Genauso, wie er ihr nicht erzählt hatte, was für einen Beruf er ausübte. Wer war dieser geheimnisvolle Mann? Eigentlich wirkte er nicht unehrlich. Aber vielleicht mussten sie auch nicht alle Informationen austauschen. Sie würden sich ohnehin nicht wiedersehen.

»Aber Ihr Weihnachtsbaum – Malcolm –, der ist wirklich beeindruckend«, sagte Sam.

Anna schnappte nach Luft. »Wollen Sie sagen, dass er nach Las Vegas aussieht?«

»Steht er das ganze Jahr dort? Als wäre er ein Mitbewohner?«

»Ich bin schockiert über eine solche Frechheit!«, rief Anna. »Ich habe Sie praktisch vom Asphalt gekratzt, habe Erste Hilfe geleistet und Ihnen heißen, süßen Tee serviert. Und dann habe ich Sie, trotz des halsabschneiderisch teuren Monatsbeitrags für Disney+, gratis mitschauen lassen und …«

»Die Kolonne fährt weiter«, unterbrach sie Sam mit einem Lächeln auf den Lippen. Diesen aufregend vollen Lippen …

Anna konzentrierte sich und ließ die Kupplung kommen, um immerhin einen Meter weiterzugleiten.

»Ich komme aus Cincinnati«, sagte Sam.

»Ist das ein echter Ort?«, fragte Anna. »Das klingt eher nach einer Mädchentanztruppe aus dem Caesar's Palace.«

»Oje! Mit meinem Kommentar zu dem Baum habe ich Sie wirklich verletzt, nicht wahr?«, sagte Sam und hob die Hände zum Zeichen der Ergebung. »Ich muss mich entschuldigen. Ab sofort keine Witzchen mehr.«

Sie stellte die Lüftung an, weil die Windschutzscheibe bereits beschlug. Der Wagen war fast so alt wie Ruthie, daher gab es nichts, das einwandfrei funktionierte. Auf dem Armaturenbrett lagen sogar ein paar Minitütchen mit Silica-Gel, um die Feuchtigkeit zu absorbieren, sonst würde die Innenseite einfrieren. »Schön. Während wir darauf warten, dass sich der Verkehr bewegt, erzählen Sie mir von den coolen Dingen in Cincinnati.«

Den coolen Dingen in Cincinnati. Vieles in Cincinnati war cool, aber alles, was Sam jetzt einfiel, hatte mit dem Innern eines Arztbüros und verpassten Gelegenheiten zu tun. Bevor die Panik überhandnehmen konnte, schoss ihm eine Erinnerung in den Sinn. Seine Eltern waren mit Tionne und ihm in den Eden Park gefahren. Für den neunjährigen Sam war es, als hätten sie die Ziegelsteine und Gässchen und den Gestank der Mülltonnen hinter sich gelassen und wären auf einem anderen Planeten gelandet.

»Der Eden Park ist cool«, erzählte er Anna. »Er liegt direkt an einem Fluss, und es gibt etliche Seen und einen alten Wasserturm. Außerdem ein Kunstmuseum … Mein Lieblingsort ist ein Gewächshaus mit allen möglichen Pflanzenarten. Ich meine, wenn man neun ist und ein bisschen Brachland für ein Naturparadies hält, dann hauen einen

Palmen, Farne, Orchideen und Bonsaibäume regelrecht von den Socken.«

»Wir haben die Kew Gardens, nicht weit weg von hier. Und mein Freund Pavinder hat ein nur geringfügig kleineres Gewächshaus in seinem Garten. Da wächst alles Mögliche.«

»Sie sind kein Pflanzenfan?«, riet Sam.

»Nein … ich meine …« Sie nahm kurz den Blick von der Windschutzscheibe. »Ich gehe gern im Park spazieren und freue mich über die Farben der verschiedenen Jahreszeiten, aber …«

»Aber?«

»Keine Ahnung«, sagte sie leise. »Vielleicht ist mir die Natur ein wenig unheimlich. Die Natur als Idee.«

»Wahnsinn. Was soll das heißen?«

»Bevor Sie mich für verrückt erklären, lassen Sie mich das erklären«, sagte Anna und lenkte das Auto einen weiteren Meter durch die verstopfte Straße. »Die Natur ist eins der wenigen Dinge, die spontan passieren, ohne dass man einen Knopf drücken oder einen Befehl geben würde. Und sie kann *überall* zuschlagen. Nicht ausgeschlossen, dass ich eines Morgens aufwache und von einem Baum überwuchert bin.«

Sam musste so laut lachen, dass seine Rippen schmerzten.

»Haben Sie denn nicht *Blumen des Schreckens* gesehen? Entsetzlich.«

»Sie denken wirklich, nachts könnte ein Baum wachsen und Sie ersticken?«

»Sie haben Malcolm doch gesehen! Er mag von seinen Wurzeln getrennt sein, aber wenn Spinnen neue Beine wachsen, woher soll man dann wissen, wozu Nadelbäume fähig sind?«

»Unfassbar!« Sam legte die Hand an die Rippen. »Sie bringen mich noch um, wenn ich weiter so lache.«

Sie seufzte. »Vermutlich ist es die Macht der Natur, die mir Angst einjagt. Man kann alles richtig machen, um seine Absichten in die Tat umzusetzen, aber wenn die Natur andere Pläne hat, hat man keine Chance.«

Er schluckte. Das berührte einen wunden Punkt. Er hatte auch immer alles richtig gemacht. Jedenfalls fast immer, ohne es zu übertreiben. Und trotzdem hatte ihn die »Natur« verraten. Hatte ihm dieses Etwas untergejubelt, das sein ganzes Leben auf den Kopf stellte.

»Wenn Sie die Mutter eines autistischen Kinds sind, hält sich die Freude über Dinge, die Sie nicht kontrollieren können, in Grenzen. Nicht dass ich Ruthie ändern wollte. Sie ist so etwas wie mein vierblättriges Kleeblatt.«

»Ruthie leidet unter Autismus?«, fragte Sam. Ihm war aufgefallen, dass sie laut und mitteilsam war, aber er wäre niemals auf die Idee gekommen, dass etwas anderes als eine starke Persönlichkeit dahinterstecken könnte.

»Ihre Fixierung auf Details ist Ihnen nicht ungewöhnlich vorgekommen?«

»Na ja, es ist doch etwas Schönes, wenn man sich für Details interessiert.«

»Die Desinfektionsmittel und das Schnipsen?«

»Das ist schon ungewöhnlich, muss ich zugeben. Aber wer bin ich, um zu entscheiden, was normal ist? Ich wurde von einem Auto angefahren und trage den Pullover eines Fremden.«

Er sah, dass sie lächelte. Und das gefiel ihm. Wenn ihm bewusst wurde, wie sehr er das mochte, kribbelte sein ganzer Körper. Verdammt!

»Eine Herausforderung ist es schon«, sagte Anna und fuhr

an, da sich die Schlange in Bewegung zu setzen schien. »Man ist ständig ausgelaugt, aber …«

»Ruthie ist ein tolles Kind«, unterbrach er sie. »So voller Energie, die noch nicht vom wahren Leben geerdet wurde.«

»Klar«, sagte Anna. »Sie ist ein tolles Kind. Oh … da wären wir. Jetzt kommen wir zum bekanntesten Teil von Richmond.«

»Ja?«

Er sah aus dem Fenster. Die Straße führte auf eine sichtlich alte, massive Steinbrücke, unter welcher der breite Fluss dahinströmte. Trotz der Kälte glitten Ruderer in schmalen Booten über die Oberfläche, die Ruder rhythmisch eintauchend und wieder aus dem Wasser hervorhebend. Das war ganz anders als der Ohio River daheim, irgendwie majestätischer. Weiße Schwäne glitten dahin, und es gab auch keine Schilder, die mit allen Mitteln um Aufmerksamkeit buhlten und den Hashtag nannten, über den man sein Foto teilen konnte. Dies hier war der Inbegriff von britischem Understatement.

»Das ist die Richmond Bridge, die älteste original erhaltene Themse-Brücke. Und überall am Ufer«, sagte Anna, die nun Schrittgeschwindigkeit fuhr, obwohl sich der Verkehr aufgelöst hatte, »befinden sich Bars und Restaurants. Im Sommer werden die Rasenterrassen von Menschen belagert, die hier picknicken. Es ist ein wunderbarer Ort, um sich zu entspannen und Leute zu beobachten.«

»Beobachten Sie gerne Leute?«

»Tut das nicht jeder?«

»Kann schon sein«, antwortete er.

Die einzige Person, die er im Moment beobachtete, war allerdings Anna. Sie konnte nicht größer als eins fünfundsechzig sein, aber sie wirkte so stark und hatte diese attraktiven Rundungen und diese faszinierenden Augen. Wenn die Situation eine andere wäre ... wenn sie daheim in Cincinnati wären ... wenn er nicht auf der Flucht wäre ... möglicherweise würde er es wagen, sie um eine Verabredung zu bitten.

»Im Winter ist es aber auch schön, zumindest wenn es hell und frostig ist wie heute und nicht regnet, was hier in England leider oft der Fall ist. Haben Sie schon einen Plan, was Sie sich während Ihres Aufenthalts hier anschauen wollen?«

»Nein. Die üblichen touristischen Attraktionen, denke ich. Big Ben. Das Zuhause der Queen?«

»Das ist ein Muss, würde ich sagen. Aber die abgetretenen Pfade zu verlassen ist auch mal schön. So lernt man die Stadt erst richtig kennen. Steigen Sie doch einfach mal in die Tube und steigen an einem beliebigen Ort aus ... nur weil Ihnen der Name gefällt.«

»Haben Sie so etwas schon einmal getan?«

»Schon lange nicht mehr. Ruthie ist nicht unbedingt ein Fan von Spontanität.«

»Klar.« Er nickte.

»Was Richmond angeht, sollten Sie unbedingt Zeit für den Richmond Hill einplanen, wegen der Aussicht. Und dann gibt es noch den Palast. Na ja, ein Palast ist es nicht mehr wirklich, eher eine Mauer mit Torhaus, aber mehr Tudor werden Sie hier nicht finden. Dann gibt es noch ein Museum und ein Theater, und in den Richmond Park sollten Sie auch gehen. Dort gibt es den King Henry's Mound und Wild. Echtes Wild, das dort äst.«

Wenige Minuten später zog sie an den Straßenrand. »Das ist es.«

Er sah auf das Schild an dem Gebäude, vor dem sie gehalten hatten. »Crescent Hotel«.

»Solide drei Sterne, und das Frühstück besteht aus mehr als nur einer Tasse schwarzem Kaffee.« Sie lächelte.

»Anna«, begann Sam. Sein Herz schlug heftiger, als ihm lieb war.

»Ja?«

»Danke! Sie wissen schon … dafür, dass Sie gestern da waren … und dass ich bei Ihnen bleiben konnte.«

»Und ich danke Ihnen, weil Sie Ruthie geholfen haben. Und weil Sie mich zum Lachen gebracht haben. So viel gelacht habe ich schon lange nicht mehr.« Sie senkte den Blick in ihren Schoß, ein reizender Anblick.

Er wollte sie wiedersehen. Sie mochten sich durch Zufall begegnet sein, aber er wollte unbedingt verhindern, dass diese Begegnung sofort wieder endete. Erklären konnte er das nicht, aber das musste er vielleicht auch nicht.

»Anna, würden Sie …«

Eine laute Hupe unterbrach seinen Satz, und Anna zuckte zusammen. Der Zauber des Moments war verflogen.

»Entschuldigung. Ich dürfte hier gar nicht stehen, wenn ich nichts anliefere«, sagte sie bedauernd.

»Klar. Okay.« *Cool, Sam, cool bleiben.*

Er öffnete die Tür und schob sich vorsichtig aus dem Wagen. Dann beugte er sich wieder hinein und nahm seinen Rucksack. Was waren die richtigen Worte, wenn man sich gerade erst begegnet war und doch irgendeine Verbindung verspürte? Jedenfalls, was ihn betraf.

»Es war schön, Ihnen begegnet zu sein«, sagte er leise.

»Oh, fand ich auch«, antwortete sie.

Der Wagen hinter ihnen hupte wieder, aber Sam verharrte

noch ein paar Sekunden, um sich das Bild dieser Frau ein-
zuprägen.

»Tschüss«, sagte er schließlich.

»Tschüss, Sam«, antwortete sie.

Anna seufzte. Dann sah sie in den Rückspiegel und blinkte, um zu signalisieren, dass sie rausfahren würde. Allerdings achtete sie nicht wirklich auf den Verkehrsstrom. Sie sah Sam hinterher, der ihr nun den Rücken zugewandt hatte und vor dem mit Kränzen geschmückten Eingang stand. Sie hatte sich in seiner Gesellschaft wohlgefühlt. Sehr wohl sogar. So gut war es ihr schon lange nicht mehr gegangen. Sie hatte sich selbst gespürt. Als erwachsene *Frau*, nicht nur als Mutter. Sie fröstelte. Sie war doch nicht Sylvie aus *Emily in Paris*. Sie war fünfunddreißig! Außerdem war es nur ein Abend gewesen, aus der Not geboren. Die meiste Zeit über war Ruthie dabei gewesen, und er war eingeschlafen …

Jetzt konnte sie Sam nicht mehr sehen. Vielleicht hatte er sich bereits ins Warme geflüchtet. Sie selbst hatte sich noch nie eine Rippe gebrochen oder solche blauen Flecken zugezogen, aber bei diesen Minustemperaturen war es vermutlich nicht leichter zu ertragen.

Plötzlich klopfte es ans Fenster. Ohne den Sicherheitsgurt wäre sie an die Wagendecke gesprungen. Es war Sam. Hatte er etwas vergessen? Aus irgendeinem Grund machte er die Drehbewegung, mit der man dem Fahrer eines uralten Autos signalisierte, dass er das Fenster herunterkurbeln solle. Der hatte Nerven! *So* alt war ihr Auto nun auch wieder nicht.

Anna drückte auf den Knopf, und die Scheibe glitt herunter. »Diese Pantomime war ziemlich einfallslos«, teilte sie ihm mit. Ihr Atem färbte sich weiß, als er auf die eiskalte Luft traf. »Fast schon eine Beleidigung.«

Er schwieg. Seine dunklen Augen ruhten auf ihr, und sein Atem kam stoßweise heraus, als sei er nervös. Sie hätte erwartet, dass ihm ihre schlagfertige Antwort wenigstens ein Lächeln entlocken würde.

»Alles in Ordnung?«, fragte Anna. »Ist es wegen der Rippen? Soll ich Sie doch ins Krankenhaus fahren?«

Er schüttelte den Kopf. »Nein«, sagte er. »Hören Sie, was ich noch sagen wollte … Ich habe heute Morgen den Topf gesehen.«

»Aha?« Das war kryptisch. Was für einen Topf meinte er? Die Küche war der einzige Ort, den sie wirklich in Ordnung zu halten versuchte. Er sollte es nur wagen, ihre haushälterischen Fähigkeiten infrage zu stellen. Aber warte, vielleicht meinte »Topf« in Amerika etwas anderes. Er wollte damit doch wohl nicht irgendetwas Schlüpfriges andeuten?

»Na ja, ich würde es gern für Sie in Ordnung bringen.«

»Aha?« Sollte sie ihn fragen, wovon er redete, oder würde sie diesen Zweisilber so lange ausstoßen, bis der Nächste sie anhupte oder gleich den Ordnungsdienst rief?

»Ich bin zwar alles andere als ein Profi, aber mein Vater hat mir schon früh beigebracht, dass sich die meisten Dinge durch Logik beheben lassen.«

Anna öffnete den Mund, um ein weiteres »Aha« von sich zu geben, aber dann dämmerte ihr allmählich, wovon Sam redete. Der Heizkörper im Wohnzimmer. Er tropfte nun schon seit ein paar Wochen. Sie hatte einen Klempner angerufen, aber der war noch nicht aufgekreuzt. Und bislang hatte sie nicht die Energie aufbringen können, nach einer anderen Firma zu suchen oder die Sache selbst in Angriff zu nehmen.

»Lassen Sie mich das machen«, fuhr Sam fort. »Um mich für Ihre Hilfe zu revanchieren.«

Die Britin in ihr wollte schon ablehnen, aber der Rest ihres Selbst wurde hin und her geworfen, als wäre es in einen reißenden Fluss gefallen. Dann hörte sie Nanny Gwen laut und deutlich sagen: *Das ist Männersache. Nimm das Angebot an.*

Ein Piepen riss sie zurück in die Wirklichkeit. Vermutlich hatte sie ihren Blinker nicht ausgeschaltet.

»Jetzt muss ich aber wirklich weiterfahren«, sagte Anna. »Ich kann es mir nicht leisten, ein Knöllchen zu bekommen.« Sie schluckte. »Morgen Abend vielleicht?«

»Morgen Abend. Wunderbar«, sagte Sam. »Was soll ich mitbringen?«

»Werkzeug«, antwortete Anna. »Ich habe buchstäblich nichts als einen Flaschenöffner und eine dieser verbogenen Büroklammern, mit denen man das Fach einer SIM-Karte öffnet.«

Er lächelte. »Bis bald, Anna.«

»Bye, Falcon.«

ACHTZEHN

Lisas Zuhause, Richmond

»Mum! Die Soße ist schon wieder zu dick!«

»Sei still, Kai. Du solltest dankbar sein, dass wir etwas zu essen haben. Viele Menschen in der Welt müssen hungern«, antwortete Kelsey.

»Du redest wie eine Großmutter!«

»Genau betrachtet«, begann Ruthie, »ist der Kongo das Land, in dem zurzeit die meisten Menschen Hunger leiden.«

»Ich wette, so dicke Soßen würden die auch nicht essen«, murrte Kai.

Anna nahm einen Schluck von ihrem alkoholfreien Glühwein und ließ das Genörgel und Geplänkel der Kinder über sich ergehen. Einmal im Monat lud Lisa Ruthie und sie zum Sonntagsbraten ein, und heute war es mal wieder so weit. Ruthie konnte sich kaum entspannen, wenn sie für längere Zeit ihre geregelten Bahnen verließ, aber da sie regelmäßig hierherkam und auch genau wusste, wann sie kommen würde, war dieses Sonntagsessen mittlerweile Teil ihrer Routine. Gut, sie mochte die Ärmel über die Hände ziehen, wenn sie nach Salz- oder Pfefferstreuer griff, aber dass sie überhaupt an einem Tisch mit sechs Personen sitzen konnte, war schon ein Fortschritt. Anna hoffte, sie später sogar zu einer Stepptanzdarbietung vor kleinem Publikum ermutigen zu können. Das war immer eine gute Übung, nicht nur für die Schrittfolgen, sondern auch für Auftritte vor Menschen in fremden Umgebungen.

»Kai«, sagte Paul. »Wenn du von der Soße nichts mehr isst, reich einfach den Krug rüber. Ruthie und ich wissen sie zu schätzen, was, Ruthie?«

»Ich werde auf jeden Fall noch etwas für meinen Yorkshire Pudding brauchen«, stimmte Ruthie zu.

»Anna«, sagte Kai mit einem Grinsen. »Das war krass von dir, als du gestern auf dem Weihnachtsmarkt gerappt hast.«

»Oje, na ja. Die Headhunter von Drakes Plattenfirma werden sicher nicht auf mich zukommen, aber Neeta schien es besänftigt zu haben.« Ein ernsthaftes Gespräch mit Neeta über ihre Probleme mit Pavinder stand noch aus.

»Was?«, fragte Paul. »Du hast gerappt?«

»Nicht wirklich brillant«, antwortete Anna.

»Ein paar meiner Kumpels haben es auf Video.«

»Da kann ich nur hoffen, dass sie es für sich behalten.«

»Milo sagt, du wärst eine scharfe Nummer.«

»Kai! Das ist frauenfeindlich!«, rief Kelsey. »Anna ist doch kein Objekt.«

»Als du noch joggen gegangen bist, warst du besser drauf, Mum«, sagte Ruthie, die den Kontext nicht verstand.

»Ein bisschen mehr Respekt, mein Sohn«, befahl Paul. »Mach dir lieber ganz schnell klar, dass Frauen den Männern immer – immer! – einen Schritt voraus sind. Milo sind sie vermutlich ganze Evolutionsstufen voraus.«

»Also«, sagte Lisa, die sich auf den Stuhl neben Anna sinken ließ. »Seit du gestern mit Neeta telefoniert hast, hängt sie praktisch jede Stunde am Telefon und hyperventiliert. Wo hast du den schönen Fremden denn nun entsorgt?«

Den schönen Fremden. Sie hörte es Neeta förmlich sagen. Aber recht hatte sie, dachte Anna. Sam sah tatsächlich gut aus. Und nur ein kleines bisschen weniger fremd als gestern.

»Oh, ich … am Crescent Hotel. Man hat mich wie wahnsinnig angehupt, nur weil ich einen Moment zu lange in der Wartebucht gestanden habe.« Sie steckte sich Füllung und einen Rosenkohl in den Mund.

»Wenn nicht die Fahrer der weißen Lieferwagen die Straßen unsicher machen, sind es neuerdings die Radfahrer«, stellte Paul fest. »Seit man die Verkehrsregeln für den Highway geändert hat, fahren sie immer zu zweit nebeneinander, auch auf der Fahrspur. Bis zum nächsten Unfall kann es nicht lange dauern.«

»Wirst du ihn wiedersehen?«, fragte Lisa, ohne auf Pauls Kommentar einzugehen.

Plötzlich war es totenstill am Tisch. Nicht einmal Kais Schmatzen, das selbst eine wiederkäuende Kuhherde übertönt hätte, war noch zu hören. Annas Blick wanderte schnell über die Schüssel mit den Bratkartoffelbergen zu Ruthie hinüber. Ihre Tochter blickte sie direkt an, unübersehbar gespannt.

»Er … vielleicht schaut er morgen Abend noch mal vorbei.«

»Wirklich?«, rief Ruthie und schien so aus dem Häuschen wie an dem Tag, an dem verkündet wurde, wann der nächste Marvel-Film herauskommen würde.

»Wirklich?«, fragte auch Lisa, die ihre Überraschung etwas besser verbergen konnte.

»Wer ist diese Person, von der ich nichts weiß?«, erkundigte sich Paul und nahm einen Schluck Bier aus seiner Flasche.

»Wow!«, rief Kai mit großen Augen. »Redet ihr von diesem riesigen Typen, der Grusel-Gregory, Igitt-Ibrahim und Akne-Aaron niedergemacht hat?«

»Du benutzt ja meine Namen für sie«, stellte Ruthie erfreut fest. »Aber du musst sie in der alphabetischen Reihenfolge nennen.«

»Die Namen passen perfekt«, befand Kelsey.

»Die Leute sagen, er sei über zwei Meter groß und genauso breit. Wie The Rock.«

»Ist er wirklich so groß?«, erkundigte sich Lisa bei Anna.

Die hatte ganz vergessen, dass Lisa ihn gar nicht gesehen hatte, aber es überraschte sie, dass Neeta nicht eine detaillierte und überaus präzise Beschreibung mitgeliefert hatte. »Er ist ziemlich groß.« Und mehr als ziemlich heiß. Aber den Gedanken behielt sie lieber für sich.

»Er hat *Loki* mit mir geschaut. Und mein Kaninchen mag ihn auch.«

»Und wie kommt es, dass er ›vorbeischaut‹?«, fragte Lisa und stupste sie mit dem Ellbogen an.

Anna senkte die Stimme, damit hoffentlich nur Lisa sie verstand. »Das hat nichts mit einem Hug in einer App zu tun. Er tut mir nur einen Gefallen.«

»Nennt man das heute so?«, sagte Lisa, die Stimme nicht im Mindesten gesenkt.

»Ich finde, Sam wäre ein Superfreund. Er sieht gut aus. Ist freundlich. Er hat eine sanfte Stimme, die mich nicht stört. Und er stellt genau richtig viele Fragen – er zeigt Interesse, unterbricht einen aber auch nicht ständig.«

»Ruthie! Sam kommt nur, um … den Heizkörper im Wohnzimmer zu reparieren«, sagte Anna.

Ruthie holte tief Luft. »Dachtest du, ich meine, dass Sam ein Superfreund für dich wäre?« Sie musste so sehr lachen, dass ihr Ärmel einen Rosenkohl auf ihrem Teller berührte. Glücklicherweise merkte sie es nicht.

»Was ist daran so lustig?«, fragte Kai.

»Wenn dein Heizkörper kaputt ist, warum sagst du es dann nicht Lisa? Ich habe in meinem Leben mehr Heizkörper repariert, als Kai Tore für seinen Club erzielt hat«, verkündete Paul.

»Du hast *versucht*, sie zu reparieren«, stellte Lisa fest. »Am Ende haben wir immer einen Handwerker kommen lassen.«

Aber Anna hatte nur Augen für Ruthie, die immer noch lächelte, so entgeistert war sie. Wie kam sie nur darauf, dass Sam kein Freund für sie sein könne? Nicht dass sie einen wollte, aber gab es irgendeinen Grund, warum sie nicht wenigstens offen sein sollte? Das hatte Ruthie doch gerade erst selbst vorgeschlagen.

»Warum sollte er denn keinen Superfreund für deine Mum abgeben?«, erkundigte sich Kelsey bei Ruthie.

»Weil er so viel jünger ist, du Dummkopf! Ich sage ihr immer, sie soll es mit Mr Dandruff versuchen. Das ist mein Lehrer.«

Anna hatte sich soeben einen Rosenkohl in den Mund gesteckt, den sie nun in den Hals bekam, weil sie husten musste. Lisa klopfte ihr auf den Rücken und reichte ihr ein Wasser.

»Ooh. Wie jung ist er denn?«, fragte Kelsey. »Wäre das ein Altersunterschied wie bei Jason Momoa und Lisa Bonet?«

»Die sind längst wieder getrennt«, sagte Lisa. »Aber es würde mich natürlich auch interessieren, wie alt er ist.«

Anna schüttelte den Kopf. »Das weiß ich nicht. Aber er dürfte … keine Ahnung … so ungefähr in meinem Alter sein.« Das musste er doch, oder? Sie hatten so munter geplaudert, fast ein bisschen geflirtet. Oder war das alles Einbildung? Im

Prinzip hatte ihre einzige Annäherung darin bestanden, dass sie ihm eine halbe Minute lang ein Geschirrtuch auf den Rücken gedrückt hatte. Und später war sie von einer Hupe vertrieben worden ...

»Da muss man ›ungefähr‹ schon sehr weit fassen«, stellte Ruthie fest. »Er dürfte so um die zwanzig sein.«

»Was?« Kai prustete los. Teile seines Essens landeten auf dem Tisch.

»Desinfektionstücher, Mum! Desinfektionstücher!«, schrie Ruthie.

»Bist du sicher, dass du einen Kaffee möchtest?«, fragte Lisa. »Nicht lieber etwas Stärkeres? Du kannst ja mit dem Taxi heimfahren.«

Anna schüttelte den Kopf. »Ich muss mich morgen unbedingt in die Arbeit stürzen. Wenn Adam nicht bald etwas von mir bekommt, wird er sich fragen, wofür er mich bezahlt.«

Mittlerweile waren sie zu zweit in der Küche. Alle anderen hatten sich ins Wohnzimmer zurückgezogen, dessen Mittelpunkt ein großer Fernseher mit jedem nur erdenklichen Unterhaltungsprogramm darstellte. Außerdem gab es dort einen Lufthockeytisch. Lufthockey liebte Ruthie, weil sie die Griffe auch bedienen konnte, wenn sie die Ärmel über die Hände zog. Man hörte bereits das gutmütige Geplänkel, mit dem Kai, Kelsey und Ruthie sich ins Spiel stürzten.

»Also«, sagte Lisa, als sie Wasser aufsetzte. »Douglas aus der Dating-App verschmähen, aber einen Zwanzigjährigen einladen, um deine Heizung zu reparieren ...«

»Hör auf!« Anna schlug die Hände vors Gesicht. »Ich fühle mich fast schon ein bisschen unanständig, weil ich mich am Anblick seines nackten Oberkörpers geweidet habe.«

»Seines nackten Oberkörpers?«

»In aller Unschuld. Ich habe nur seine Wunden versorgt.«

»An seiner weichen, ach so jugendlichen Haut«, sagte Lisa lachend.

»Ehrlich, Lisa, er kann nicht zwanzig sein. Er wirkt viel älter.«

»Nun, für jemanden, der Dates strikt ablehnt, scheint es dir ziemlich wichtig zu sein, sein Alter zu erfahren.«

»Absolut nicht!«

Lisas Gerede von weicher Haut hatte allerdings das Bild aufblitzen lassen, wie Sam an ihrem Küchentisch saß, nackt von der Taille an aufwärts. Abgesehen von den blauen Flecken vom Unfall und von dem, was er sonst noch kürzlich durchgemacht hatte, schien er in einem tadellosen Zustand zu sein, davon zeugten sowohl die breiten Schultern als auch der Sixpack. Prompt hegte sie wieder unangemessene Gedanken, obwohl er, wenn sie früh genug angefangen hätte, ihr Sohn sein könnte.

»Nun, wenn ich nicht glücklich verheiratet wäre, würde ich mich für diesen Schrank von einem Mann interessieren. Von seiner Seite aus scheint ja durchaus Interesse an euch zu bestehen. Er greift ein, wenn Ruthie gehänselt wird, und nun bietet er auch noch an, sich um deine Rohrleitungen zu kümmern.«

»Bitte!«, sagte Anna. »Kannst du mal aufhören, es so darzustellen, als wäre eine tropfende Heizung die Einladung zu einer Orgie?«

»Wenn du mich fragst, solltest du es auf einen Versuch ankommen lassen«, sagte Lisa und schenkte Kaffee in zwei Tassen.

»Das werde ich sicher nicht tun. Er will sich nur bedanken,

weil ich ihn gestern mit nach Hause genommen und mich um ihn gekümmert habe, das ist alles.«

»Da hätte er dir doch auch Blumen schicken können … oder Wein … oder einen Amazon-Gutschein. Nein, er kommt zurück in dein Haus, weil er dich wiedersehen will.«

»Jetzt wird es bizarr.«

»Nein, jetzt wird es romantisch«, beharrte Lisa und goss kochendes Wasser in den Kaffee. »Ein bisschen Romantik hast du auch wirklich verdient.«

»Nicht, wenn er zwanzig ist! Dann wäre das einfach nur lächerlich.« Sie verzog das Gesicht, schüttelte den Kopf und fühlte sich schon wie Nanny Gwen, wenn ihr im Fernsehen etwas nicht gefiel. *Das ist ja nicht einmal lustig. Da habe ich schon auf Beerdigungen mehr Gelächter gehört.* Oder wenn sie irgendetwas an Ed auszusetzen hatte. *Er lässt beim Schuheputzen die Hacken aus. Traue nie einem Mann in einem billigen Ledermantel.*

»Lächerlich für wen?«, fragte Lisa. »Klar, Kai mag Gemüse über den Tisch gespuckt haben, und Paul hat das Gesicht gezogen, mit dem er mir sonst zu verstehen gibt, dass ich zu viel für den Friseur ausgebe, aber das geht sie gar nichts an.«

»Ruthie war entsetzt bei der Vorstellung.«

»Aber sie mag ihn«, sagte Lisa. »Und wenn Ruthie jemanden mag, hat das schon etwas zu bedeuten.«

Das stimmte. Ruthie brauchte für gewöhnlich Zeit, um Freundschaft zu schließen. Sie brauchte Raum, um Menschen besser einschätzen zu können, bevor sie sich auf sie einließ. Und wenn jemand sie enttäuschte, obwohl sie ihn an sich hatte herankommen lassen, gab es kein Zurück. Aber warum stellte sie solche Überlegungen überhaupt an? Sam wollte sich nur bedanken. Er war zwanzig. Er interessierte sich nicht für eine fünfunddreißigjährige geschiedene Frau, die so aufregend war wie eine neue Folge von *Selling Sunset*.

»Ich kann dein Gehirn von hier rattern hören«, sagte Lisa und reichte ihr einen Kaffee.

Anna schüttelte den Kopf. »Von wegen. Es ist nur ... keine Ahnung ... Alle schauen nach vorn und ... Vielleicht ist es Zeit, dass ich das auch mal wieder tue.« Dachte sie das wirklich? Vielleicht sollte sie sich einfach in die Arbeit stürzen und sich darüber freuen, dass sie ihr Schicksal selbst in der Hand hatte.

»Da kann ich nur zustimmen«, sagte Lisa und nippte an ihrem Kaffee. »Und ich erwarte ein Foto, wie dieser deutlich jüngere Mann mit nacktem Oberkörper deine Ventile inspiziert.«

»Das hatte ich nicht gemeint«, stellte Anna richtig, zog sich einen Stuhl heran und setzte sich. »Ich wollte einfach nur darüber nachdenken, ob ich mich doch mal wieder bei dieser App anmelden sollte.« Sie schluckte. Wollte sie das wirklich? Nach allem, was sie darüber gesagt hatte?

»Wahnsinn«, sagte Lisa überrascht.

»Was denn?«, fragte Anna. »Ich weiß schon, dass ich nicht gerade begeistert war, als Neeta gestern in meinem Namen Bilder gehuggt hat. Aber vielleicht wäre es doch einen Versuch wert.« Der einzige Vorteil wäre, dass Neeta dann eine Beschäftigung hätte. Das brauchte sie offenbar.

»Ich weiß nur, wie toll du diesen Sam findest, ganz egal, wie alt er ist.« Lisa nickte entschieden.

Anna lachte, während ihr Gesicht glühte, als wäre es ein Feigenpudding, der soeben flambiert wurde. »Das ist doch albern.«

Crescent Hotel, Richmond

Sams Handy war hinüber. Vermutlich von dem Zusammenstoß mit dem Auto oder dem Aufprall aufs Pflaster. Eine ganze Stunde starrte er nun schon darauf. Es war Montagmorgen. Er hatte geduscht, sich angezogen, nun saß er im Speisesaal des Hotels und wartete darauf, dass man ihm ein komplettes englisches Frühstück servierte, einschließlich einer Masse, die man Black Pudding nannte. Noch hatte er nicht versucht, sein Handy anzuschalten. Weil es kaputt war, oder? Es *musste* kaputt sein. Das Glas war komplett gesprungen, es konnte gar nichts anders sein. Er nahm einen großen Schluck Kaffee und verbrannte sich fast die Zunge.

Das Hotel war wirklich nicht schlecht. Natürlich nicht so gut wie die, in denen er sonst abgestiegen war. Wenn man für die Bisons spielte, lief nichts unter fünf Sternen. In jedem Hotel gab es einen Fitnessraum, einen Spa-Bereich und Physiotherapeuten, selbst wenn man nur eine Nacht blieb. Spielplätze für Reiche waren das, während dieser Ort aus jeder Pore verströmte, was Sam sich immer unter typisch britisch vorgestellt hatte. Die Weihnachtsstimmung verstärkte das noch. An dieser Front hatte sich das Hotel regelrecht verausgabt. Es gab kaum Fensterbänke, Regalbretter, Stühle, die nicht mit etwas glitzernd Weißem, Nikolausrotem oder Stechpalmengrünem bedeckt waren. Selbst der Gewürzständer auf seinem Tisch war mit Schneeflocken geschmückt.

Er nahm sein Handy. Was, wenn er gar keine Nachrichten oder verpassten Anrufe hatte? Vielleicht war Frankie gar nicht aufgefallen, dass irgendetwas nicht stimmte. Oder er war längst aus dem Schneider. Womöglich war dies der Moment, in dem er wieder die Person sein konnte, die er war, bevor er von dieser … *Krankheit* erfahren hatte? War es überhaupt eine? Krankheiten hatte er sich immer so vorgestellt, dass sie Besitz von einem ergriffen und schnell die Oberhand gewannen. Aber er hatte sie ja schon länger, oder? Und es ging ihm gut.

Sam atmete tief durch, dann drückte er den Anschaltknopf. Er hielt die Luft an, als der Bildschirm unter dem zerbrochenen Glas zum Leben erwachte. Das Ding funktionierte noch. Wie konnte das sein? Sam wappnete sich, und seine Rippen reagierten sofort auf die Anspannung. Es dauerte eine Weile, aber dann …

Ping. Ping. Ping. Ping. Ping …

Laut und anhaltend. Sam war gar nicht klar gewesen, dass der Flugmodus ausgeschaltet und die Lautstärke auf Maximum gestellt war. Er fummelte an seinem Handy herum, da die anderen Gäste im Speiseraum schon herüberschauten. Nachdem er den Lautstärkeregler betätigt hatte, versuchte er einen Blick auf einzelne Nachrichten zu erhaschen, die nun um einen Platz auf seinem Bildschirm konkurrierten.

Frankie: *Ruf mich an!*
Tyrone: *Hey, Kumpel, wo bist du? Poker bei Mo's heute Abend?*
Frankie: *4 verpasste Anrufe.*

Tim: *Nur zur Erinnerung, das Abendtraining diese Woche beginnt früher, weil wir eine Fitnesseinheit einschieben.*

Tyrone: *Was ist los?*

Chad: *Komische Frage, ich weiß, aber hast du Licht gesehen, als du bewusstlos warst?*

Frankie: 10 verpasste Anrufe.

Dr. Monroes Büro: 3 verpasste Anrufe.

Voicemail: 10 neue Nachrichten.

Tionne: *Ich brauche deine Meinung zu einem Typen. Foto schicke ich mit. Urteile nicht nach dem Tattoo, das war eine Mutprobe. x*

Tionne: 5 verpasste Anrufe.

Tionne: *Wo bist du?*

Tionne: 17 verpasste Anrufe.

Chad: *Wo bist du? Lebst du noch?*

Schließlich atmete Sam aus. Er konnte keine Nachrichten mehr lesen, zumal auch noch zig E-Mails eintrafen. Die erste Person, zu der er Kontakt aufnehmen würde, war seine Schwester.

»Gott sei Dank! Ich dachte schon, dir sei etwas zugestoßen! Gestern war ich in deiner Wohnung, weil ich dachte, du liegst tot im Bett. Bist du mit diesem Mädchen zusammen, das für die Dessous wirbt, die sich nach einmal Tragen buchstäblich in Luft auflösen? Wenn das so wäre, würdest du dir vielleicht wünschen, tot im Bett zu liegen.«

Sam lächelte, als er über die Uferpromenade schlenderte, die ihm Anna am Vortag gezeigt hatte. Herrlich war es hier, obwohl es kalt war. Auf dem Asphalt lag eine Eisschicht, das Gras glitzerte weiß, vom Fluss stieg Nebel auf, aber die

Menschen von Richmond hatten sich in ihre Mäntel gehüllt und trugen Wollmützen – genauso wie die meisten ihrer Hunde.

»Hallo, Tionne«, antwortete er. Allein ihre Stimme zu hören hatte etwas Beruhigendes. Seine kleine Schwester benahm sich, als sei alles beim Alten. Das war es ja auch. Noch.

»Irgendetwas stimmt nicht«, sagte Tionne jetzt. »Das höre ich doch.«

Er schluckte. Sie hatte eigentlich ein gutes Gespür für Menschen – außer wenn es um ihr Liebesleben ging. Aus irgendeinem Grund schien seine wunderschöne, weichherzige Schwester ihren Wert nicht zu kennen und rannte immer Männern hinterher, die sie nicht so behandelten, wie sie es verdiente. Tionne hatte ein Händchen dafür, immer an die Falschen zu geraten.

»Doch, es ist alles in Ordnung. Mir geht es gut«, antwortete Sam mit Nachdruck.

»Chad hat mir eine Nachricht geschickt. Angeblich hast du ihm auf seine Fragen nicht geantwortet.«

Sam schüttelte den Kopf. Chad und sein Aberglaube und seine ständige Angst vor dem Tod. »Chad hat dir geschrieben?«

»Das tut er gelegentlich«, sagte Tionne. »Du bist sein Sicherheitsnetz. Und wenn du ihm nicht antwortest, aus welchem Grund auch immer er dir etwas vorjammern will, meldet er sich bei mir.«

»Das tut mir leid.«

»Ist schon in Ordnung. Er ist ja ganz niedlich. Vielleicht würde ich mich sogar mit ihm treffen, wenn er nicht immer denken würde, der Weltuntergang stünde kurz bevor. Wer möchte schon einen Chicken Burger mit jemandem essen, der sämtliche Möglichkeiten herunterbetet, wie man an einem Stück Gurke ersticken kann.«

Die Beschreibung seines Freunds und Mannschaftskollegen brachte ihn zum Lachen. Autsch! So gern er lachte, es tat immer noch weh.

»Wo bist du also, wenn du dich nicht mit einem Unterwäschemodel herumtreibst?«

»Hatte ich gesagt, dass ich mich nicht mit einem Unterwäschemodel herumtreibe?«

»Sam! Auf Insta gibt es nicht eine einzige Person, die nicht alles gesehen hätte. Ich bin ja auch für Offenheit und Selbstliebe, aber den Blick auf ihre Titten in ihren letzten Posts sollte einzig ein trinkendes Baby erdulden müssen.«

»Ich bin nicht mit Caterina zusammen«, sagte Sam. Tatsächlich war er nie wirklich mit Caterina zusammen gewesen. Frankie war es, die ihm gesagt hatte, dass sie aus ein paar guten Gründen in seinen Armen liegen sollte. Sie arbeitete unermüdlich daran, ihm mehr Außenwirkung zu verschaffen, nicht zuletzt, weil das Geld einbrachte. Die Menschen wollten Marken mit physischer Perfektion verbinden. Und er wollte sich ein solides finanzielles Polster verschaffen, solange er die Möglichkeit dazu hatte, so gering seine Verdienste auch sein mochten.

»Gut. Wieso bist du also nicht in der Stadt?«

»Ich habe auch nicht gesagt, dass ich nicht in der Stadt bin?«

»Willst du Spielchen mit mir spielen? Dafür habe ich leider keine Zeit. Ich muss einen Werbespot drehen, für neue Wimpern, die man mir gestern geschickt hat. Es gibt sie in fünfundzwanzig Farben.«

Er holte Luft, blieb direkt an der Uferkante stehen und

schaute in die trüben Tiefen des Flusses. In diesem Moment fühlte er sich ein bisschen wie dieses Wasser. Nichts Ungewöhnliches auf den ersten Blick, ein Anblick wie immer. Und doch wusste niemand, was unter der Oberfläche los war.

»Ich bin nicht in der Stadt«, antwortete er. »Für eine Weile. Eine Woche vielleicht. Oder zwei.«

»Ein oder zwei Wochen? Und was ist mit unserem Eis?«, kreischte Tionne. »Hat Tim das erlaubt? Habt ihr nicht demnächst eines der wichtigsten Spiele der Saison?«

Hatten sie. »Schon, aber …«

»Und was ist mit dem Deal mit den Dallas Diggers? Ich dachte du hättest gesagt, sie bringen dich noch vor Weihnachten in eine Sendung mit James Corden.«

»Tionne, du darfst niemandem von dem Deal erzählen, das weißt du doch, oder?«

»Jetzt mach mal halblang, Sam. Das steht doch in allen Zeitungen. Es handelt sich um den größten Deal aller Zeiten.«

»Das sind *Gerüchte*, was ein großer Unterschied ist.«

»Na ja, Mum hat es ihrem Friseur erzählt.«

»Was hat sie getan?«

»Ich wollte sie noch davon abbringen. Mom, habe ich gesagt, wenn du denen erzählst, dass Sam bald Billionär ist, verlangen sie demnächst das Doppelte von dir.«

»Ich werde kein Billionär.«

»Dann eben Multimillionär. Reich. Viel reicher als jetzt schon!«

Sam schloss die Augen. Das war schlimm. Das war entsetzlich.

»Tust du mir einen Gefallen, Tionne?«

»Dazu muss ich erst wissen, um was es geht.«

Er sog Luft ein. Jetzt wäre ein guter Moment. Jetzt hätte er die Möglichkeit, Tionne alles zu erzählen. Er könnte vorausschicken, dass es ihm gut ging. Aber worauf sollte das hinauslaufen? Bislang hatte er keinerlei Antworten.

»Sam?«, fragte Tionne. »Bist du sicher, dass es dir gut geht?«

»Ja«, antwortete er. »Könntest du … davon absehen, diesen Typen zu treffen, von dem du mir das Foto geschickt hast?«

»Ernsthaft? So viel andere Möglichkeiten habe ich nicht.«

»Tu's für mich, Ti. Warte einfach, bis ich wieder zurück bin.«

Was genau würde passieren, wenn er zurückkam? Erzählte er seiner Schwester, dass er etwas mit sich herumtrug, das ihm vermutlich die Karriere vermasselte? Etwas, das sein ganzes Leben ändern, ja sogar verkürzen würde?

Und dabei hatte er nur einen Bruchteil von dem aufgeschnappt, was Dr. Monroe ihm versucht hatte zu übermitteln, während er nur darüber nachdenken konnte, ob er kämpfen oder fliehen sollte. Bis er sich schließlich in einem Flieger wiedergefunden hatte. Auf dem Fluss schlug eine Ente mit den Flügeln, als würde sie ihm beipflichten.

»Du klingst schon wieder so komisch. Muss ich Frankie anrufen, um herauszufinden, was los ist?«

»Nein!«, entfuhr es Sam. Niemand rief Frankie an. Er war sich nicht einmal sicher, ob er Frankie heute noch anrufen würde. Allerdings hatte er Angst, dass sie ihn, wenn er sie nicht kontaktieren würde, als vermisst meldete. Es sei denn …

»Sie ist die Verschwiegenheit in Person. Aber sie wird mir

trotzdem erzählen, mit wem du zusammen bist, wenn ich ihr nur genug Tequila einflöße.«

Er ging weiter, vorbei an ein paar Holzbooten, die Aufmerksamkeit zu verlangen schienen. Manche waren mit Planen gegen die Elemente geschützt, andere lagen nackt da, nicht mehr als ein paar Bretter. »Vielleicht könntest du Frankie eine Nachricht schicken und ihr erzählen, dass du mit mir geredet hast. Sag ihr, dass es mir gut geht.«

Eine Pause entstand, in der Tionne vermutlich zu verdauen versuchte, was er da gerade gesagt hatte. Er ging weiter und genoss die eisige Luft an den Wangen.

»Ist irgendetwas zwischen euch vorgefallen? Habt ihr die Grenze zwischen Kunde und Agentin überschritten?«

»Nein!«, rief Sam laut genug, um den Blick eines Mannes zu ernten, der mit einer Kaffeetasse in den Händen an ihm vorbeikam. Schnell senkte er die Stimme. »Nein, natürlich nicht.« Frankie war eine attraktive Frau, das war nicht zu übersehen, aber auf ihn hatte sie nie eine anziehende Wirkung gehabt. Nach außen hin war sie das, was die meisten Männer als perfekt bezeichnen würden, aber ihr Inneres war härter als Stahl. Wenn es ums Geschäft ging, vollbrachte sie damit oft Wunder, aber vermutlich gab es niemanden, dem es bisher gelungen war, zu ihrem Wesen vorzudringen.

»Warum redest du dann nicht selbst mit ihr?«

»Werde ich schon noch.« Sam nickte, um sich selbst davon zu überzeugen.

»Wann? Wenn ich dir diesen Gefallen tue, wird sie einen Zeitpunkt erfahren wollen. Und der liegt besser innerhalb eines Achtundvierzig-Stunden-Limits.«

»Morgen«, sagte Sam leise. »Sag ihr, dass ich sie morgen anrufe.«

»Dann schreibe ich ihr eine Nachricht. Vielleicht noch, bevor ich Jerome schreibe.«

»Ti! Wenn das dieser Typ ist, dann …«

»Versprich mir, dass es dir gut geht, Sam. Oder dass du es mir sagst, wenn es nicht so ist.«

Sam schloss die Augen und sperrte den Fluss aus seinem Blickfeld aus. Er wollte nicht, dass Tionne sich Sorgen machte. Nie. Er war *ihr* Beschützer, nicht andersherum.

»Ich verspreche es dir«, flüsterte er.

KAPITEL
ZWANZIG

Mr Wong's Restaurant, Richmond

»Was davon nehmen wir?«, fragte Ruthie.

Anna hatte sie von der Schule abgeholt und beschlossen, eine kleine Dienstreise anzutreten. Das bedeutete letztlich nichts anderes, als dass sie jetzt vor diesem Imbiss standen, der immer noch drei verschiedene, wenn auch nicht *so* verschiedene Imbisse in sich vereinte und darauf wartete, von Anna ein neues Image verpasst zu bekommen. Im Moment machte er keinen guten Eindruck und wirkte eher wie eine Pommesbude. Den chinesischen oder italienischen Anteil erkannte man nur an einer unauffälligen Erwähnung von frittierten Chickenballs mit Nudeln und einem abblätternden Bild von einem Pizzastück an einem der Fenster. Am Türrahmen baumelte etwas Lametta, und selbst Anna hätte nicht sagen können, ob das die diesjährige Weihnachtsdeko sein sollte oder ob es noch von der Jahrtausendfeier stammte.

»Nichts davon«, antwortete Anna. »Wenn wir zu Hause sind, essen wir das Thai-Rind, das ich heute Morgen aus dem Gefrierfach genommen habe.«

»Kann ich stattdessen Kettle Chips haben?«

»Nein, Ruthie, kannst du nicht.«

»Warum nicht?«

»Weil das nicht gesund ist.«

»Ich esse ja nur die und sonst nichts, dann hat es nicht so viele Kalorien.«

»So funktioniert das nicht.«

»Können wir dann Fish and Chips holen? Oder etwas Chinesisches? Oder … Soll das ein Bild von einer Pizza sein? Sieht aus wie ein Schinkensandwich, das jemand gemalt hat, der nicht malen kann.«

Da hatte Ruthie nicht ganz unrecht. Es war sogar noch schlimmer als auf den Fotos, die Adam ihr geschickt hatte. Wie sollte man da Abhilfe schaffen? Der Imbiss lag in einer der weniger belebten Straßen des Viertels – kaum Range Rovers, dafür umso mehr streunende Hunde. Direkt gegenüber befand sich ein Grundstück, das mit einem schwarz lackierten schmiedeeisernen Tor abgeriegelt war. Der Rasen schien geschnitten zu werden, und man sah ein paar alte Bäume, die ihre kahlen Äste über den Zaun reckten. Anna konnte nicht erkennen, wie weit sich das Grundstück erstreckte, aber seine bloße Existenz war sonderbar und vollkommen unerwartet gegenüber diesem Imbiss, der Erinnerungen an eine Achtziger-Jahre-Shopping-Mall weckte.

»Denkst du, die Pizza sieht genauso aus wie auf dem Bild? Wäre das sonst nicht illegal? Wenn ich etwas bestelle, möchte ich, dass es genauso aussieht wie auf dem Bild«, fuhr Ruthie fort.

Anna seufzte und machte sich ein paar Notizen in ihren Block. »Stell dich auf lebenslange Enttäuschungen ein.«

»Vielleicht sollten wir eine Pizza bestellen und gucken, ob sie wie ein Schinkensandwich aussieht?«

Anna hielt inne und blickte Ruthie an. Sie hatte die Hände in den Manteltaschen und trat mit einem Fuß immer wieder in eine Pfütze auf dem Asphalt.

»Du willst das Thai-Rind wirklich nicht, oder?«, stellte Anna fest. »Magst du das nicht?«

»Doch«, antwortete Ruthie.

»Und warum willst du es dann nicht?«

»Ich dachte, dass Sam es vielleicht mag.«

»Das ist ein netter Gedanke. Aber wir wissen doch gar nicht, ob Sam wirklich kommt, oder?«

»Nein?«, fragte Ruthie und wirkte verloren.

»Er sagte nur, er könne heute kommen. Aber, Ruthie, er ist hier, um sich die Sehenswürdigkeiten anzuschauen und Weihnachtsgeschenke zu kaufen. Ich kann mir kaum vorstellen, dass ihn unsere Heizung mehr reizt als der Buckingham Palace.«

»Aber bei der Queen muss nichts repariert werden. Und Thai-Rind hat sie auch nicht, wette ich.«

Das stimmte vermutlich. Gerade als Anna darüber nachdachte, ob sich die Queen je Gedanken über das Abendessen machen musste, klingelte ihr Telefon.

Adam.

Das versprach nichts Gutes. Seine Kontrollanrufe tätigte Adam immer vormittags, bevor seine Angestellten zum Lunch in den Pub entschwinden konnten. Schlechte Nachrichten hingegen oder Nachfragen, warum zum Teufel sie noch keine brillanten Ideen abgeliefert hatte, trafen für gewöhnlich nachmittags ein. Andererseits war sie mit dem Projekt zwar im Rückstand, aber sie war vor Ort. Hochmotiviert hatte sie sich in die Arbeit gestürzt. So in der Art.

»Hallo?«, meldete sich Anna.

»Anna.«

Oje. Nur ihr Name. Das klang ernst.

»Ja«, antwortete sie, als bedürfe es dieser Klärung.

»Mir scheint, ich habe bislang noch nichts zu dieser Wong-Geschichte vorliegen.«

Direkt zur Sache. Kein Small Talk. Keine Nachfragen, wie es ihr oder Ruthie ging.

»Nein«, sagte sie schnell. »Ich weiß. Aber ich stecke mittendrin. Tatsächlich bin ich sogar gerade dort. Direkt vor Ort.«

»Ach, *wirklich*?«

Die Art und Weise, wie Adam das Wort »wirklich« in die Länge zog, deutete darauf hin, dass er ihr nicht glaubte. Außer ihm ein Foto zu schicken, was sie gleich auch tun würde, hatte sie nur die Möglichkeit, ihm die Stirn zu bieten. Das war eine neue Fähigkeit aus der Zeit, in der ihr aufgegangen war, dass Ed ihre Ehe in eine Farce verwandelte.

»Waren *Sie* eigentlich schon einmal hier, Adam?«, fragte Anna und ging ein paar Schritte auf die Tür des sogenannten Restaurants zu.

»Ob ich dort war?«

»Hier«, wiederholte Anna. »Genau hier, wo ich in diesem Moment stehe. Vor diesem Schild mit dem grauenhaften Namen ›Oil of Life‹? Soll das auf ein Theaterstück anspielen, wissen Sie das zufällig? *All of Life*? Oder steht das für die verschiedenen Ölsorten, mit denen in dieser Küche frittiert wird? Vielleicht hat ja auch jemand ein paar Buchstaben geklaut.« Sie kniff die Augen zusammen, um besser sehen zu können. »Könnte es mal ›Boil Off Sealife‹ geheißen haben? Was allerdings auch nicht besser wäre, oder?«

»Ich war noch nicht …«

»Nun, dann lassen Sie mich Ihnen versichern, dass dieser Betrieb – oder besser: diese Betriebe, da er ja drei in einem zu sein versucht –, dass diese Betriebe also die Welt der

Kulinarik nie in Feuer und Flamme versetzen werden. Eher fangen diese abscheulich billig aussehenden Verpackungen an zu brennen, die vorhin für den Typen vom Lieferdienst herausgebracht wurden.« Sie holte schnell Luft, damit Adam gar nicht erst dazwischengehen konnte. »Bevor ich mich wirklich daran versuche, muss sich Mr Wong erst einmal entscheiden, wo er mit seinem Business – seinen *Businesses* – überhaupt hinwill. Will er große Veränderungen und das Ganze auf ein anderes Niveau heben? Oder ist er zufrieden damit, dass die Leute kommen, weil es billig ist?«

»Anna«, sagte Adam. »Wieso beschleicht mich das Gefühl, dass Sie diese Arbeit nicht wirklich genießen?«

»Soll das ein Wortspiel sein?«, fragte Anna und sah sich nach Ruthie um.

»Anna, das ist das erste richtige Umstrukturierungsprojekt, das ich Ihnen gegeben habe, seit Sie von zu Hause aus arbeiten.«

Sie schluckte und verspürte augenblicklich Reue, weil sie in ihrer Einschätzung tatsächlich schonungslos gewesen war. Aber es war doch so. »Ich weiß.«

»Und was ist wohl der Grund dafür?«

»Weil Sie mich für eine brillante Alternative halten, wenn Mitarbeiterinnen wie Maisie in ein Kaninchenloch von Schrifttypen fallen und sich eher in Titelrahmen und Garamond verstricken, als Konzepte und Kundenwünsche im Blick zu behalten.«

»Weil Sie Ihre Ziele nicht erreichen.«

Oh. Damit hatte Anna nicht gerechnet. Jetzt wusste sie nicht, was sie sagen sollte. Klar, in letzter Zeit war es ihr immer schwerer gefallen, den Alltag zu Hause und das Arbeitsleben zu jonglieren, aber sie war sich sicher gewesen, noch alle Bälle in der Luft halten zu können. Außer dem Ball namens Ed, der allerdings nicht zu Boden gefallen, sondern in die Stratosphäre geschossen war. Und wie ein Bumerang ständig wiederzukommen schien … Doch nun musste sie für ihre Sache kämpfen.

»Das ist nicht gerecht«, begann Anna.

»Wir sollten uns im Büro treffen.«

O Gott, was bedeutete das? Niemand, der im Homeoffice arbeitete, ging je ins Büro, es sei denn, er wurde offiziell verwarnt. Ein paar ihrer Kolleginnen, die ins Visier geraten waren, hatten über zwei Wochen lang krank gespielt, um besagtes Treffen aufzuschieben – was es ihnen auch erlaubte, ihren Lebenslauf zu aktualisieren und an eine andere Agentur zu schicken.

»Nein«, hörte sich Anna mit einer Bestimmtheit sagen, die sie selbst nicht von sich kannte.

»Nein?«

Adams zornigen Tonfall ließ sie gar nicht erst an sich heran. Sie schoss einfach weiter. Gleichzeitig ging sie zu Ruthie hinüber, um sie davon abzuhalten, einen am Geländer angebundenen Hund zu streicheln. »Nein, weil ich an der Sache dran bin, das hatte ich ja schon gesagt. Genau deshalb bin ich hier. Direkt vor dem Restaurant, das früher möglicherweise mal ›Boil Off Sealife‹ hieß.« Sie schob ihren Arm durch Ruthies. »*Sie* müssen gar nichts tun. *Ich* werde das ganze Projekt managen, wie Sie persönlich es mir aufgetragen haben. *Ich* werde ein Gespräch mit Mr Wong anberaumen, und *ich* bin es, die herausfinden wird, was für Ziele er mit seinem Schuppen verfolgt.«

»Werden Sie das?«

»Ja«, sagte Anna, die eine Schonfrist witterte, das Handy an der Schulter schaukelnd. »Ich werde jetzt sofort hineingehen und ein Treffen ausmachen. Und ich werde die … Speisekarte einsammeln. Alle drei vielmehr.«

»Gut«, sagte Adam und klang schon wesentlich entspannter. »Es gefällt mir natürlich, wenn Sie die Initiative ergreifen, deswegen habe ich Ihnen den Job gegeben. Aber ich weiß, dass Mr Wong unbedingt noch vor Weihnachten einen Neuanfang starten will. Das ist ein großer Auftrag mit null Ideen und nur noch wenigen Wochen, um zu Potte zu kommen.«

»So ist es«, stimmte Anna zu. »Aber unmöglich ist es nicht. Trotzdem würde ich vorschlagen, die Wiedereröffnung auf die Zeit nach Weihnachten zu verschieben, um ihr die größtmögliche Aufmerksamkeit zu sichern. Ich weiß nicht, wie es Ihnen geht, Adam, aber nachdem ich mir an Weihnachten mit all den Braten und Plätzchen den Bauch vollgeschlagen habe, will ich plötzlich nichts anderes mehr als Pizza, Pommes und Hähnchen süßsauer.«

»In dem Fall verschieben wir unser Treffen im Büro vielleicht noch einmal.«

Anna stieß eine Faust in die eisige Luft. Das war doch mal ein Erfolg. Ruthie und sie mochten eine Diabetes riskieren, wenn sie sich durch alle drei Küchen durchprobierten, aber jetzt hatte sie erst einmal das Ende ihrer Karriere abwenden müssen.

»Ab sofort möchte ich aber zweimal die Woche auf den neuesten Stand gebracht werden. Kein ›Ich musste mein Kind zur Therapie bringen‹ oder ›Die Lehrer hatten Fortbildung, daher mussten wir uns irgendwelche Quizshows im Fernsehen anschauen‹.«

O Gott, Adam hatte wirklich ein Trauma wegen Marta, die ständig alle an der Nase herumgeführt und gleichzeitig sämtliche Arbeitnehmerrechte auswendig gekannt hatte.

»Neuester Stand, zweimal die Woche. Hab's kapiert«, sagte Anna.

»Tschüss, Anna.«

»Tschüss, Adam.«

Anna beendete das Gespräch und lächelte vor sich hin. Zumindest bis zu dem Moment, in dem ihr Blick wieder auf das schmuddelige, beschlagene Fenster der Take-away-Luke fiel.

»Ooooh!« Ruthie schaute auf die abgewetzte Speisekarte, die ans Fenster geklebt war. »Kann ich die frittierten Soleier mit Käse-Pommes ... eine Pizza mit Paprika und Garnelen ... und Thunfischbällchen mit Süßsauersoße haben?«

Annas Magen tat einen Satz, als sie sich die Kombination vorstellte. Sie schüttelte den Kopf und schob die Tür auf. »Ich sage dir, was wir tun werden«, antwortete sie. »Wir beginnen damit, die gesättigten Fette zu reduzieren, und dann finden wir einen Kompromiss. Abgemacht?«

»Abgemacht«, antwortete Ruthie.

KAPITEL

EINUNDZWANZIG

Annas und Ruthies Zuhause, Richmond

Sam trug eine Tüte mit Werkzeug, das er einem Hausmeister im Hotel abgekauft hatte. So war das im Moment. Er gab ein Heidengeld für etwas aus, das er auch in einem Eisenwarenladen bekommen hätte. Wenn er denn einen gesehen hätte. Stattdessen stand da plötzlich dieser Heimwerkertyp am Aufzug, mit einem Werkzeugkasten, mit dem er vermutlich auch ein Spaceshuttle reparieren könnte, erst recht also einen Heizkörper. Und nun wartete Sam direkt vor dem Haus, das er gestern Morgen verlassen hatte, und versuchte, sich dazu durchzuringen, auf den Klingelknopf zu drücken.

Was tat er da nur? Floh er vor der Wirklichkeit? Wollte er herausfinden, wie es war, jemand zu sein, dessen Leben sich nicht um Football drehte? Früher am Tag hatte er versucht, Dr. Monroe zu erreichen, nachdem er endlich dessen Nachrichten auf dem Anrufbeantworter abgehört hatte. Die letzte lautete: »Sam, wir müssen reden. Ich kann es nicht mehr lange aufschieben, die Ergebnisse weiterzugeben. Rufen Sie mich an. Sobald Sie können. Und recherchieren Sie auf keinen Fall im Internet, bevor wir nicht miteinander gesprochen haben.« Dieser abschließende Warnschuss hatte gesessen. Was würde er finden, wenn er Chorea Huntington googelte?

Nachdem er die Nachricht abgehört hatte, war sein erster Gedanke, sofort die Google-Suche zu starten. Aber nach den ersten drei Buchstaben – CHO – hielt er im Tippen inne. Er brauchte Luft. Er wusste, dass ihm nicht viel Zeit blieb, bevor er dem Schicksal ins Auge schauen musste. Morgen würde er Frankie anrufen, und die würde Tim anrufen, seinen Trainer. Noch wusste er nicht, was er seiner Agentin erzählen sollte. Ihm war egal, wie sie es aufnahm. Er musste mit sich selbst im Reinen sein, bevor er wieder zu Dr. Monroe ging.

Er legte seinen Finger an den Klingelknopf. Dies war eine Auszeit. Es war wie diese Momente, in denen er Chad und Tyrone nachgab und irgendetwas in dieser Welt tat, nur weil es möglich war – Jetski fahren, Volleyball auf dem Dach ihres Trainers spielen, Privatflugzeug nach New Orleans nehmen. Dies war die Chance, einfach Sam zu sein, ohne die üblichen Komplikationen seines Lebens. Ohne diese zusätzliche Komplikation, die alles, was er für sicher gehalten hatte, zu Staub zerfallen ließ.

»Sie müssen kräftig draufdrücken.«

Sam drehte sich um, als noch jemand an der Türschwelle erschien. Es war eine Frau mit langen dunklen Haaren, in denen sich große goldene Ohrringe verfingen. Sie trug eine schwarze Jeans unter einem hellrosa Mantel und hielt einen großen Topf in der Hand, den sie jetzt unter den Arm klemmte. Irgendetwas an ihr kam ihm bekannt vor. Vielleicht ihre Stimme? Komisch.

»Ich habe noch gar nicht draufgedrückt«, gab Sam zu.

»Dann lassen Sie mich mal machen«, sagte die Frau, schob sich an ihm vorbei und drückte den Daumen auf den Knopf. Sam konnte es drinnen klingeln hören, laut und anhaltend. Schließlich nahm die Frau ihren Daumen wieder weg und sah ihn an.

»Sie erinnern sich nicht an mich, oder?«

»Ich ...«

»Ist schon in Ordnung. Schließlich sind Sie wie ein Frisbee durch die Luft geflogen.«

Nun kam die Erinnerung wieder. Sie war am Unfallort gewesen. Und hatte noch lauter geredet als jetzt.

»Ich bin Neeta. Annas beste Freundin. Und Sie sind Sam.«

Die Haustür öffnete sich, nur um sich im nächsten Moment schon wieder halb zu schließen. Dann ertönte ein Schrei.

»Cheesecake!«

Er sah, wie sich die Katze losriss, und reagierte, als sei dieses pelzige Etwas ein Football. Er ließ die Tüte mit dem Werkzeug fallen, bückte sich und packte die Katze, bevor sie in die Freiheit entkommen konnte. Sie jaulte, als er sie in den Arm nahm und sich gegen ihre Krallen zur Wehr setzte.

»O Gott! Dass Sie das Vieh tatsächlich geschnappt haben! Ich weiß nicht, was ich getan hätte, wenn sie verschwunden wäre.«

Er sah, dass Anna Tränen in den Augen hatte. Ihr ganzer Körper strahlte Panik aus. Er wollte die Hand ausstrecken und ihre Schulter drücken, sie beschützen. In diesem Moment verpasste ihm die Katze einen rechten Haken und erwischte ihn am Kiefer.

»Seid ihr sicher, dass das keine Wildkatze ist?«, meldete sich Neeta zu Wort.

»Sie hat einen Stammbaum«, erwiderte Anna.

»In bestimmten Kreisen ist das ein- und dasselbe. Also, können wir reinkommen? Oder warten wir, bis Mr Penderghast durch den Vorhang lugt?«

Und da war sie dann, Neeta. Natürlich war Neeta da. Vermutlich hatte sie vor der Haustür in ihrem Auto campiert, um Sam aufzulauern. Und Cheesecake wäre fast entwischt. Glücklicherweise steckte Ruthie bis zur Nase in Junkfood und hatte es nicht mitbekommen. Anna führte ihre Gäste in die Küche und hatte keine Ahnung, was sie tun sollte. Ein nahezu Fremder war hier, um ihren Heizkörper zu reparieren, ihre beste Freundin hatte einen leeren Topf unter dem Arm, und sie selbst saß vor einem Sammelsurium an Speisen, die beim besten Willen nicht zusammenpassten, egal wie man sie auf dem Teller arrangierte.

»Sam!«, rief Ruthie im selben Moment, als sie alle durch die Tür traten. »Ah, Cheesecake muss dich wirklich mögen, wenn du sie halten darfst!«

»Nun, ich habe ihr keine Wahl gelassen«, erwiderte Sam.

»Lass uns nicht weiter darüber reden. Setzen Sie Cheesecake einfach ab. Ich werde dann mal ... Wasser aufsetzen«, sagte Anna schnell.

»Wo ist denn die Wimpelgirlande?«, erkundigte sich Neeta, den Blick an die Decke gerichtet, als sie durch den Raum stiefelte. Den Topf hatte sie immer noch unter dem Arm.

»Na ja ...«, begann Anna.

Die Festgirlande hing traditionell immer in der Küche, aber dieses Jahr hatte Anna noch nicht den Mut aufbringen können, um auf den Dachboden zu gehen und sie zu holen. Eigentlich hatte sie gehofft, dass Ruthie es nicht bemerkte, aber da könnte man genauso gut hoffen, dass die Sonne nicht aufging. Und nun hatte Neeta es laut herausposaunt.

»Sam kann sie ja für uns aufhängen«, sagte Ruthie.

Ruthie trank gerade die Süßsauersoße, die Mr Wong ihnen

geschenkt hatte, als er erfahren hatte, dass Anna sich um die Umstrukturierung seines Unternehmens kümmern würde. Sie waren nicht ins Detail gegangen, hatten aber noch für die laufende Woche einen Termin ausgemacht.

»O Ruthie. Sam ist doch nicht hier, um tausend Dinge für uns zu erledigen«, sagte Anna und wendete sich vom Wasserkocher ab.

»Nein?«, fragte Neeta. »Und warum hat er dann eine Werkzeugtüte dabei?«

»O Mann, die habe ich auf der Schwelle liegen lassen, als ich mir die Katze geschnappt habe.«

Sam eilte aus der Küche.

»Mum?«, begann Ruthie, die sich mit ihren Stäbchen ein frittiertes Hühnerbällchen geangelt hatte. »Ist Cheesecake nach draußen entwischt?«

»Nein«, sagte Anna schnell. »Nicht wirklich.«

»Könnte ich einen Kaffee bekommen?«, fragte Neeta und zog sich einen Stuhl an den Küchentisch. »Was ist das, das du da isst, Ruthie?«

»Das ist von dem chinesischen Italiener, der eigentlich ein Fish-and-Chips-Shop ist.«

»Neeta, was willst du eigentlich hier?«, erkundigte sich Anna.

»Ich wollte dir den Topf zurückbringen, den ich mir vor Urzeiten mal ausgeliehen habe. Du musst ihn in den letzten Monaten schmerzlich vermisst haben«, antwortete Neeta und schob Anna ihre Tasse hin.

»Der Topf gehört gar nicht mir. Der gehört Lisa, und das weißt du genau«, beschwerte sich Anna.

»Wirklich? Bist du sicher?«

»Der gehört nicht uns, Neeta«, mischte Ruthie sich ein.

»Mum hat doch diese richtig alten Töpfe, die Nanny Gwen uns hinterlassen hat.«

»Was nur bedeuten kann«, fuhr Anna fort, »dass du hier bist, weil Sam kommen wollte.«

Über Neetas Gesicht huschte ein Blick, als würde sie darüber nachdenken, ob sie ihr Topfmanöver durchziehen oder sich geschlagen geben sollte.

»Na ja, irgendjemand muss ja etwas tun, oder?«, rief Neeta etwas zu laut, und zwar im selben Moment, als Sam wieder in die Küche trat.

»Schwarzer Kaffee?«, fragte Anna, in dem verzweifelten Versuch, die Kontrolle über die Vorgänge in ihrem Haus zurückzuerlangen.

»Oder Wein?«, schlug Neeta vor. Mit diesen Worten hatte sie schon eine Flasche aus der Innenseite ihres Mantels gezogen und auf den Tisch gestellt.

»Für mich Wein«, sagte Ruthie.

»Von wegen«, riefen Anna und Neeta gleichzeitig.

Cheesecake stieß ein lautes Miauen aus und pinkelte auf den Küchenboden.

»Soll ich dann mal … nach dem Heizkörper schauen?«

KAPITEL
ZWEIUNDZWANZIG

»Ein großer schwarzer Kaffee. Tut mir leid, dass es so lange gedauert hat. Ich musste erst den Küchenboden desinfizieren, nachdem Cheesecake, na ja … Sie wissen schon. Sie hat sich noch nicht an das Katzenklo gewöhnt.«

Sam saß auf dem Wohnzimmerboden, die langen Beine um einen Stuhl gelegt, während er sich über ein Rohr am Ende des Heizkörpers beugte. Mühsam verließ er seine Position und sah zu ihr auf.

»Danke«, sagte er und nahm die Tasse entgegen.

»Wie läuft's?«, fragte Anna. »Kann ich es schon wagen, den Topf wegzunehmen?«

»Dafür übernehme ich noch keine Garantie. Ich werde die Schrauben noch einmal nachziehen und schauen, ob das hilft. Wenn nicht, muss ich mir etwas anderes einfallen lassen.« Er zuckte zusammen.

»Oje, tun Ihre Rippen weh? Soll ich diesen Stuhl mal wegnehmen?« Anna trat vor.

»Nein, alles gut. Die Rippen sind in Ordnung. Offenbar wurden sie von etwas namens Black Pudding wieder zusammengeklebt.«

Anna lachte. »Hat Ihnen das Frühstück im Hotel geschmeckt?«

»Unbedingt. Allerdings habe ich das Gefühl, ich müsste zehn Meilen rennen, um es wieder abzutrainieren.«

»Tun Sie das öfter?«, fragte Anna, die sich jetzt auf die Armlehne des Stuhls stützte.

»Essen, bis ich das Gefühl habe, meine Eingeweide platzen?« Er lachte. »Ja. Fast mein ganzes Leben lang.«

»Rennen, meinte ich.«

»Ja. Ich verbringe einen Großteil meiner Zeit mit Rennen. Meistens renne ich vor anderen Menschen davon. Ich treibe viel Sport.«

Die Wohnzimmertür flog auf, und Neeta stand im Türrahmen. Im selben Moment klingelte es. Warum war Annas Haus plötzlich so belebt wie die Oxford Street?

»Ha, die Verstärkung ist eingetroffen! Wird Zeit, dass ihr beiden hier rauskommt«, verkündete Neeta.

»Hier raus?«, fragte Anna.

»Ich habe Pavinder angerufen und ihn nach Heizkörpern ausgefragt. Er hat einen überzeugenden und kenntnisreichen Vortrag darüber gehalten, was mit deinem Heizkörper nicht stimmen könnte. Lisa habe ich auch angerufen. Sie sagte, Paul hätte …«

»… schon mehr Heizkörper repariert, als Kai Punkte für seinen Rugby-Club erzielt hat. Das hat er mir auch erzählt«, sagte Anna. »Aber …«

»Kein Aber«, sagte Neeta. »Ihr beide geht jetzt aus.«

»Ausgehen?« Das Wort schlug ein, als wollte man sie auf eine Marsmission schicken.

»Es gibt da diese festliche Tipi-Bar«, fuhr Neeta ungerührt fort, obwohl Anna sichtlich in Schockstarre gefallen war. »Am Heron Square. Sie wird heute eröffnet. Geh schnell und zieh dir etwas an, das dich nicht wie die Mitarbeiterin eines Cateringservice aussehen lässt. Und Sie, Sam, waschen sich die Hände. Aber nicht in der Küche, weil Sie dann unter Ruthies Beobachtung stehen würden. Gehen Sie ins Bad oben.«

Sam war aufgestanden und wischte sich die Hände an einem Tuch ab. Höchstwahrscheinlich fragte er sich, in welchen Zirkus er da geraten war. Genauso wie Anna sich fragte, wann sie in ihrem eigenen Haus die Kontrolle verloren hatte. »Neeta«, begann sie.

»Sam«, wandte sich Neeta an ihn und ignorierte Anna einfach. »Wie alt sind Sie?«

»Neeta! Um Himmels willen! So etwas kannst du die Leute doch nicht fragen«, rief Anna. »Es tut mir leid, Sam. Ich hätte Ihnen das gern erspart. Wenn ich Sie wäre, würde ich … mein Werkzeug schnappen und davonrennen.«

»Ich mache auf und lasse alle rein«, sagte Neeta, als es wieder klingelte.

Alle? Wer waren denn alle? Sie hatte von Pavinder gesprochen, aber dann hatte sie auch noch Paul erwähnt. War Paul auch da? Und Lisa? Kai? Kelsey?

»Sie haben viele Freunde«, stellte Sam fest. Aus irgendeinem Grund lächelte er immer noch, während sie am liebsten im Boden versunken wäre.

»In der Tat. Und ich werde diese Lebensentscheidung noch heute überdenken.« Sie war hin- und hergerissen zwischen dem Wunsch, einfach stehen zu bleiben, und dem, zur Haustür zu laufen und ein virtuelles Fallgitter herabzulassen.

»Tun Sie das nicht«, sagte Sam. »Es ist doch gut, wenn man Freunde hat. Menschen, auf die man sich verlassen kann, weil sie …«

»Hereinplatzen und einen herumkommandieren und …«

»… einen bitten, sich einen schönen Abend zu machen?« Er seufzte. »Eine festliche Tipi-Bar klang doch cool, aber …«

»Stimmt schon«, sagte Anna schnell. »Das klingt cool, aber …«

»Aber Sie würden lieber hierbleiben, bei Ihren Freunden. Das kann ich gut verstehen. Und das ist vollkommen in Ordnung. Diese Leute scheinen die geborenen Heimwerker zu sein. Daher … Ich sollte einfach gehen.«

»Nein!«, rief Anna wesentlich lauter als beabsichtigt. »Ich meine, Sie haben natürlich recht. Freunde zu haben *ist* toll. Aber ehrlich gesagt, sehe ich diese Bande ziemlich oft. Und damit meine ich, *wirklich* oft.« Sie schluckte. Ihre Nervosität wuchs, als ihr Mund etwas zu formen schien, für das ihr Verstand noch kein grünes Licht gegeben hatte. »Wir könnten, wenn für Sie nichts dagegen spricht, uns dieses festliche Tipi tatsächlich einmal näher ansehen.«

Was tat sie da? Hatte sie diesen schätzungsweise Zwanzigjährigen soeben um ein Rendezvous gebeten? Quatsch, kein Rendezvous. Einfach nur ein Drink. Sam wäre ein Freund wie die anderen, nur weniger verrückt. Aber es wäre die Chance, mal auszugehen. Auszugehen, ohne sich um Ruthie kümmern zu müssen. Sofort verspürte sie Schuldgefühle, weil sie fast ein wenig aufgeregt war.

»Sie denken also nicht, ich sollte mein Werkzeug schnappen und davonrennen?«, fragte Sam mit erhobener Augenbraue.

»Nein«, sagte Anna bestimmt. »Ich denke, Sie sollten sich im Bad oben die Hände waschen. Und ich werde mir schnell etwas anziehen, das mich nicht wie die Mitarbeiterin eines Cateringservice aussehen lässt.« Sie lächelte. »Manchmal hat Neeta sogar recht.«

»Gut«, sagte Sam.

Die Wohnzimmertür öffnete sich, und sie blickten in eine ganze Reihe von Gesichtern.

»Hallo, ich bin Pavinder.«

»Und ich Lisa.«

»Wow! Sie sind wirklich groß! Spielen Sie Rugby?«, fragte Kai.

»Aber was noch wichtiger ist: Wie lautet Ihr Insta-Account?«, wollte Kelsey wissen.

KAPITEL

DREIUNDZWANZIG

Heron Square, Richmond

Der Abend war kalt, aber klar. Ein schwarzer Himmel mit hell funkelnden Sternen, obwohl sie auf dem wunderschönen gepflasterten Platz in ein Lichtermeer eintauchten. Sie waren zu Fuß gekommen. Den Weg von gut zwanzig Minuten hatte Anna für eine weitere Führung zu den Sehenswürdigkeiten der Stadt genutzt. Nun wusste Sam, dass Richmond der Diamant in Londons Krone war, ein Hotspot für Wassersportler, Altbauten, kleine, inhabergeführte Läden und der beste Ort, um Leute zu beobachten.

Die festliche Tipi-Bar nahm einen Großteil des Platzes ein und wurde von zwei gewaltigen Weihnachtsbäumen und dem grünen Zierbrunnen flankiert. Der Eingang strahlte skandinavisches Flair aus und glich einer Holzhütte. Das Material setzte sich im Innern fort, reckte sich in die Höhe und traf sich an einem Punkt in der Mitte. An jeder der mit Leinwand bespannten Stangen zogen sich Lichterketten herab. Der Innenraum wirkte warm und einladend, auf den Tischen standen kleine Feuerschalen, und viele Gäste tranken bereits schäumende Getränke aus Bechern oder Pintgläsern.

»Ich kann gut verstehen, warum Sie gern hier leben.« Sam berührte Anna am Ellbogen.

»Oh, es ist nicht so, dass wir hier jeden Tag festlich geschmückte Tipis besuchen, das können Sie mir glauben.«

»Nein, aber die Pflastersteine und die alten Gebäude bleiben natürlich. Dieser Platz wirkt wie ein privater Hof, wo jeden Moment eine polternde Pferdekutsche Einzug halten könnte.«

»Was soll ich sagen?«, bekannte Anna mit einem Achselzucken. »Ich lebe praktisch in *Bridgerton*. Aber Sie haben vermutlich keine Ahnung, was das ist.«

Er lächelte. »Ich habe Netflix und eine Schwester. Den Duke kenne ich natürlich.« Er verbeugte sich und hielt ihr den Arm hin, die Handfläche nach oben gedreht. »Mylady.«

»Wunderbar, ein Gentleman. Sie dürfen den ersten Drink übernehmen. Ich nehme das da drüben, was auch immer dieses leuchtende rote Zeug ist.« Anna zeigte durch die Tür auf einen Krug, aus dem Dampf aufstieg.

»Wünscht eine Dame dergleichen, wird der Abend nicht nur einen einzigen Kelch gefüllt sehen. Man ist erfreut.«

Als sie lachte, reagierte sein Körper, als sei eine Glitzerbombe in ihm geplatzt. Diese Frau war umwerfend. Und er lief definitiv zu Hochform auf.

»Zur Feuerstelle, mein Vasall.«

Die Tipi-Bar war wirklich außergewöhnlich schön. Die Atmosphäre veränderte ihre Wahrnehmung auf wundersame Weise – vielleicht lag es aber auch an diesem Cocktail, Cranberry Cocoon. Auch wenn sie Sam so betrachtete, durch die orangefarbenen Flammen hindurch, die von den ordentlich in der Tischmitte aufgestapelten Holzscheiten aufstiegen, blieb kein Wunsch offen: seine Größe und Figur, die Haare, die Augen – alles an ihm war einfach umwerfend. Aber war er wirklich erst zwanzig Jahre alt? Ruthie musste sich irren, oder? Denn wenn Ruthie sich nicht irrte, jagte ihr das regelrecht Angst ein. Sie hörte schon Neetas Stimme, die ihr ein »Cougar« ins Ohr flüsterte und sonderbar glücklich dabei schien, eine reife Frau auf der Jagd nach jugendlichen Liebhabern in ihr zu sehen.

»Warum heißt der Drink wohl Cranberry Cocoon, was meinst du?«, fragte Sam. »Vielleicht weil die Zutaten in Nebel gehüllt sind? Oder weil es uns derart von den Socken haut, dass wir uns morgen den ganzen Tag in unsere Bettdecke einwickeln wie in einen Kokon?«

»Letzteres hoffentlich nicht«, sagte Anna und sog wieder an ihrem Strohhalm. »Ich muss morgen an einem Schullauf teilnehmen, und am Abend singt Ruthie in einem Pflegeheim. Du kannst dir das leisten, du hast ja Urlaub.« Anna hielt einen Finger hoch. Ein Cocktail war erledigt, und sie fühlte sich fast kühn, weil sie schon beschwipst war.

»Shopping-Urlaub«, stellte Sam richtig. »Das ist ein Unterschied. Wenn ich wirklich Urlaub hätte, würde ich mich nicht in überfüllten Läden aufhalten, um dann auf der Straße über Musiker zu stolpern, die für ein paar Kröten die ewig gleichen Weihnachtslieder dudeln.«

»Oje. Warst du denn schon in der Oxford Street?«

»Nein, das war hier in der High Street«, klärte er sie auf. »›Feliz Navidad‹ habe ich heute mindestens sechsmal gehört, variierend nur im Talent der Interpreten. Würdest du mich festnageln wollen, würde ich sagen, das Panflötensolo war das absolute Highlight.«

Anna stützte den Ellbogen auf den Tisch und legte den Kopf in die Hand. »Wohin würdest du denn in den Urlaub fahren wollen?«

»Überallhin, wo ich noch nicht war. Es ist doch überall anders, oder?«

Anna nickte. »Aber was würdest du denn tun wollen, wenn du überall wärst? Bist du der Strandtyp? Oder eher der Bergsteiger? Sehnst du dich vielleicht nach Island?«

Er lächelte. »Ich mag das Unbekannte. Du weißt schon, irgendwo ankommen, wo man noch nie war, und sich fragen, was hinter der nächsten Ecke lauert. Bislang hatte ich noch nicht die Gelegenheit, die Welt zu erkunden, aber eines Tages ...«

Anna schluckte. Das war die Zuversicht, mit der nur die Jugend redete. Er hatte sein ganzes Leben noch vor sich und wartete darauf, über sich selbst hinauszuwachsen. Sie wusste nicht, ob sie sich selbst je so gefühlt hatte. Ihr war einfach alles *zugestoßen*, als wäre es vorherbestimmt. Vielleicht fehlte ihr einfach dieses Gen, das nach »Abenteuern« und »Unbekanntem« schrie. Vielleicht war das auch der Grund, warum ihre Mutter gegangen war. Vielleicht hatte sie geahnt, dass Anna in dieser Hinsicht eine Enttäuschung werden würde. Anna liebte Richmond und Nanny Gwen und hatte sich an beide geklammert. An die Stadt klammerte sie sich immer noch. Engte sie Ruthies Horizont ein? Sollte sie vielleicht öfter mit ihr wegfahren? Klar, das barg gewisse Herausforderungen, aber wenn man sich dem nicht stellte, woher sollte man dann wissen, wozu man fähig war? Vielleicht sollte sie auch über eine Auszeit *ohne* Ruthie nachdenken. Frauenurlaub mit Lisa und Neeta vielleicht? Das würde ihr eine Atempause verschaffen.

»Anna«, sagte Sam und wedelte vor ihren Augen herum. »Geht es dir gut? Nebelst du dich jetzt in deine eigenen Gedanken ein?«

»Entschuldigung«, sagte sie und richtete sich auf. »Ich hatte mir nur gerade ein Leben vorgestellt, das nicht bis zur letzten Minute durchgeplant ist.«

»Oje, ich bin so blöd. Es tut mir furchtbar leid …«

»Nein, bitte nicht entschuldigen. Ich finde es schön, wenn jemand über seine Traumziele redet.«

»Wo würdest du denn gern hinfahren, Anna? Wenn du ungebunden wärst und Geld keine Rolle spielen würde.«

Sie legte einen Finger an den Rand ihres Glases und ließ es kreisen. Wo würde sie gern hinfahren? Sam hatte »überallhin« gesagt. Sie musste sich eher dazu überwinden, »überhaupt irgendwohin« zu sagen. In eine lebendige Stadt mit grellen Lichtern und so lauter Musik, dass sie nicht einmal in den Tiefen ihrer Tasche nach den Loop-Ohrstöpseln kramen musste? Oder in den Regenwald, wo man unsichtbare wilde Tiere hörte, das T-Shirt am Körper klebte und Adrenalin, Angst und Begeisterung durch die Adern strömten, während jegliche Gedanken an Wundcreme und die hoffentlich nicht ungerade Zahl von Blättern einer Pflanze wie ausgelöscht waren …

»Ich weiß es nicht«, antwortete sie, als sie mit den Gedanken wieder in das Tipi zurückkehrte. Dieser Winterabend unter dem Zeltdach war unerwartet und so aufregend wie schon lange nicht mehr.

»Du denkst gar nicht darüber nach?«

»Ich habe keine Zeit, über solche Dinge nachzudenken.«

»Dinge wie … dich?«

Anna begegnete seinen Augen, beseelt, dunkel, tief. *Dich*. Ein kurzes Wort, das so rund und voll und greifbar klang, wenn er es aussprach. Nein, sie dachte nicht an sich. Wie sollte sie auch? Es gab zu viele Dinge, die um einen Platz in ihrem Leben kämpften. Die Rangfolge war festgelegt, bevor sie auch nur an eine »Ich-Zeit« denken konnte. So war das einfach.

»Wahnsinn!«, sagte Anna. »Diese Drinks! Da geht einem der Gesprächsstoff nie aus, so viel scheint klar.«

»Hey, wenn ich dich richtig verstanden habe, ist dein Leben ziemlich durchgeplant. Aber du hast viele Freunde, und die waren heute Abend für dich da – und das war nicht geplant, oder? Vielleicht würden sie so etwas häufiger tun.«

Das ging an die Substanz. Sam brachte Fragen auf, die sie nicht laut zu beantworten wagte. Sie bat nicht gerne um Hilfe. Verabscheute es regelrecht. Für Anna kam es einem Scheitern gleich. Mütter hatten immer alles im Griff. Sie jonglierten, das war ihre Hauptaufgabe. Klar, manchmal hatte sie das Gefühl, mit brennenden Fackeln und Macheten zu jonglieren, aber so war das eben.

Als Ed noch bei ihnen gewohnt hatte, war es auch nicht viel anders gewesen. Auch damals hatte sie sich um alles kümmern müssen, während er sie nur – manchmal – darauf aufmerksam gemacht hatte, dass das Actimel zur Neige ging. Sie wollte beweisen, dass sie anders war als ihre eigene Mutter. Sie wollte wie Nanny Gwen sein. Stark. Verlässlich. Immer für Ruthie da.

»Aber das geht mich natürlich nichts an«, sagte Sam und rückte ein wenig von den Flammen ab. »Entschuldigung. Ich bin zu weit gegangen. Ignorier meinen Kommentar einfach.«

»Ist schon in Ordnung«, sagte Anna. »Du musst niemandem Rechenschaft ablegen, nehme ich an. Du kannst einfach in einen Flieger steigen, um in London shoppen zu gehen.«

Sam zwang sich zu einem Nicken. Genauso war es. Ein Leben ohne Komplikationen. Zumindest, bevor er das Büro dieses Arztes betreten hatte. Er hatte einen Trainingsplan und einen geregelten Alltag und sehnte sich nach einer Auszeit, die nicht darin bestand, mit den Jungs Bier zu trinken oder Tionne zu bemuttern. Vielleicht waren sich Anna und er gar nicht so unähnlich.

»Es sei denn«, sagte Anna, »es gibt einen anderen Grund, warum du hier bist.«

»Wie bitte?« Er rutschte auf seinem Stuhl hin und her. Das Feuer brannte plötzlich an seiner Haut.

»Ich versuche nur, die Puzzleteilchen zusammenzusetzen, Mr ... Mr ...«

Er lächelte. »Jackman.«

»Das ist doch kein richtiger Name!« Anna zeigte mit dem Finger auf ihn. »Sam Jackman. Da fehlt nicht viel zu ›Samuel L. Jackson‹. Das meint Ruthie also immer! Nun, ich mag ja Marvel mit ihr schauen, aber ihre Obsession teile ich nicht. Also, wie heißt du wirklich?«

»Das *ist* mein Name, Anna. Ernsthaft.«

Es war doch in Ordnung, dass er ihr seinen Namen verriet, oder? Sie hatte keine Ahnung, wer er war. Die Briten hatten ihre eigenen Promis. Sein Sport spielte in den Zeitungen und Zeitschriften auf dieser Seite des Atlantiks keine Rolle. Er wollte diese Anonymität. Brauchte sie vorerst.

»Na gut. Wie auch immer dein Name lautet, ich durchschaue dich.«

Sie formte ein V mit den Fingern und zeigte damit zuerst auf ihre eigenen Augen, dann auf seine. Ihre Miene brachte ihn zum Lachen. Aber auch wenn sie sich über ihn lustig machte, war sie verteufelt sexy.

Sie senkte ihre Stimme zu einem Flüstern. »Du bist ein Spion. Es kann gar nicht anders ein. Deshalb hast du diese blauen Flecken und diese geheimnisvolle Aura.«

»Ich habe eine geheimnisvolle Aura?«, fragte er und beugte sich wieder vor. »Das hat mir noch nie jemand gesagt.«

»Du kannst dich auf alle möglichen Situationen einstellen«, fuhr sie fort.

»Auf einen Autounfall, zum Beispiel?«

»Du rauschst herbei und beschützt Ruthie vor diesen Typen.«

»Das hättest du auch geschafft«, sagte Sam.

»Ich wäre gewalttätig geworden.«

»Ich bin kein Spion«, flüsterte er.

»Das würde ein Spion auch sagen.«

Sam lächelte. »Ehrenwort.«

Das letzte Mal, als er das jemandem gegeben hatte, hatte er gelogen. Damals hatte seine Mutter den neuen Wagen mit Argusaugen betrachtet und die Notlüge gewittert, wie nur eine Mutter es konnte. Sie hatte ihm sicher nicht geglaubt. Schlimmer noch, nun war ihr klar, dass sein Ehrenwort nichts galt. Auch wenn er es gut gemeint hatte.

»In dem Fall …«, begann sie.

»Anna?«

Sam sah sich um, wer da gerufen hatte. Es war ein Typ, der deutlich schicker gekleidet war als er selbst. Graue Hose, langärmeliges dunkelblaues Hemd, formelles Jackett. Er sah Anna fast so an, als sei sie aus dem Hochsicherheitstrakt entflohen.

»Oh … hallo«, sagte sie.

Sam sah all ihren Glanz verblassen. Sie neigte den Kopf, als wolle sie die Haare ins Gesicht fallen lassen.

»Was machst du hier?«, fragte der Mann. Die Frage war an Anna gerichtet, aber gleichzeitig starrte er Sam an, als habe er eine Mission in visueller Identifikation zu erfüllen. Um das Markenetikett seiner Jeans ging es jedenfalls nicht. Sämtliche Instinkte sagten ihm, dass dieser Typ ein Blender war.

»Dies ist eine Bar, Mann«, antwortete Sam. »Wir trinken was.«

Der Typ musterte ihn kurz, dann drehte er Sam den Rücken zu, stützte sich auf den Tisch und betrachtete Anna. *Verdammt, den habe ich schon gefressen.*

»Anna, morgen ist Schule. Wo ist Ruthie?«

»O Gott! Wo sie ist? Ich habe sie dahinten unter dem Tannenbaum abgelegt!«, rief Anna.

»Bist du verrückt geworden?«

»Nein«, antwortete Anna. »Ich trinke hier nur was. Ruthie ist daheim, bestens versorgt. Wo ist Nicolette?«

»Da drüben.«

Der Mann zeigte in eine Ecke. Sam folgte seinem Finger zu einem Tisch, an dem eine Frau mit langen blonden Haaren saß, eingewickelt in einen Pelzmantel – hoffentlich Kunstpelz.

»Dann solltest du dich besser zu ihr setzen, statt uns zu belästigen«, schlug Anna vor.

Dieser Typ war also eher Feind als Freund.

»Euch belästigen?« Der Mann klang jetzt echt sauer. »Ich wollte nur Hallo sagen.«

»Nein, wolltest du nicht«, antwortete Anna. »Du wolltest mir sagen, was für eine schlechte Mutter ich bin, wenn ich an einem Montagabend ausgehe und alkoholhaltige Cranberry-Drinks zu mir nehme.«

Sams Sinne waren nun hellwach. Dieser Typ musste Annas Ex-Mann sein. Nun, er würde nicht zulassen, dass diese Figur Anna auseinandernahm. Sam wusste, wie hart sie mit sich gerungen hatte, bevor sie mit ihm ausgegangen war. Aber dann hatte sie sich entspannt, hatte gelächelt, gelacht …

»Wenn es das ist, was du denkst, dann …« Der Typ ließ den Satz absichtlich in der Schwebe. Jetzt reichte es Sam.

Er stand auf und machte sich vielleicht noch einen Ticken breiter. »Ich denke, Sie sind jetzt hier fertig.«

»Sam«, sagte Anna. »Ist schon okay.«

»Hier scheint überhaupt nichts okay zu sein«, antwortete Sam, jetzt stinksauer. Er würde nicht die Kontrolle verlieren, aber er war doch wütend genug, um diese Irritation, diese erhöhte Wachsamkeit vor einer Auseinandersetzung zu spüren. Das lernte man auf dem Platz, weil sich die Dinge dort jederzeit hochschaukeln konnten.

»Entschuldigung«, sagte der Mann, der nicht im Mindesten entschuldigend klang. »Wer zum Teufel sind Sie überhaupt?«

Der Typ ging also auf Konfrontation. Nun, dafür hatte er sich den Falschen ausgesucht.

»Halten Sie das für cool? Hier das Maul aufzureißen?«, fragte Sam, die Hände in den Taschen zu Fäusten geballt. »Denken Sie, das macht Sie zu einem großen Macker? Aus meiner Perspektive hat man nie ein kleineres Würstchen gesehen. Möglicherweise trifft das ja auch auf Ihren Schwanz zu.«

Sam hatte nicht so ordinär klingen wollen, aber nun war es heraus. Er baute sich vor ihm auf, als würde er den Kampf mit einem Bison-Rivalen aufnehmen.

»Also wirklich!« Anna glitt von ihrem Hocker und zog den Mantel an. »Dieses wunderbar weihnachtliche Tipi trieft ja plötzlich vor Testosteron. Dafür bin ich nicht gekommen.«

Bevor Sam sich sammeln konnte, war Anna schon auf dem Weg zur Tür. Jetzt hatte er die Wahl. Er konnte diesem Mann noch eins reinwürgen, oder er folgte Anna.

KAPITEL
VIERUNDZWANZIG

Flusspromenade, Richmond

»Anna! Warte!«

Anna schloss die Augen, als sie das Ende der Treppe erreichte, die zum Fluss hinabführte. Mit einem Seufzer öffnete sie sie wieder. Es war bedeutend kälter geworden, der Fußweg weiß überfroren. An den Kabeln der Lichterketten hingen kleine Eiszapfen. Sie blieb am Wasser stehen und schaute auf die geriffelte Schwärze. Warum war Ed ausgerechnet dort aufgekreuzt? Und warum hatte Sam ihn so provozieren müssen, als wären sie in der Umkleide einer High School? Nicht einmal einen einzigen Abend konnte sie ohne Drama verbringen. Nun wandte sie sich zu der Person um, die ihr folgte.

Sam hatte die Hände erhoben, zum Zeichen der Entschuldigung. Oder der Ergebung vielleicht. Seine ganzen zwei Meter, und wer weiß wie viele Zentimeter, kamen langsam auf sie zu, als sei sie ein Schwan, der wegfliegen oder zum Angriff übergehen könnte. Anna hatte nichts von beidem im Sinn. Dazu war sie viel zu müde.

»Ich möchte mich entschuldigen«, sagte Sam, als er näher kam. »Ich hätte mich nicht so aufführen dürfen.«

»In der Tat«, erwiderte Anna. »Ich bin es nämlich, die seine erbärmlichen Sprüche hätte ignorieren sollen. Ich hätte ihn wegschicken müssen. Wir leben im 21. Jahrhundert, Sam. Ich weiß, du bist noch jung …«

»Ich bin jung? Was soll das heißen?«

»Na ja, ich …« Eigentlich hatte sie darauf keine Antwort. Außer dass ihr die Ereignisse des Abends noch einmal klargemacht hatten, dass das Ganze sowieso eine Schnapsidee war. Er schwieg ebenfalls, sah sie nur mit diesen ärgerlich faszinierenden Augen an und wartete darauf, dass sie sich aus diesem Loch, das sie sich selbst gegraben hatte, wieder befreite.

»Deine Freundin Neeta hat mich auch schon gefragt, wie alt ich bin. Was soll das immer?«, fragte Sam.

»Keine Ahnung«, antwortete Anna, aber sie senkte unwillkürlich den Blick und betrachtete eine Ente, die am Flussufer entlangwatschelte.

»Und jetzt wirfst du mir an den Kopf, ich sei so jung.«

»Das hätte ich nicht sagen sollen. Und Neeta hätte dich nicht nach deinem Alter fragen dürfen. Ich meine … was spielt das schon für eine Rolle? Es ist ja nicht so, dass wir ein Date hätten oder so.«

Nun war es heraus. Sie hatte die Karten auf den Tisch gelegt. Natürlich war es nett, ein wenig zu flirten und mehr über ihn zu erfahren, aber mehr war da nicht, und es würde auch nicht weitergehen. Sam hingegen blieb stumm. Er schaute sie immer noch an, die Hände in den Manteltaschen, die breite Gestalt eine schwarze Silhouette im Mondlicht.

»Ich meine, du warst einfach nett zu mir und hast mir Hilfe bei der Heizung angeboten, weil ich dir geholfen habe, und … ich habe dir einfach leidgetan. Alleinerziehende Mutter mit zwei linken Händen, das kennt man ja. Und dann haben Neeta und die anderen uns einfach überrumpelt. Sie haben uns förmlich gezwungen, miteinander auszugehen.«

»Moment«, sagte Sam. »Kein Wort mehr.«

Plötzlich war Anna aufgewühlt. Warum war sie so aufgewühlt? Warum trieben ihr die Gefühle Tränen in die Augen? Das war doch lächerlich. Da war nichts. Und für dieses Nichts hatte sie weder Zeit noch Energie.

Sam trat einen Schritt auf sie zu. Und da er lange Beine hatte, bedeutete das, dass er ziemlich nahe kam.

»Ich möchte offen mit dir sein«, sagte er leise und fing ihren Blick auf. Dann seufzte er. »Ein bisschen jedenfalls.« Er legte einen Finger an den obersten Knopf ihres Mantels und schloss ihn. »Ich könnte behaupten, dass ich mich mit dem Angebot, deine Heizung zu reparieren, für deine Hilfe revanchieren wollte. Aber das würde nicht stimmen.«

Er legte ihr sanft eine Hand auf die Schulter und ließ dann die Finger über ihren Arm gleiten. Anna bekam eine Gänsehaut unter dem Stoff und wusste, dass das nichts mit der Kälte zu tun hatte. Seine Berührung war sanft, fürsorglich und gleichzeitig unendlich sinnlich. An das Wort »sinnlich« konnte sie sich kaum noch erinnern.

»Der heutige Abend«, begann er wieder, »war schon immer ein Date für mich, selbst wenn ich auf deinem Wohnzimmerboden gehockt hätte, einen Schraubenschlüssel in der Hand. Ich wollte einfach bei dir sein. Die Zeit, die ich bisher mit dir verbracht habe – die wenigen Momente jedenfalls, in denen ich nicht auf deinem Sofa im Tiefschlaf lag –, habe ich nämlich sehr genossen. Unendlich genossen.«

Jetzt stand er ganz dicht bei ihr. Wenn sie die Hände ausstrecken würde, würde sie den unteren Teil seines Brustkorbs berühren. Das war ein neuartiges Gefühl, ein aufregendes, vollkommen ungeplant. Es war nichts, was sie sich in einer Million Jahre hätte ausdenken können. Dieser Mann, der in

Richmond gelandet war, auf Ruthies Schulweihnachtsmarkt, wollte Zeit mit ihr verbringen. Das könnte eine absolut zwanglose Sache sein, ein Anfang, um ein winziges bisschen ihres Erwachsenenlebens wiederzugewinnen. Wenn sie denn dafür offen war. Anna sah auf, in seine Augen. Sie wusste so wenig über ihn. Und ja, obwohl sie es nicht zulassen wollte, da war etwas. Es ließ sich nicht leugnen, vibrierte zwischen ihnen, an der Themse, unter dem Mond.

»War es dumm zu glauben, dass du gern … wie soll ich sagen … ein bisschen mit mir abhängen willst, während ich in London bin?« Er lächelte. »Ich könnte dir die Angst vor der Natur nehmen. Die Weihnachtsbäume enthexen zum Beispiel. Obwohl du wirklich den größten Baum hast, den ich je in einem Haus gesehen habe.«

Anna musste lachen. Das könnte den Zauber der Anziehung brechen, den er um sie beide gesponnen hatte, aber sie konnte nicht anders. Seit ihrer ersten Begegnung hatte er sie mit seinem Humor aus sich herausgelockt.

»Du zitterst.« Er streckte die Hand aus, um noch einen Knopf an ihrem Mantel zu schließen. »Es ist kalt. Wir sollten …«

»Weitergehen«, sagte Anna schnell. Irgendetwas sagte ihr, dass dieser Abend nicht direkt hier am Flussufer enden sollte. Sie wollte nicht, dass es so war.

»Sicher?«

»Sicher«, antwortete Anna. »Es gibt da noch etwas, das ich dir zeigen möchte.«

»Noch eine Sightseeingtour?«

Sie lächelte. »Nein. Etwas, das man sich auf keinen Fall entgehen lassen darf.«

Er berührte sie am Arm und hielt sie zurück, bevor sie

loslaufen konnte. »Hör zu, wenn es dir hilft … Bei meinem nächsten Geburtstag werde ich sechsundzwanzig.«

»Gut«, antwortete Anna.

»Gut?«, hakte Sam nach. »Bist du sicher? Du willst nicht erst meine Mum anrufen und sie um Erlaubnis bitten? Oder dich nach meinem Sternzeichen erkundigen?«

»Sie sind etwas voreilig, Mr Jackman, oder wie auch immer du wirklich heißt. Es handelt sich nur um ein Date. Nicht um … du weißt schon … Netflix und Chillen.«

Warum hatte sie das nur gesagt? Ihre Wangen brannten vor Scham.

Über Sams Gesicht zog sich ein breites Grinsen. Dann senkten sich seine Augenbrauen, und sein Kopf brach wieder in ihre Sphären ein. »Ich bin viel zu jung, um auch nur zu verstehen, was du meinst.«

KAPITEL
FÜNFUNDZWANZIG

Mr Wong's Restaurant, Richmond

»Und du willst mir wirklich weismachen, dass man diesen Ort hier in Richmond unbedingt gesehen haben muss?«

Sam betrachtete den Imbiss, das beschlagene Glas, die abblätternden Bilder, die Hunde, die draußen angebunden waren und ihren weißen Atem in die Luft stießen.

»Ich will dir weismachen, dass er es ... sein könnte«, antwortete Anna. »Na gut, vielleicht keine Topattraktion, aber zumindest ein schönerer Ort als jetzt.«

»Das war mal eine Ansage.«

»Wirklich?«

»*Ich* würde dir sofort glauben.«

»Du magst mich ja auch.«

»Oh, stimmt. Oder?«

Wärme breitete sich in seinem Innern aus. So war das immer, wenn er mit Anna zusammen war. Egal, was passieren mochte, es gab eine Verbindung, die sich über alle Probleme hinwegsetzte. Die immer tiefer wurde. Ihm gefiel, wie es ihm ging, wenn er mit ihr zusammen war. Ihm gefiel, wer er war, wenn er mit ihr zusammen war. Und das war nicht vorgetäuscht. Das war nichts, was ihm jemand nahegelegt hätte, um größtmögliche Aufmerksamkeit bei Insta zu erregen, weil das gut für ihn als »Marke« war. Dies hier war das echte Leben.

»Das ist mein Job.« Anna holte tief Luft. »Ich helfe Unternehmen aus der Patsche, die nicht mehr wissen, wie es weitergehen soll. Zumindest soweit ihr Budget und ihr Mut das zulassen. Aktuell bin ich damit beschäftigt, Mr Wongs chinesischen Pizzaladen mit angeschlossenem Fish-and-Chips-Imbiss aufzumöbeln.«

»Wahnsinn!«, sagte Sam. »Ich will dich nicht entmutigen, aber da scheint eine Menge Arbeit auf dich zu warten, wenn dieser Typ es nicht einmal schafft, die Fensterrahmen zu streichen.«

»Ruthie und ich haben uns heute hier etwas geholt«, sagte Anna, die Leute im Blick, die jetzt mit Take-away-Gerichten aus der Tür traten. »Gemessen an unseren eher geringen Erwartungen war es gar nicht so schlecht.«

»Tatsächlich?«

»Im Ivy würde man das nicht servieren, aber so etwas will ja auch nicht jeder. Und noch wichtiger: Nicht jeder kann es sich leisten.« Sie seufzte. »Mir ist schon klar, dass Richmond den Ruf hat, eher die Betuchten anzuziehen. Aber die Bevölkerung ist durchaus gemischt. Was mir an Mr Wong gefällt, ist, dass er die Leute mit kleinem Budget versorgt.«

Sam hatte nur die abgeblätterte Farbe bemerkt, während Anna darüber nachgedacht hatte, was dieser Ort für die Gemeinschaft bedeutete. Was war er nur für ein Typ? Einer, der zu abgehoben geworden war. Ein Fünfundzwanzigjähriger, dem es guttäte, sich an die Tage billiger Fritten zu erinnern. Diese Bude glich exakt den Orten, für die seine Eltern Geld gespart hatten – für ein öltriefendes Gericht, das man dann ins Autokino mitnahm. Dort waren Tionne und er immer aufs Wagendach geklettert, wo sie alle anderen überragt hatten, die Pommes zwischen sich. Während des Films hatten sie eher die Schauspieler imitiert, als dass sie der Handlung gefolgt wären.

»Langweile ich dich? Tut mir leid, wir hätten besser auf den King Henry's Mound steigen sollen. Von dort kann man sogar die St Paul's Cathedral sehen. Ich hab nicht nachgedacht.«

»Nein«, antwortete Sam. »Tatsächlich war mein erster Gedanke, als ich in den Flieger gestiegen bin, dass ich ... unbedingt einen Imbiss finden muss, in dem es chinesisches Essen, Pizza und Fish and Chips gibt. Seine schillernde Geschichte kann sich London an den Hut stecken. Viel zu prätentiös.«

Anna lachte. Er mochte es, wenn sie das tat. Es ergriff Besitz von ihr, brachte ihren ganzen Körper in Aufruhr und stieg bis in ihre Augen hoch. Machte sie noch tausendmal anziehender.

»Was willst du denn mit dieser Bude anstellen? Falls du nicht vorhast, sie in so etwas wie den Melting Pot zu verwandeln?«

»Melting Pot? Schmelztiegel?«

»Das ist ein Fondue-Restaurant in den Staaten. Ich war mal mit den Jungs da. Man kann da buchstäblich geschmolzenen Käse trinken.«

»Das darfst du Ruthie nie erzählen«, sagte Anna. »Sie isst jetzt sowieso schon viel zu viel Käse.«

»Was sind also deine Ideen? Außer einem frischen Anstrich und einem neuen Schild. Was steht da überhaupt drauf?« Er neigte den Kopf zur Seite, als könne ihm das weiterhelfen. Nein, er konnte nichts erkennen.

»Das weiß ich noch nicht so genau. Aber komm mal.«

Sie trat wieder auf den Bürgersteig und winkte ihn herbei. Auf der anderen Straßenseite brannten Lichterketten an den Bäumen in den Vorgärten, und auf den Veranden standen Schilder mit der Einladung an den Weihnachtsmann, an diesem Haus nicht vorbeizugehen. Anna aber steuerte ein schmiedeeisernes Tor an, das keinerlei festlichen Schmuck trug und noch vernachlässigter wirkte als die Bude gegenüber.

»Ta-da!«, rief Anna und zeigte auf das Tor, als wäre es der Hauptpreis in einer Spielshow.

»Wahnsinn, Anna. Das ist ja ...« Er hatte keine Ahnung, was das sein sollte. »Brauche ich eine Spezialbrille, um hier irgendetwas zu sehen?«

»Nein«, sagte sie. »Hier ist nichts. Noch nicht jedenfalls. Aber es gehört Mr Wong. Sein Vater hat es vor Ewigkeiten gekauft, um seinen Wagen vor dem Tor zu parken. Das Grundstück dahinter gehört ihm auch, aber niemand hat je etwas daraus gemacht.«

»Aha.«

»Mir ist schon klar, dass man ein ziemlich großes Vorstellungsvermögen braucht – mehr als nur groß vielleicht –, aber ich sehe Tische unter den Bäumen, wenn man das Gestrüpp mit der Motorsäge niedermäht und alles ein wenig aufhübscht. Denkst du nicht auch?«

Sam legte den Kopf an den Zaun. »Man sieht nicht, wie groß das Grundstück ist. Eigentlich sieht man überhaupt nicht viel.«

»Ich weiß. Aber ich treffe mich bald mit Mr Wong. Sobald ich seine genauen Vorstellungen kenne, kann ich ihn vielleicht dazu überreden, das Tor zu öffnen. Dann sehe ich auch, ob sich das Grundstück einbeziehen lässt. Sollte ich vollkommen daneben liegen, werde ich eben nach Lappland versetzt.«

»Willst du wirklich so lange warten?«, hörte Sam sich fragen.

»Womit?«

»Von einem geschlossenen Tor muss man sich ja nicht abschrecken lassen. Möchtest du es vor deinem Treffen auskundschaften?«

»Können wir das so einfach?«

Er lachte. »Ihr Briten seid viel zu korrekt.« Im nächsten Moment hatte er seinen Mantel ausgezogen und reichte ihn ihr. »Ich helfe dir hoch, dann legst du meinen Mantel auf die Eisenspitzen, damit du dich nicht verletzt.«

»Willst du etwa, dass wir hier einbrechen?«

»Von Brüchen habe ich genug«, sagte Sam lachend.

»Ich weiß nicht.« Anna klang immer noch zögerlich.

»Zu viel Natur da drin?«

»Hätte ich dir das doch nur nicht erzählt.«

»Nun komm schon, Anna. Mir wird langsam kalt. Ich mache Räuberleiter.«

Sie sah über die Schulter, versicherte sich, dass die Passanten mit sich selbst beschäftigt waren, und stellte einen Fuß in seine Hände. Er hievte sie schwungvoll hoch.

»Alles in Ordnung?«, fragte er, als sie sich über den Zaun geschwungen und auf der anderen Seite wieder heruntergelassen hatte.

»Ja. Ich fühle mich wie eine Fünfzehnjährige, die Graffitis sprühen will. Aber davon abgesehen …«

Sam lachte und zog sich dann selbst hoch. Ganz einfach war das nicht, da man seinem Körper in den letzten Wochen ziemlich mitgespielt hatte. Er schwang sich über die Spitzen, nahm seinen Mantel ab und landete neben Anna. Die marschierte sofort los, über hart gefrorenes Gras und Unkraut.

»Was wollen wir denn sprühen?«, flüsterte er.

»Das Grundstück ist ja viel größer, als ich gedacht hätte«, sagte Anna und begab sich an eine weniger zugewucherte Stelle. »Kannst du es dir im Sommer vorstellen? Laternen in den Bäumen, der Duft von Blumen und geschnittenem Gras, Tische und Stühle, Hängematten vielleicht …«

»Das ist deine Vision für den Imbiss?«, fragte Sam.

»Weiß ich noch nicht«, gab Anna zu. »Ich habe nur dieses Grundstück gesehen und mich gefragt, ob man nicht etwas daraus machen könnte.«

»Du bist ein Ideenmensch«, sagte Sam und nickte.

»Ist das etwas Gutes?«

»Ich denke schon. Ideenmenschen suchen Herausforderungen und verfügen über das Talent, Schwierigkeiten zu überwinden. Ich habe eine … Freundin, die gut darin ist.«

Er musste an Frankie denken und fragte sich, ob Tionne ihr die versprochene Nachricht geschickt hatte. Eigentlich hätte er das von seiner kleinen Schwester nicht verlangen dürfen. Morgen würde er sich ihr stellen.

»So viele Ideen habe ich noch gar nicht. In letzter Zeit war ich mit den Gedanken meistens bei Ruthie. Wo früher die Ideen gesprudelt sind, befindet sich nun eine Datenbank mit Informationen zu den Inhaltsstoffen von Desinfektionsmitteln sowie zu der Frage, ob Vögel wirklich echte Vögel sind oder nicht vielmehr Vogelroboter, die für die Regierung arbeiten.«

»Da sollten wir besser die Stimme senken, wenn wir eine Taube erblicken«, flüsterte Sam.

»Sie hören und sehen alles«, bestätigte Anna. »Und sie sind überall. Oh, schau mal, ist der Baum da nicht schön?«

Sie legte die Hand an die silbrige Rinde. Die kahlen Äste

ragten wie Eisstiele in alle Richtungen. Annas Begeisterung hatte etwas Ansteckendes. Sam hätte nie gedacht, dass er sich so über ein Stück Brachland Imbiss freuen könnte.

»Die Natur gibt dir Halt«, sagte er und trat an sie heran.

»Stell dir nur einen warmen Maitag vor.« Sie schloss die Augen und hob das Gesicht, als spüre sie schon die ersten Sonnenstrahlen an der Haut. »An den Zweigen hängen Massen von gelbflauschigen Kätzchen, Bienen summen, Kinder spielen Fangen ...«

Sam konnte es sich tatsächlich vorstellen. Genau so hatte er sich sein Leben immer ausgemalt. Hart arbeiten, hart spielen, der Beste sein, so viel Geld verdienen wie möglich, damit er – und seine Familie – für immer ausgesorgt hätten, später dann die Früchte der Arbeit ernten, sich zurücklehnen, entspannen, verlieben, Kinder bekommen, sie aufwachsen sehen ... Alles hatte so einfach gewirkt, als wäre es nur ein Fingerschnipsen entfernt. Und jetzt wusste er nicht mehr, wo er stand.

»Ruthie würde es hier natürlich nicht gefallen. Jedenfalls nicht, wenn sie nicht ihren Chemikalienanzug und ihre Ohrstöpsel tragen würde. Kein Witz.«

»Ruthie mag die Natur auch nicht?«

»Vor allem nicht Bienen und Wespen und andere summende Flugobjekte. Mit Drohnen hatten wir es noch nicht zu tun.«

»Anna«, sagte Sam und trat an sie heran.

»Ja?«

»Würdest du morgen die St Paul's Cathedral mit mir besichtigen?«

Die Stille, die folgte, hatte etwas Betäubendes. Und je länger sie anhielt, desto schwerer wurde ihm das Herz.

Vor Annas und Ruthies Zuhause, Richmond

Sam hatte sie zu einem Ausflug eingeladen. Doch statt ihm zu antworten, hatte Anna einen Krampf im Fuß simuliert und dann erklärt, dass sie zu Ruthie zurückmüsse. Warum hatte sie das getan? Sie mochte Sam. Außerdem war er für einen Fünfundzwanzigjährigen überaus reif. Immerhin reifer als ein Zwanzigjähriger …

Irgendein Funke war zwischen ihnen übergesprungen. Wenn sie zusammen waren, durchströmte Anna eine große Wärme, und alles mit ihm fühlte sich bereits so vertraut an. Ihre Persönlichkeiten harmonierten wie eine perfekte Kaffeemischung. Doch dann hatte Anna gezögert? Hatte das mit Ruthie zu tun? Oder zweifelte sie an ihren eigenen Entscheidungen?

Sie seufzte zittrig. In Wahrheit hatte sie nicht das nötige Selbstvertrauen. Was dachte sie denn, wer sie war? Glaubte sie wirklich, ein attraktiver Fünfundzwanzigjähriger wie Sam könnte wirklich Interesse an ihr haben? Das war doch vollkommen absurd. Ihre Gedanken stockten, um im nächsten Moment wie ein Wasserfall herabzubrausen. Woher wusste sie eigentlich, dass Sam vertrauenswürdig war? Vielleicht war er so etwas wie der Tinder-Schwindler, nur ohne Tinder. Vielleicht ging es gar nicht um sie. Vielleicht hatte Sam eine Rechnung aufgemacht: *großes Haus gleich große Summen auf dem Konto.* Allmählich fügten sich die Bruchstücke zusammen – der falsche Name (Sam Jackman, ja klar!), der Auftritt aus dem Nichts, dann ein kleiner Unfall-Stunt, um sie um den Finger zu wickeln. Anna hätte ihren ersten skeptischen Instinkten trauen sollen. Das war auch der Grund, warum sie den Eindruck hatte, dass sie so gut zueinander passten. Er war versiert in solchen Dingen. Vielleicht sollte sie ihm sagen, dass sie das Haus geerbt hatte und sonst nichts besaß. Dann wäre er sicher nicht mehr so scharf darauf, mit ihr die St Paul's Cathedral zu besichtigen …

Sie hatten den Vorweg zu Annas Haus erreicht. In ihr brodelte es immer noch, zumal sie an Nanny Gwens Warnungen denken musste: *Die wollen immer nur das eine. Lauf nicht den allzu Hübschen hinterher, die neigen zur Grausamkeit.* Nanny Gwen hatte Männern nie getraut, egal, wie sie aussahen. Das ist auch der Grund, warum sie nie geheiratet hatte. Jane war das Ergebnis des *letzten Males, an dem ich zugelassen habe, dass ein Mann seinen Vorteil sucht.* Anna sah an der Fassade ihres Hauses hoch und musste daran denken, wie Nanny Gwen hinter dem Vorhang hervorgelugt hatte, als Ed sie zum ersten Mal nach Hause gebracht hatte. *Gentlemen lungern nach einem ersten Date nicht herum. Er hat etwas Verschlagenes im Blick, wenn du mich fragst.* Was hätte sie von Sam gehalten? Anna fehlte es leider an der Intuition ihrer Großmutter, gerade in diesem Moment.

»Hör zu«, begann Sam. »Ich wollte dich vorhin nicht drängen.« Er befeuchtete seine Lippen und wirkte nervös. »Du hast viel Arbeit mit diesem Projekt für Mr Wong, und dann ist da noch Ruthie. Mir müsste klar sein, dass du nicht einfach alles stehen und liegen lassen kannst, nur um mit mir Sehenswürdigkeiten anzuschauen.«

»Mir gehört dieses Haus«, sagte Anna und verspürte aus irgendeinem Grund die Notwendigkeit, mit dem Finger draufzuzeigen. »Aber ich habe es nicht gekauft, sondern geerbt. Und ich habe wie eine Verrückte geschuftet, um es zu renovieren: Böden abschmirgeln, Kacheln abschlagen, den Kamin erneuern, das ganze Programm. Jetzt ist es vermutlich weit mehr wert als beim Tod meiner Großmutter, aber es ist buchstäblich alles, was ich habe.«

»Ein tolles Haus«, antwortete Sam. »Wirklich wunderschön, jedenfalls die Teile, die ich gesehen habe. Und ich kann nur hoffen, dass deine Clique da drinnen es geschafft hat, deine Heizung zu reparieren.«

»Außer diesem Haus habe ich *nichts*«, fuhr Anna fort, weil sie ihre Information unbedingt loswerden wollte. »Das sollte dir klar sein. Ich habe keine Anteile an irgendetwas, und bei mir gibt es auch keine versteckten Bankkonten. Ich bin einfach eine alleinerziehende Mutter einer Tochter mit besonderen Bedürfnissen, einem Kaninchen mit einem speziellen Ernährungsprogramm und einer Katze, die sich aufführt wie eine Diva.«

Anna war außer Atem und stieß keuchend Luft in die Nacht. Sam stand neben ihr und wirkte leicht verwirrt, als habe er alles gehört, aber nichts verstanden. Anna wusste nicht, was sie noch sagen sollte. Sollte er nicht sofort den Rückzug antreten und von der Bildfläche verschwinden?

»Dieser Typ in der Bar vorhin«, begann er leise. »Das war Ruthies Vater, richtig?«

Anna seufzte. »Ja, aber der hat hier nichts zu melden. Das ist mein Haus. Nur eines solltest du noch wissen: Mir ist es egal, was du anstellst, damit ich dir einen Teil des Eigenkapitals abtrete – ich werde es nicht tun. Lass uns das Ganze also nicht unnötig in die Länge ziehen.«

»Anna«, sagte Sam. »Ich habe keine Ahnung, was du mir mitteilen willst.«

»Soll ich es dir übersetzen?«

»Ich denke schon. Weil ich nämlich keine Ahnung habe, was zwischen uns passiert ist, seit wir über den Zaun geklettert sind und uns den Sommer vorgestellt haben.«

»Na schön. Nachdem ich noch einmal über alles nachgedacht habe, bin ich zu dem Schluss gelangt, dass du nicht der sein kannst, der zu sein du behauptest, Sam. Du musst andere Beweggründe haben. Warum solltest du dich ausgerechnet mit mir verabreden wollen?«

Er nickte. »Verstehe. Jetzt weiß ich, worauf du hinauswillst.«

»Ich will darauf hinaus, dass du begreifst, dass noch nichts passiert ist. Du kannst einfach gehen und dich auf dein nächstes Ziel konzentrieren – oder wie auch immer man das nennt. Und ich werde wieder Ruthies Mama und eine Marketingexpertin sein, der die Ideen fehlen.«

Sam schüttelte den Kopf. »Das ist nicht alles, was du bist. Aber du lässt zu, dass andere Menschen über dich bestimmen. Die Details kenne ich nicht, aber nach dem zu urteilen, was ich vorhin erlebt habe, gestattest du jemandem, der dich im Stich gelassen hat, dir Vorschriften zu deinem Leben zu machen – obwohl er selbst tut, was er will.«

»Was kümmert es dich?«, fragte Anna. »Jetzt wo du weißt, dass hier nichts zu holen ist?«

»Zu holen«, wiederholte Sam kopfschüttelnd. »Du denkst wirklich, ich verbringe Zeit mit dir, um mich zu bereichern? Ich habe genug, Anna, glaub mir.«

»Das musst du ja sagen.«

Anna sah seine Gesichtszüge entgleisen. Sämtliche Luft schien aus ihm entwichen.

»Weißt du was«, sagte er dann. »Du hast recht. Dies ist wirklich nicht, was ich gedacht hatte.«

Anna wusste nicht, was sie sagen sollte. Er wirkte verwirrt, empört, fast außer sich. Hatte sie einen entsetzlichen Fehler begangen? Ließ sie sich immer noch von Ed beeinflussen? Oder hatte es eher mit ihr selbst zu tun? Wenn sie ein zweites Mal mit Sam ausgehen würde, würde sie sich dann auf gefährliches Terrain begeben? War es das, wovor sie Angst hatte? War der Gedanke, dass Sam sich wirklich für sie interessieren könnte, noch erschreckender als der, er könne sie ausnehmen wollen?

»Hör zu«, sagte Sam. »Ich hatte eine gute Zeit. Es war schön, dich besser kennenzulernen. Meiner Meinung nach ist Ruthie ein wunderbares Kind, und du bist eine großartige Mutter.« Er seufzte. »Aber vor allem hat mich überrascht, wie gut wir beide miteinander auskommen. Ich selbst bin im Moment in einer … etwas sonderbaren Situation. Mit dir zu lachen und dir über einem schwarzen Kaffee näherzukommen … und über Cranberrys und … Falcon, das war schon echt cool. Für mich jedenfalls.«

Sein Blick fiel auf Anna. Einen derart ernsten Blick hatte sie noch nie gesehen. Als diese tiefen, dunklen Augen über sie hinwegglitten, wünschte sie sich, sie hätte dem Ausflug zur St Paul's Cathedral zugestimmt. Jetzt war er verletzt, und sie war verletzt, und Ruthie würde kein Wort begreifen. Andererseits war er ohnehin nur auf Besuch hier. Vermutlich war es das Beste so.

»Dann sollte ich mich wohl besser verabschieden«, begann Sam. Er holte so tief Luft, dass er gleichzeitig größer und breiter zu werden schien. »Mach's gut, Anna.« Er trat einen Schritt zurück.

Sie schluckte. »Mach's gut, Sam.«

Bean Afar, Richmond

»Ah, hier ist noch mehr Weihnachtsdekoration! Schau doch mal, diese Schneemänner, die sich an den Händen halten«, verkündete Lisa, sobald sie durch die Tür in die Wärme des Cafés getreten waren.

Anna wollte nicht schauen. Sie wollte sich einfach an ihren üblichen Tisch setzen, den größten und stärksten kenianischen Kaffee bestellen und sich um bessere Laune bemühen. Sie war traurig, so traurig, wie sie es schon lange nicht mehr gewesen war. Sie könnte sich einreden, dass es daran lag, dass Mr Rocket heute in seine Futterschüssel gekackt hatte. Oder dass Cheesecake seine Klauen entdeckt hatte und offenbar mit dem größten Vergnügen an den Küchenschränken hing. Oder dass Ruthie einen Zusammenbruch erlitten hatte, weil ihre Zimmertür nicht richtig schloss, weshalb es heute doppelt so lange gedauert hatte, bis sie das Haus verlassen und zur Schule rasen konnten. Aber Anna war schon klar, was der wahre Grund war. Obwohl es komplett verrückt war, wie sie sich kennengelernt hatten, und obwohl sie praktisch nichts über ihn wusste, litt sie darunter, wie die Sache mit Sam letzte Nacht geendet hatte. Mit ihm war alles schöner gewesen. Ihre Schritte waren federnd gewesen, auf ihrem Gesicht hatte ein Lächeln gelegen, und sie hatte sogar in der Dusche gesungen …

»Puh, alles voller Staubfänger hier«, sagte Neeta und knöpfte den Mantel auf, um Platz zu nehmen.

»Neeta!«, protestierte Lisa. »Ich weiß, dass ihr kein Weihnachten feiert, aber die Lichter und die Christbaumkugeln musst du doch auch mögen. Sie ähneln deinen Ohrringen.«

»Einen solchen Aufwand, um den Göttern Respekt und Liebe zu erweisen, sollte es nur einmal im Jahr geben.«

»Um der Wahrheit gerecht zu werden, wir feiern auch Ostern«, sagte Lisa.

»Und du willst mir weismachen, dass es dabei in erster Linie um die Religion geht und nicht um die Interessen der Schokoladenindustrie?«

»Anna, hilf mir doch«, bat Lisa.

Anna ließ sich auf den Tisch sinken, den Kopf in die Hände gelegt. »Wie kann man nur so idiotisch sein?«

»Eigentlich dachte ich«, sagte Neeta, »wir müssten uns vorsichtig an das Thema herantasten. Dass du jetzt selbst damit anfängst, ist eine angenehme Überraschung.«

»Was ist denn letzte Nacht passiert?«, fragte Lisa. »Es handelt sich nur um einen Heizkörper, ich weiß, aber Paul war ziemlich stolz auf sein Heimwerkertalent, und du ...«

»Ich habe kaum den Mund aufbekommen, als ich wieder da war.« Sie seufzte. »Es tut mir so leid.«

»Das Übliche, meine Ladies?«, rief Esther von der Theke her.

Neeta und Lisa nickten.

»Ja bitte, Esther«, sagte Anna. »Aber könntest du meinen doppelt so groß und stark machen?«

»Also denkst du definitiv an Sam. Was auch immer gestern Nacht passiert ist, so schlimm kann es nicht sein«, sagte Neeta.

»Es war schlimm«, gestand Anna. »So schlimm, dass ich ihn nie wiedersehen werde.«

»Wie bitte?«, rief Neeta.

»Das klingt wirklich heftig«, sagte Lisa.

»Raus mit der Sprache«, befahl Neeta. »Sofort.«

»Nenn mir einen Grund, warum ich nicht Sekundenkleber in sämtliche Schlösser von Eds Wagen schmieren sollte? Nur einen einzigen.« Neeta schäumte vor Wut.

Anna konnte keinen anderen Gedanken fassen, als dass sie Neeta nicht in Schwierigkeiten mit der Polizei bringen oder sonst irgendwie in die Situation mit Ed hineinziehen wollte. Und obwohl er am Vorabend der Auslöser gewesen war, hatte sie selbst mit ihrer defensiven Haltung und ihren Anschuldigungen die Situation zum Eskalieren gebracht.

»Es war nicht Eds Schuld«, gestand sie und nippte aus dem riesigen Kaffeebecher, den sie in den Händen hielt. »Es war meine.«

»Ha!« Neeta fuchtelte so heftig herum, dass sie fast einen Zierzapfen von der Fensterbank gefegt hätte. »Da haben wir's mal wieder. Er bohrt sich in dein Denken wie eine … Blumenfliege.«

»Hast du Sam wirklich vorgeworfen, er sei einer dieser Menschen, die sich an jemanden heranmachen und dann um Geld für ihr krankes Kind bitten?«, fragte Lisa mit einem fast strafenden Blick.

O Gott. Plötzlich kam alles mit voller Wucht zurück. Warum hatte sie das nur getan?

»Ich … ich hab plötzlich Panik bekommen, als er mich gefragt hat, ob wir uns noch mal treffen wollen. Ich dachte, warum will ein so toller und netter und … überwältigender

Mann seine Zeit mit mir verschwenden? Außerdem ist er mir einfach in den Schoß gefallen! Nicht wortwörtlich natürlich, aber wir hätten uns gar nicht begegnen sollen. Er war weder jemand aus der Dating-App, noch ein neues Mitglied im Schulkomitee, noch Mr Dandruff. Er ist einfach …«

»… vor ein Auto gelaufen. Und dann mit einer Tüte Werkzeug zurückgekommen. Auf einigen Griffen stand übrigens der Name Rodrigo«, berichtete Neeta.

»Was?«, rief Anna. Das war doch höchst verdächtig, oder?

»Anna, er ist mit dem Flugzeug gekommen, um Weihnachtsgeschenke zu kaufen. Warum hätte er eine Tüte Werkzeug mitbringen sollen? Er hat sie sich von jemandem geliehen, der Rodrigo heißt, weil er deine Heizung reparieren wollte. Weil er dich mag. Und wir dürfen nicht vergessen, dass er, bevor er vor den Wagen lief, ein Superheld war und zu Ruthies Rettung herbeigeeilt ist.«

Den letzten Satz hatte Neeta geradezu herausgeschrien und dabei sogar das Radio übertönt. Und es stimmte – das hatte Sam getan. Er war für Ruthie da gewesen und hatte sie beschützt, obwohl er sie gar nicht kannte – er war einfach ein netter, anständiger Kerl und nicht einer, der sich Kontodaten erschleichen wollte.

»Was wirst du tun?«, fragte Lisa, wesentlich ruhiger als ihre Freundin.

»Was habe ich schon für eine Wahl? Wir waren uns einig, dass wir uns nicht wiedersehen werden, und das kann ich ihm nicht verdenken. Für ihn muss es sich angefühlt haben, als hätte er einen Abend mit Dr. Jekyll und Mr Hyde verbracht«, sagte Anna.

»Und er hat den gruseligen Ed und sein diamantenbesetztes kleines Monster kennengelernt«, fügte Neeta hinzu.

»Neeta!«, wies Lisa sie zurecht.

»Was denn? Über das Baby habe ich nichts Gemeines gesagt.«

Anna nahm einen großen Schluck von ihrem Kaffee, während ihre Freundinnen aufeinander losgingen. Das Leichteste wäre es, gar nichts zu tun. Sie hatte so viel am Hals wie ein üppig behängter Weihnachtsbaum. Unter dem ganzen Glanz war aber nichts, das allein für sie bestimmt wäre. Ruthie. Arbeit. Ungeplante Haustiere. Schulkomitee. Für alles andere gab es keinen Platz mehr. Jetzt nichts zu unternehmen hieße, alles beim Alten zu belassen.

»Du könntest ihn einladen, heute Abend mit ins Pflegeheim zu kommen, um Ruthie singen zu hören«, schlug Lisa vor. »Das wäre ein Friedensangebot. Außerdem ginge es um Ruthie, nicht um ein weiteres Date.«

»O Gott, nein«, rief Neeta sofort und rang die Hände. »Keine Spielchen mehr. Du denkst, er ist heiß. Er denkt, du bist heiß.«

»Das wissen wir doch gar nicht«, protestierte Anna.

»Du glaubst nicht, dass er heiß ist? Dann glaube ich es für dich mit!«, rief Neeta.

»Ich denke das auch«, sagte Lisa.

»Na gut«, gab Anna zu. »Ich glaube auch, dass er scharf ist. Und mir geht es wesentlich besser bei dem Gedanken, dass er schon fünfundzwanzig ist. Fast sechsundzwanzig.« Natürlich wusste sie nicht, wann genau er Geburtstag hatte, je früher, desto besser. »Aber wir wissen nicht, ob er denkt, ich sei scharf.«

»Du musst dich entschuldigen und ihn bitten, mit dir auszugehen«, sagte Neeta. »Ich weiß gar nicht, was dieses ganze Gerede soll – *es geht um dieses, es geht um jenes*. Seid ehrlich zueinander. Sonst kommt es nur zu Missverständnissen.«

»Ehrlichkeit, Neeta?« Lisa nahm ein Holzstäbchen und rührte ungestüm in ihrem Kaffee herum. »Wenn du glaubst, was du Anna da einreden willst, dann geh doch zu Pavinder und frage ihn, ob er eine Affäre mit Jessica hat.«

»Nein!«, rief Neeta sofort. »Dann würde ich ja wie eine eifersüchtige Ehefrau dastehen. Und eifersüchtige Ehefrauen sind in meiner Kultur verpönt.«

»Lisa hat recht, Neeta«, mischte Anna sich ein. »Pav wird dich nicht für eifersüchtig halten, wenn da gar nichts läuft. Worüber ich mir zu neunundneunzig Prozent sicher bin. Er tut ja auch nichts von diesen Dingen, die Ed damals getan hat, oder?«

»Was für Dinge?«, fragte Neeta und beugte sich über den Tisch.

»Sein Handy verstecken. Oder die Vorschaufunktion seiner Nachrichten deaktivieren. Oder mehr Aftershave auftragen als fünf normale Männer zusammen. Oder sich eifrig im Haushalt betätigen, wenn ihm das einen Vorwand liefert, das Haus verlassen zu können.«

Neeta schien eingehend über die Liste nachzudenken. »Nein«, sagte sie dann.

»Na also«, schloss Lisa. »Jessica ist offenbar ein bisschen überdreht, und Pavinder kümmert sich um sie.«

»Wie bitte?«, rief Neeta.

»Er kümmert sich darum. Kümmert sich *darum*, wollte ich sagen.«

Anna nahm Neetas Hand und drückte sie. »Pavinder liebt dich, Neeta. Aber du weißt natürlich: Sollte je irgendetwas passieren, Lisa und ich sind immer für dich da und werden …«

»Alle seine Pflanzen vernichten«, schlug Lisa vor. »Für ihn gibt es sicher nichts, was schlimmer wäre.«

Neeta schüttelte den Kopf. »Ich weiß eure Solidarität sehr zu schätzen, aber, Anna, bei unserem Kaffeeklatsch heute geht es um dich. Du musst diese defensive Haltung ein für alle Mal ablegen. Geh nicht immer davon aus, dass alle so moralisch verkorkst sind wie Ed«, schloss Neeta.

»Gut.« Anna nickte. »Ich werde mir Mühe geben – wenn du im Gegenzug nicht immer davon ausgehst, Pavinder habe unreine Gedanken in Zusammenhang mit einer Kollegin, nur weil sie – und das waren deine Worte – gut aussieht.«

»Tut sie aber«, sagte Neeta.

»Neeta!«

»Lass uns noch einen Kaffee trinken und das vertiefen«, schlug Neeta vor.

Lisas Stöhnen brachte die Kette mit den Lebkuchenmännern zum Rasseln.

ACHTUNDZWANZIG

King Henry's Mound

»Rühr dich nicht vom Fleck! Gib mir einen Moment, einen Moment, um … Könnten Sie aufstehen, bitte, ich brauche diesen Tisch, tut mir leid. Nein, tut mir nicht leid.«

Sam nahm einen Schluck Kaffee aus seinem Pappbecher und behielt den Bildschirm im Blick. Er hatte mit Frankie einen Videocall. Mit dem Laptop auf den Knien saß er auf einer Bank und sah zu, wie sich seine Agentin den Weg in ein Restaurant freischaufelte und jemanden vom besten Tisch vertrieb. Schließlich atmete sie durch und musterte Sam streng.

»Okay, zur Sache«, begann sie mit einem Lächeln.

Dann kniff sie die Augen zusammen. Ihre Brauen bildeten ein spitzes V, und Sam ahnte, was kam.

»Wo zum Teufel bist du, Sam? Ich meine es ernst. Wo zum Teufel bist du?«

Sam taten die Restaurantgäste leid, die diesen Auftritt miterleben mussten. Das war typisch für Frankie, wenn sie stinksauer war. Er konnte es ihr nicht verdenken. Tatsächlich war er überrascht, dass sie nicht längst versucht hatte, ihn über sein Handy zu orten …

»Mir geht es gut«, sagte Sam.

»Ich würde gern mehr als das hören. Ich würde gern eine Menge mehr hören als das.«

»Ich bin weg.«

»Weg? Wie weg? Du hast einen Arzttermin, über den du mir keine Details erzählst, und dann? Lake Tahoe? Nein, nicht Lake Tahoe, denn als ich versucht habe, dich über dein Handy zu orten, warst du in die andere Richtung unterwegs. Und dann – nichts mehr!«

Von seiner Bank aus betrachtete er die frostbedeckten Spitzen der Büsche im Richmond Park. Zuvor hatte er durch das Fernrohr geschaut und den Anblick des Themsetals und der St Paul's Cathedral in der Ferne bewundert. *St Paul's Cathedral.* Bevor seine Gedanken zu Anna und den Ereignissen der Nacht wandern konnten, gab er Frankie eine Antwort. »Ich bin in England.«

»Du bist *was*?«

Frankie war mit einem Schrei aufgesprungen und fegte dabei sowohl den Ketchup als auch den Senf vom Tisch.

Sam schwieg. Frankie musste sich erst austoben, bevor sie wieder zu dem ultimativen Agenten-Superhirn wurde, als das sie berühmt-berüchtigt war.

»Sam«, begann Frankie, schon ein bisschen weniger wütend, »du sagst jetzt besser, dass das ein Scherz war.«

»Das war kein Scherz«, antwortete er. »Und Frankie, jetzt bitte ich dich zum ersten Mal in meinem Leben, mir zuzuhören. Ohne dazwischenzugehen. Ohne etwas zu fragen. In Ordnung?«

Er sah, wie sich Frankie wieder auf die Sitzbank sinken ließ und den Kopf neigte. Ihm war klar, dass sie sich mit aller Kraft beherrschen musste, um keinen Kommentar abzugeben. Er wappnete sich ebenfalls.

»Die Ergebnisse der Untersuchungen, die die Diggers verlangt haben, sind da, und … es gibt eine Anomalie.«

»Was für eine Anomalie?«

»Frankie, bitte.«

Sie seufzte, als sei sie verstimmt. Gleichzeitig sah er in ihrer Miene etwas aufblitzen, das er nie zuvor wahrgenommen hatte. Sorge. Er holte Luft.

»Ich habe ein defektes Gen. Chorea Huntington heißt die Krankheit. Mit der Zeit scheint sie ... das Gehirn davon abzuhalten, seine Arbeit zu tun.«

Er sagte die Worte, aber sie schienen auf jemand anderen zuzutreffen. Als würde er über eine andere Person reden. Alles, was der Arzt ihm erzählt hatte, hatte er in eine Schachtel gepackt und fest verschlossen. Jetzt das Klebeband abzureißen und Luft an die Sache zu lassen war schwierig. Sobald er es jemandem erzählte, war es in der Welt.

»Viel mehr weiß ich auch nicht«, gab Sam zu und musste sich erst einmal die Lippen befeuchten. »Ich bin mehr oder weniger aus Dr. Monroes Büro gerannt und in einen Flieger gesprungen.«

»Sam ...«

Das war alles, was seine Agentin sagte. Ein einziges Wort. Seinen Namen. Aber Frankie hatte es in einem fremden Tonfall gesagt, wackelig und ein wenig rau. Er konnte es sich nicht leisten, darüber nachzudenken. Das war hart. Aber Dr. Monroe anzurufen und die Details mit ihm zu besprechen würde wesentlich härter sein.

Er machte weiter. »Nun, wenn wir realistisch sind, dann können wir den Deal mit den Diggers ... vergessen.«

»Wirst du denn krank werden? Bald schon?«

»Keine Ahnung.«

»Wie wird die Krankheit behandelt?«

»Weiß ich auch nicht. Dr. Monroe hat mir aber einen Scotch eingeschenkt, also wird es wohl etwas sein, das sich nicht so leicht heilen lässt.« Er schluckte. »Es wird jedenfalls … keine Ahnung … mein Leben verkürzen.«

Es würde sein Leben verkürzen. Er würde keine Kontrolle mehr über seine Zukunft haben. Eine medizinische Disposition hatte vom Moment seiner Geburt an auf der Lauer gelegen, und sie war es, die entscheiden würde, was als Nächstes geschah, nicht er selbst. Er spürte, wie sich sein Brustkorb zuschnürte und seine Rippen schmerzten. Der Wunsch, das Gespräch zu beenden und so zu tun, als wäre nichts, nahm wieder Überhand.

»Sam, wir müssen uns der Sache stellen und sie aus dem Weg räumen. Okay? Bislang haben wir das in deiner Karriere immer geschafft.«

»Klar«, sagte er wenig begeistert. Hier ging es nicht um seine Karriere, hier ging es um sein Leben. Allmählich wurde ihm bewusst, dass diese beiden Dinge sich in Zukunft wohl in entgegengesetzte Richtungen entwickeln würden. Vielleicht war das längst überfällig.

»Sam! Hör mir zu, ja? Alles wird gut. Die Sache wird sich als große … Chance erweisen. Darin bin ich Meister. Ich kann alles zum Besseren wenden, okay? Alles. Ich bin die Beste, dafür bezahlst du mich schließlich …«

Frankie redete weiter, aber Sam blendete sich nach und nach aus dem Gespräch aus. Dies war ein Versuch der Schadensbegrenzung. Frankie kämpfte gegen die Flammen. Ihr Verstand produzierte Tausende von Szenarien, und während sie Sam noch erklärte, alles würde gut, schmiedete sie bereits Pläne. Nur dass ihr Monolog anders wirkte als sonst. Sam beobachtete sie, ohne sich einzumischen. Die Haltung war gewohnt kämpferisch, ihr Kostüm, ihr Lippenstift, alles perfekt, aber sie spielte mit ihren Daumen herum und warf diese

Seitenblicke in die Kamera. Während Frankie all die Dinge sagte, die ihn normalerweise beruhigen würden – dass, was auch immer er für ein Problem hatte, sich dies leicht beheben ließ, ja insgesamt sogar von Vorteil war –, sah ihr Sam tief in die Augen. Das war der Ort, wo sich die Wahrheit verbarg. Die man hier nicht kaschieren konnte, so viel Mühe man sich auch geben mochte. Er hielt die Luft an, als ihm zwei Dinge gespiegelt wurden.

Mitleid.

Angst.

KAPITEL

NEUNUNDZWANZIG

Pflegeheim, Richmond

»Warum müssen sie uns immer als Engel verkleiden, wenn wir hier singen?«, stöhnte Ruthie laut, als Anna ihren silbernen Heiligenschein zurechtbog. »Und warum haben manche von uns silberne Heiligenscheine und manche goldene? Gibt es im Himmel eine Hierarchie? Das passt nicht gut zu der Behauptung, dass Gott alle Menschen gleich liebt.«

»Na ja«, sagte Anna, die an der Drahtverstärkung bog, damit der Umhang besser saß. »Ihr seid als Engel verkleidet, weil wir doch bald Weihnachten feiern.«

»Marissa sagt, sie verkleiden uns als Engel, weil es das Nächste ist, was die alten Leute sehen werden.«

Diese Weisheit hatte Ruthie noch lauter verkündet, und Anna war froh, dass sie ganz hinten im Gemeinschaftsraum der Heimbewohner standen. Hier zogen sie sich um, bevor der Chor angekündigt wurde.

»Ruthie, nicht jeder hier ist alt, das weißt du doch, oder?«

»Ich schon, aber Marissa offenbar nicht. Ich werde sie daran erinnern, dann kann sie das nächste Mal sagen, dass wir als Engel verkleidet sind, weil es das Nächste ist, was die alten *und* die jungen Leute hier sehen.« Ruthie schnaubte wütend. »Marissa hat einen goldenen Heiligenschein.«

Als Anna Ruthie an den Schultern herumdrehte, wurde ihr bewusst, wie groß ihre Tochter geworden war. Dreizehn, aber eher schon dreißig, in mancher Hinsicht. Eher drei, in anderer. Das machte es manchmal besonders anstrengend.

»Die verschiedenen Farben sollen doch einfach nur hübsch aussehen vor den … pfirsichfarbenen Wänden und dem pipifarbenen Teppich. Aber falls es dir hilft, kann ich dir etwas verraten.« Anna zog schwungvoll einen Regenbogen hoch. »Im Leben scheinen die Engel mit den goldenen Heiligenscheinen oft bevorzugt zu sein. Aber mit dieser pompöseren Farbe geht auch eine größere Verantwortung einher, und das bedeutet für gewöhnlich weniger Spaß. Und Spaß ist sehr wichtig.«

Anna seufzte. Jetzt leierte sie schon Ratschläge herunter, die so klangen wie die von Neeta und Lisa, als die Scheidung sie so mitgenommen hatte.

»Hast du Dad noch einmal an heute Abend erinnert?«, fragte Ruthie, die plötzlich nervös von einem Fuß auf den anderen sprang.

»Habe ich«, antwortete Anna.

Der Anruf hatte sie große Überwindung gekostet, aber er war dankenswerterweise direkt zur Voicemail umgeleitet worden. Sie hatte eine Nachricht hinterlassen, mit der sie Ed an Ort und Zeit erinnert hatte. Seither hatte sie nichts mehr von ihm gehört. Es wäre nicht ungewöhnlich, wenn er gar nicht kommen würde, weil er angeblich arbeiten musste. Oder wenn er zu spät kommen und sich in die erste Reihe stellen würde, um dort so laut und begeistert zu klatschen, dass ihm die bewundernden Blicke der alten Damen sicher wären. Dass Ed überall bewundernde Blicke erntete, hatte Anna einst mit Stolz erfüllt. Immerhin war er der Mann an ihrer Seite, für immer und ewig. Bis das echte Leben sie einholte …

»Denkst du, er kommt?«

Ruthies Stimme klang unsicher, als wünschte sie sich, Ed wäre der Vater, den sie verdiente, was ihr gleichzeitig ein schlechtes Gewissen einzuflößen schien. Anna wollte nicht, dass Ruthie sich so hin- und hergerissen fühlte. Ed sollte hier sein. Der Chor war wichtig für Ruthie. Er hatte ihr Selbstvertrauen eingeflößt und war einer der Orte, an denen sie sich einfach wohlfühlte. Anna konnte sich noch erinnern, wie sie zum ersten Mal hingegangen waren. Ruthie hatte mal gefragt, ob sie Musikunterricht nehmen könne, aber die Kosten für Privatlehrer überstiegen selbst jene für anständige Therapeuten. Anna hatte gewusst, dass es, wie beim Tanzen, eine Herausforderung sein würde, mit neuen Leuten in Kontakt zu treten. Aber sie waren es langsam angegangen und hatten Ruthie zunächst nur für kurze Zeit dort gelassen, bis ihr die Gruppe und der Probenraum vertraut waren, Teil ihrer Routine. Ganz ohne Probleme verlief es natürlich nicht, vor allem wenn neue Kinder dazustießen und Ruthies Bedürfnis nach Raum und ihrem angestammten Platz in der Gruppe nicht sofort begriffen. Aber sie hatten sich durchgebissen, und das war es wert, wenn man sah, wie glücklich Ruthie war. Wenn sie »O Tannenbaum« schmetterte, löste sich ihr Autismus in Luft auf; dann gab es nur noch ihre glockenklare Stimme und eimerweise Enthusiasmus.

»Ich weiß es nicht, Ruthie, tut mir leid. Aber ich bin da und werde mitfilmen, damit wir es später Mr Rocket zeigen können.«

Ruthie grinste. »Mr Rocket hört mich gern singen. Er legt dann immer die Ohren an und zieht dieses besondere Gesicht.«

In der Tat. Anna war sich nicht sicher, ob das Kaninchen damit seinen Gefallen an der Darbietung zum Ausdruck bringen wollte, aber Ruthie glaubte es, und das war das Wichtigste.

»Bin ich zu spät? Bitte sag, dass ich nicht zu spät komme. Ich hasse es, zu spät zu kommen. Es beginnt doch erst, oder? Ich habe doch nicht etwa die erste Hälfte verpasst?«

Anna drehte sich um und erblickte Neeta. Das Gesicht ihrer Freundin war knallrot, die Haare klebten ihr an Stirn und Wangen, und sie war vollkommen außer Atem, als sei sie gerannt.

»Neeta! Ich wusste gar nicht, dass du kommst!«, rief Ruthie begeistert. »Ist Pavinder auch da?«

Neeta schüttelte den Kopf. »Nein, leider nicht. Pavinder muss heute länger arbeiten. Viel länger. So lang, dass ich ihm nicht einmal etwas kochen soll. Das ist bisher noch nie vorgekommen.«

Jedes Mal, wenn Neeta das Wort »lang« in den Mund nahm, zog sie ein Gesicht, als würde sich deutlich mehr hinter diesen Überstunden verbergen. Anna tat es furchtbar leid, ihre Freundin so verstört zu sehen. Sie mussten unbedingt bald mal wieder einen Abend zusammen verbringen, um auf den Grund des Problems vorzustoßen. Wie hieß noch diese Bar in der Nähe von Aldgate?

»Ruthie!«, rief die Chorleiterin und winkte.

Ruthie sah Anna an und verdrehte die Augen. »Das kann nur bedeuten, dass sie wissen will, ob ich tatsächlich den Solopart übernehmen will. Gabby ist absolut wild auf das Solo. Wenn ich verzichten würde, wäre ihr das nur recht. Tschüss, Mum. Tschüss, Neeta.«

»Toi, toi, toi, mein Schatz«, sagte Anna noch, bevor Ruthie

zu der Gruppe ging, die sich am anderen Ende des Raums zu formieren begann.

»Was tust du hier, Neeta? Du hasst singende Kinder.«

»Stimmt«, sagte Neeta. »Aber ich wollte das Pflegeheim unterstützen. Ich dachte, dann habe ich einen besseren Stand.« Sie wollte ihren Schal abwickeln, besann sich dann aber eines Besseren.

»Ich verstehe kein Wort.«

»Nun, sie haben Vakanzen. Freie Stellen«, antwortete Neeta. »Und ich hatte dir doch erzählt, dass ich einen Job suche. Dann muss ich nicht ständig darüber nachdenken, was Pavinder treibt, wenn er Überstunden macht und ›Teambuilding‹ betreibt.« Sie malte Anführungszeichen in die Luft.

Anna prustete los.

»Was denn?«, fragte Neeta. »Wieso lachst du und ziehst eine solche Grimasse?«

»Neeta, du kannst alte Leute nicht ausstehen«, sagte Anna. »Du magst sie noch weniger als singende Kinder.«

»Schsch!«, befahl Neeta. »Das stimmt doch gar nicht. Ich mag diese Alten nicht, die alles besser wissen und immer einen kleinen Vorrat an Chips für Einkaufswagen und diese unkaputtbaren Schirme dabeihaben und sich auch noch etwas darauf einbilden.« Sie senkte die Stimme. »Diese hier ... die sagen nicht viel. Und ich mag Menschen, die nicht viel sagen.«

»Ich bin mir nicht sicher, ob das ein Job für dich ist, Neeta. Die Arbeit hier besteht größtenteils darin, sich für Leute zu engagieren, die sich eigentlich für nichts mehr engagieren möchten. Haare kämmen, Hände eincremen, lesen, Brettspiele spielen.«

Anna wusste das, weil sie das Personal eines Pflegeheims, das diesem nicht ganz unähnlich war, beobachtet hatte. Als

Nanny Gwens Demenz überhandgenommen hatte und man sie nicht einmal mehr für kurze Zeit allein lassen konnte, gab es keine andere Möglichkeit mehr als das Pflegeheim. Gwen war eine Gefahr für sich selbst geworden, hatte Pfannen auf der heißen Herdplatte stehen lassen und sich beim Einkaufen in den Läden um die Ecke verlaufen. Im Pflegeheim war sie sicher gewesen, umsorgt. Anna war so oft hingegangen, wie sie konnte, und hatte einen Teil der Pflege selbst übernommen. Sie hatte sie angeregt, ihren Verstand zu benutzen und Erinnerungen wachzuhalten. Es war hart gewesen, mitansehen zu müssen, wie sich der Vorhang herabsenkte, dieser leere Blick, diese Tage, an denen sie nicht einmal mehr ihre Angehörigen erkannte. So etwas jeden Tag miterleben zu müssen, immer wieder zu sehen, wie Menschen wegdämmerten – Anna wusste nicht, ob sie das könnte.

»Ich bin ein fürsorglicher Mensch«, konterte Neeta.

»Ja, aber …«

»Ich bin mir sicher, dass ich Hände eincremen kann. Einmal musste ich etwas Klebriges in die Staubblätter einer Pflanze spritzen. Mir war absolut elend zumute, klar, aber Pavinder hat gesagt, dass ein paar seiner jüngeren Mitarbeiter wegen des Gestanks sogar in Ohnmacht gefallen sind und … Oh!«

»Was ist?«, fragte Anna. »Ist Ed ausnahmsweise mal pünktlich?«

Sie drehte sich zu der Glastür um, die über und über mit Buntglas-Rentieren übersät war. Auch die Köpfe der Mitarbeiterinnen drehten sich um. Dort stand nicht etwa Ed – sondern Sam.

Annas Wangen erglühten, als wolle sie Kastanien darauf rösten. Er war gekommen. Dabei hatte sie zu verdrängen versucht, dass sie ihn eingeladen hatte. Früher am Tag hatte sie ihm eine kurze Nachricht geschrieben. Na ja, es hatte mit einer kurzen Nachricht begonnen, aber nach dem neunten Versuch, die richtigen Worte zu finden, hatte sich die Nachricht fast zu einem Roman ausgewachsen. Den hatte Anna im Crescent Hotel abgegeben, in der Hoffnung, dass Sam noch dort wohnte und nicht näher an das pulsierende Leben in der City von London gezogen war. Und nun war er da.

»Du hast ihn eingeladen«, stellte Neeta fest.

»Möglich.«

»Gut. Nun hoffe ich noch inständiger, dass Ed kommt.«

Morgen hatte Sam einen Termin für ein Gespräch mit Dr. Monroe. Eine Nacht trennte ihn noch von dem Wissen, wie schlimm dieses Chorea Huntington tatsächlich war. Und heute Abend musste er versuchen, das so gut wie möglich zu verdrängen. Er hatte mal ein Buch darüber gelesen, dass man nicht zu viel nachdenken sollte – damals, als sein Kopf ständig überladen gewesen war. Der Knackpunkt war zu akzeptieren, dass man nicht alles unter Kontrolle haben konnte. Manchmal konnte man *überhaupt* nichts kontrollieren. Das einzusehen war der erste Schritt zu mehr Zufriedenheit im Leben. Normalerweise war das leichter gesagt als getan, aber nach Annas Nachricht fiel es ihm überraschend leicht. Sam versuchte, seinem inneren Tyrone nachzueifern. Anders als Chad war Tyrone der Typ, der immer seinen Eingebungen folgte und das Leben nahm, wie es kam. Dafür erntete er sowohl Bewunderung als auch Entsetzen. Sam wollte sich allerdings nicht in die halsbrecherischen Stunts stürzen, die sein Freund so liebte, er wollte einfach in ein Pflegeheim gehen, um jemanden zu sehen, mit dem er sich wirklich gut verstand. Das schien kein Ding der Unmöglichkeit zu sein, trotz seiner gegenwärtigen Situation.

»Hallo«, sagte er und trat zu ihr.

»Hallo«, sagte Anna.

»Bin ich zu spät? Ich habe mir Mühe gegeben, pünktlich zu sein, aber im Hotel war eine Weihnachtsfeier, und die ganze Meute stand im Foyer, sodass ich durch einen Dienstboteneingang flüchten musste.«

»Ein wahrer Superheld«, sagte Neeta. »Hallo, Sam.«

»Hallo, Neeta.«

»Ich suche dann mal jemanden, mit dem ich über die Beschäftigungsmöglichkeiten hier reden kann, bevor dieses schreckliche Gekreische beginnt«, sagte Neeta und ließ sie stehen.

»Offenbar mag sie keine Weihnachtskonzerte«, stellte Sam fest.

»Sie feiert nicht Weihnachten, und sie mag keine singenden Kinder. Na gut, Kinder mag sie schon, aber es wäre ihr lieber, wenn sie Bücher lesen und sich nicht als Möchtegern-Arianas produzieren.«

»Ruthie wirkt ganz begeistert«, sagte Sam, der nun das Mädchen entdeckt hatte, das sich die Ärmel seines Engelkostüms über die Hände gezogen hatte.

»Sie hat schon immer gern gesungen. Und sie hat auch eine wirklich schöne Stimme. Vielleicht kann die Musik dazu beitragen, Berührungsängste zu überwinden. Hier hat Ruthie nicht das Gefühl, anders zu sein.«

»Verstehe«, sagte Sam mit einem Nicken. Das war alles, was er sich als kleiner Junge vom Leben erhofft hätte. Von der NFL hat er vielleicht geträumt, aber das Einzige, was er je wirklich wollte, war das Gefühl, so viel wert zu sein wie die anderen. Er wollte nicht anders sein. Auch wenn in seinem Fall nicht Autismus das Problem gewesen war, sondern die Armut. Der Makel, die falschen Nikes zu haben. Der Makel, Turnschuhe zu tragen, die zwei Nummern zu groß waren, weil es nur die im Angebot gegeben hatte. Mit allem, was dann passiert war, hatte er schon mehr als genug erreicht. Vielleicht half es, sich das vor Augen zu halten, um weitermachen zu können.

»Bevor der Chor loslegt, möchte ich noch sagen, dass mir das mit gestern Abend leidtut«, begann Anna.

Sam lächelte sie an. »Das hast du doch schon mit deiner Nachricht getan. Was hast du noch gleich geschrieben?« Er griff in seine Manteltasche und tat so, als wolle er sie herausholen. »*Hey, Sam, hier ist die Crazy Lady.*«

»Du hast sie doch nicht etwa mitgebracht! Lies sie ja nicht vor. Neeta würde sie mein Leben lang als Druckmittel gegen mich verwenden.«

Er lachte. »Hör zu. Ich verstehe dich ja, das mit deinem Ex und mit Ruthie und so. Aber nur damit du es weißt: Sich eine schöne Zeit mit jemandem von der anderen Seite des Ozeans zu machen ist noch kein rechtsverbindlicher Vertrag. Es kann nicht mehr sein als eine schöne Zeit.«

»Gut.« Anna nickte.

»Vielleicht solltest du auch nicht davon ausgehen, dass jeder, dem du begegnest, dich nur ausnutzen will. Man sollte immer auf der Hut sein, aber man darf sich nicht vor allem verschließen.«

»Mir scheint, ich lausche einem Vortrag«, sagte Anna.

»Professor Jackman steht stets zu Ihrer Verfügung.« Er verbeugte sich.

»Heißt du wirklich Jackman?«

»Stör dich einfach nicht dran. Ich kann auch nichts dafür, dass es nach einem der weltbesten Schauspieler klingt. Das ist Segen und Fluch gleichermaßen.«

»Ladies und Gentlemen, das Heim präsentiert Ihnen voller Stolz die Richmond Roof Raisers. Sie hören ein Medley der beliebtesten Weihnachtslieder. Applaus, bitte!«

»Ah, es geht los«, sagte Anna. Ihre Hände wanderten zur Tasche, um das Handy herauszuholen.

»Soll ich mitfilmen?«, bot Sam an. »Dann kannst du dich ganz auf Ruthie konzentrieren?«

»Würdest du das wirklich tun?«

»Klar.«

Als der Pianist die ersten Takte gespielt hatte, öffnete sich die Tür und knallte gegen die Wand. Sam sah Annas Ex und die Frau aus dem Tipi hereinkommen und gleich in die erste Reihe durchmarschieren. Eines der Buntglas-Rentiere löste sich von der Tür und fiel auf den Teppich.

KAPITEL

EINUNDDREISSIG

»Du warst wunderbar!«, rief Anna nach dem Konzert und schlang die Arme um Ruthie. »Ich wusste ja gar nicht, dass du auch tanzen würdest.«

Ruthie strahlte. »Mrs Green sagte, es sei ein Geheimnis, damit alle Eltern ganz laut ›Ah!‹ rufen. Ich habe ewig dafür geprobt. Gott sei Dank habe ich die Schritte nicht mit denen der Stepptanzgruppe verwechselt. Mit einem Plastikbaby in den Armen zu tanzen war allerdings etwas komisch. Bei einer Probe ist einmal der Kopf abgefallen und unter das Klavier gerollt.« Plötzlich strahlte sie übers ganze Gesicht. »Sam!«

»Hey, Ruthie«, sagte Sam. »Ich habe dir eine Cola und eines dieser riesigen Kuchenteile besorgt. Vermutlich sollen sie wie Stechpalmen mit Beeren aussehen.«

»Sieht eher wie ein stachliger Penis aus«, verkündete Ruthie.

»Ruthie!«, rief Anna.

»Was denn? Stimmt doch.«

»Nun«, sagte Sam und hielt Ruthie den Teller hin. »Ganz unrecht hast du nicht.«

»Ruthie! Komm her und lass dich von deinem Vater und Nicolette umarmen!«

Anna schüttelte sich. Diese aufgesetzte Herzlichkeit in der Öffentlichkeit war ekelhaft. Andererseits war sie froh, dass er gekommen war. Über Nicolettes Anwesenheit war sie schon nicht mehr ganz so erfreut. Aber sie musste sich klarmachen, dass Ed, Nicolette und der Embryo nun eine Familie waren und nur noch im Paket zu haben waren.

»Hast du heute geduscht?«, erkundigte sich Ruthie bei Ed.

»Natürlich habe ich das«, antwortete Ed und trat weiter in ihren Kreis herein. »Was für eine dumme Frage.« Er stieß ein künstliches Lachen aus.

Anna schüttelte sich noch stärker. Wie wenig er doch über Ruthie gelernt hatte. Die Frage war nicht dumm. Für sie nicht.

»Nein, danke«, sagte Ruthie. »Aber wir können uns aus der Ferne umarmen, wenn du möchtest.« Sie bildete mit ihren Armen einen Halbkreis – eine Hand noch am Pappteller – und vollführte mit der freien Hand eine klopfende Bewegung. Ed blieb regungslos stehen.

»Sam hat mir eine Cola und einen Penis-Kuchen geholt«, verkündete sie und biss in eine der mit rotem Zuckerguss überzogenen Beeren.

»Das sollen Stechpalmenblätter sein. Irgendeine Reeni hat sie gemacht«, sagte Sam.

»Hat dir der Gesang gefallen, Dad?«, fragte Ruthie, die glücklich an ihrem Kuchen kaute.

»Der war ganz toll, mein Kind.«

»Und das Tanzen?«

»Das Tanzen hat mir am besten gefallen«, antwortete Ed.

»Wirklich?« Ruthie starrte ihn mit großen Augen an, als hätte er verkündet, dass Putin den Friedensnobelpreis bekam. »Du hast doch die ganze Zeit auf dein Handy geschaut, als ich getanzt habe.«

Anna biss sich auf die Lippen. Das war mal wieder typisch für Ed. Kreuzte hier auf, hielt damit seine Schuldigkeit für getan und schaute lieber in sein Handy als auf die Bühne, wo seine Tochter stand. Und Ruthie konnte er nichts vormachen, ihr entging nie etwas.

Nicolette streckte die Hand aus und berührte Ruthie am Arm. »Ich habe dir zugeschaut, Ruthie.«

Anna hielt den Atem an, als Ruthie zurückfuhr, als sei sie von einer Klapperschlange gebissen worden. Warum hatte Nicolette das getan? Wie würde Ruthie reagieren? Würde sie wütend oder traurig sein? Würde sie sich mit Aggression oder Sarkasmus Luft machen, um ihre wahren Gefühle zu verbergen? Oder würde sie am Boden zerstört sein? Vielleicht sollte Anna vorsorglich versuchen …

Zu spät. Ruthie konnte in Sekundenschnelle kreidebleich werden, und Anna wusste nur zu gut, was dann kam.

»Du hast mich … angefasst«, sagte Ruthie mit zitternden Lippen und wurde noch bleicher.

»Ruthie«, sagte Anna und trat zu ihrer Tochter. »Lass uns rausgehen und ein bisschen frische Luft schnappen.« Es war sowieso viel zu heiß hier, vermutlich um die Bewohner bei einer konstanten Temperatur zu halten. Kamen dann noch aufgeregte Teenager, blubbernde Samoware und eine üppige Weihnachtsbeleuchtung hinzu, war die Luft schnell zum Schneiden. Dabei trugen die meisten Zuschauer noch ihre Jacken.

»Mir geht es nicht gut«, sagte Ruthie, einen gequälten Ausdruck in den Augen. Den Arm, den Nicolette gedrückt hatte, hielt sie von sich gestreckt, als sei er Atommüll.

»Sie wird sich doch wohl nicht übergeben, oder?« Ed schüttelte ziemlich auffällig den Kopf.

»Ed!«, rief Anna.

»Hey, Ruthie, sieh mich an«, sagte Sam und beugte sich hinab.

Anna sah, wie Ruthie den Blick zu ihm hob.

»Erinnerst du dich, was ich über diese Typen an der Schule gesagt habe?«

Ruthie nickte energisch und stürmte dann, als hätte jemand eine Startschusspistole abgefeuert, mit Vollgas an ihrem Vater vorbei, im Slalom um das Personal mit den Teewagen voller Gebäck und Lotterielosen herum, Richtung Ausgang.

Anna sah ihrer Tochter hinterher, die den Gang entlang und dann zum Haupteingang hinauslief. Auf dem Parkplatz blieb sie unter einer Sicherheitsleuchte stehen und stieß ihren Atem in die kalte Luft.

»Sie dürfen Ruthie nicht anfassen«, sagte Anna zu Nicolette. Sie gab sich Mühe, ruhig zu bleiben, aber es frustrierte sie, dass es immer jemanden gab, der all ihre Anstrengungen zunichtemachte.

»Was wollen Sie damit sagen?«, fragte Nicolette. »Ich habe doch nur ihren Arm gedrückt. Ich wollte nett zu ihr sein.«

Sam berührte Anna am Arm. »Ich werde ein Auge auf Ruthie haben.« Die Antwort wartete er gar nicht ab. Er hatte den Raum schon verlassen, während sich Anna noch mit Ed und Nicolette beschäftigte.

»Ist schon in Ordnung«, sagte Ed und legte Nicolette einen Arm um die Schulter. »Woher sollst du auch wissen, dass etwas derart Unbedeutendes eine solche Reaktion bei ihr auslösen kann?«

»Kann sie nicht«, fuhr Anna ihn an. »Aber *du* hättest es wissen müssen, Ed. Du weißt doch, dass Ruthie sich nicht anfassen lässt, solange sie nicht deutlich signalisiert hat, dass das für sie in Ordnung ist.«

»Dazu würde ich gern etwas sagen, Anna. Ich habe mit einem Arbeitskollegen gesprochen, dessen Kind ein Jahr lang bei der Gesundheitsfürsorge war. Jetzt macht es eine Konfrontationstherapie. Sich nicht anfassen zu lassen ist nicht unproblematisch. Wie soll das werden, wenn sie älter ist? Sie kann doch nicht jedes Mal einen Anfall bekommen, wenn sie mit der Tube fährt.«

Anna schüttelte den Kopf. Es war einfach unglaublich. Fast erkannte sie den Mann nicht wieder, in den sie sich verliebt, den sie geheiratet und mit dem sie ein Kind bekommen hatte. Er war so kalt, so hart, fast selbstgerecht. Das war nicht der Mensch, der alte Dielenböden mit ihr abgeschliffen, Ruthies Wiege getischlert und ein Vogelhäuschen für den Garten gebaut hatte.

»Sie leidet unter Autismus, Ed, erinnerst du dich?«, fragte Anna. »Das ist nichts, was man durch Hypnose austreiben könnte. Es handelt sich nicht um eine Angst oder Phobie. Ehrlich gesagt weiß ich auch nicht, wie sie in der Tube oder an der Uni oder in einem Job klarkommen soll. Was ich allerdings sehr genau weiß, ist, dass sie Menschen braucht, die wesentlich verständnisvoller sind als du gerade.«

»Darf ich Ihnen ein Stück Weihnachtskuchen anbieten, meine Dame?«, fragte eine Mitarbeiterin des Heims, die mit einem Teewagen vorbeikam.

»Nein, danke«, sagte Anna so freundlich wie möglich.

»Aha. Ich nehme an, dein neuer Freund ist so überaus verständnisvoll, was? Sicher weiß er alles über besondere Bedürfnisse, auch von Frauen über dreißig«, ätzte Ed.

Anna war so schockiert, dass sie nicht wusste, wie sie reagieren sollte. Aber sie hörte, wie jemand neben ihr nach Luft schnappte.

»Was bildest du dir nur ein? In diesem Raum sind lauter Frauen über dreißig, die tausendmal mehr Anstand haben als du. Wenn du mein Ehemann wärst, würde ich den Feuerlöscher da nehmen und dich einschäumen, bis du aussiehst wie der Weihnachtsmann und das Michelin-Männchen in einer Person. Und dann würde ich dich auf den Parkplatz stellen, damit sich sämtliche Ratten der Nachbarschaft an diesem Baisermännchen laben, langsam und genüsslich, als sei es nur ein Appetitanreger vor der eigentlichen Hauptspeise – deinen Eiern!«, rief Neeta.

Totenstille hatte sich über den Raum gesenkt. Alle Blicke schienen auf ihre Gruppe gerichtet. Anna wusste nicht, wo sie hinschauen sollte, und wünschte, der pipifarbene Teppich würde sich auftun und sie verschlucken. Aber da das nie geschehen würde, tat sie das Nächstbeste. Sie rannte aus dem Raum wie zuvor Ruthie.

KAPITEL

ZWEIUNDDREISSIG

Annas und Ruthies Zuhause, Richmond

»Ich habe ein Feuer angezündet. Hoffentlich war das in Ordnung. Ich wusste nicht, wie lange ihr oben bleibt, und da es so kalt war …«

»Danke«, sagte Anna, die gerade ins Wohnzimmer kam. »Die Heizung läuft wieder, aber ich würde gern Heizkosten sparen. Und Kamine haben so etwas … Heimeliges.« Sie setzte sich auf das Sofa, stieß einen Seufzer aus und rollte die Schultern, die vollkommen verspannt waren. Etwas Heimeliges war genau das, was sie jetzt brauchte.

»Hör mal, ich wollte mich vorhin im Pflegeheim nicht in den Vordergrund drängen«, begann Sam.

Er stand mitten im Raum und berührte mit dem rechten Ellbogen Malcolms Äste, sodass der Christbaumschmuck gefährlich wackelte. Sie könnte sich klein vorkommen vor diesem riesigen Mann und dem ebenso riesigen Baum, stattdessen fühlte sie sich von so viel Solidität getröstet und geborgen. Eigentlich bräuchte sie keinen Schutz, aber es war schön, so viel Unterstützung zu erfahren.

»Ich hatte nur den Eindruck, Ruthie könnte ohnmächtig werden, und da wollte ich sie aus dieser Situation befreien – auf die einzige Weise, die ich kenne«, fuhr Sam fort.

»Du hast genau das Richtige getan«, sagte Anna und streckte ihre Füße in Richtung Feuer. »Wenn sie nicht verschwunden wäre, hätte sie sich übergeben, vermutlich direkt auf Nicolette. So lustig das auch gewesen wäre, für Ruthie wäre es hochpeinlich.«

»Geht es ihr denn gut?«, fragte Sam und steckte die Hände in die Manteltaschen.

Anna nickte. »Ja. Sie ist noch ein bisschen durch den Wind, aber sie hat geduscht, liegt jetzt im Bett und schaut sich Videos an, die sie beruhigen. Ed wollte Ruthies Andersartigkeit nie akzeptieren. Selbst als uns klar wurde, dass ihr Verhalten nicht neurotypisch ist, dachte Ed immer noch, sie würde da herauswachsen oder nur eine Phase durchmachen.« Anna schüttelte den Kopf. »Ich wollte es immer verstehen und Hilfe suchen, während Ed es heute noch gern unter den Teppich kehren würde – oder zumindest so tut, als sei es etwas anderes, als es ist.«

»Vielleicht will er es nicht akzeptieren, weil er nichts dagegen tun kann«, gab Sam zu bedenken. Er ließ sich neben ihr aufs Sofa sinken und legte die Finger aneinander. »Möglicherweise leidet er darunter, dass er ihr nicht helfen kann.«

So hatte Anna das noch nie gesehen. Während sie einen Weg gesucht hatte, um sich mit Ruthies Autismus und den alltäglich damit verbundenen Anforderungen zu arrangieren, hatte sie immer das Gefühl gehabt, dass Ed nur darauf gewartet hatte, endlich abzuhauen. Aber vielleicht steckte ja doch noch etwas anderes dahinter.

»Allerdings kenne ich ihn ja nicht, genauso wenig wie eure Situation. Außerdem geht es mich nichts an, daher …«

»Du bist eine gute Seele«, sagte Anna. »Du siehst sogar das Gute in jemandem, der absolut unmöglich zu dir war.«

Sam zuckte mit den Schultern. »Meistens müssen Menschen andere Menschen verletzen, weil sie selbst ein Problem mit sich haben.« Er streckte seine Hände zum Holzbrenner aus.

»Bist du wirklich Professor?«, fragte Anna, ein kokettes Lächeln auf den Lippen.

»Nein«, antwortete Sam. »Aber ich habe eine Schwester, die sich immer grässlich benimmt, wenn ihr aktueller Typ die Sache vermasselt und ihr das Herz gebrochen hat. Da er nicht greifbar ist, um die Sache auszutragen, kommt sie zu mir. Ich stecke das weg, weil ich nicht möchte, dass es ihr schlecht geht.«

»Aber es schmerzt mich, dass Ruthie so von ihm im Stich gelassen wird«, sagte Anna.

»Ich weiß«, sagte Sam. »Dagegen bist du am Ende leider machtlos. Du kannst nur die Scherben aufkehren, so wie du es heute getan hast.«

Anna schüttelte den Kopf. »Ich wünschte einfach, er würde es verstehen.«

»Klar«, sagte Sam. »Das würde ich mir auch wünschen. Für dich und für Ruthie.«

Anna seufzte. »Hat Ruthie etwas gesagt, als ihr beide zusammen draußen wart? Sie hat nicht mehr viel über den Vorfall geredet, bevor sie ins Bett gegangen ist.«

»Als ich kam«, sagte Sam, »hat sie gezählt. Also bin ich einfach stehen geblieben und habe gewartet, bis sie fertig ist. Dann hat sie mich gefragt, wie alt ich bin.«

Anna lachte. »O Gott! Tut mir leid!«

Sam musste ebenfalls lachen. »Ist schon in Ordnung. Ich habe es ihr verraten, und sie hat nur genickt. Dann erzählte sie mir von dem Mädchen in ihrer Schule, das seine Haare grün gefärbt hat. Sie wollte wissen, ob ich das für eine coole Farbe halte.«

»O Gott«, sagte Anna. »Letztes Jahr wollte sie sich pink-farbene Strähnchen machen lassen. Als wir dann tatsächlich beim Friseur waren, wurden die Strähnchen orange, und sie hat zwei Wochen das Haus nicht verlassen.«

»Oje! Ich habe gesagt, dass ich grün cool fände. Das schien mir die richtige Antwort zu sein.«

Wieder lachte Anna. »Sie ist vollkommen richtig, wirklich. Was kann schon passieren? Was ergibt denn Grün, wenn es auf braune Haare trifft?«

»Rot? Wieder Orange?«

»Aber Grün sicher nicht, oder?« Anna musste noch mehr lachen.

Und dann, als das Lachen erstarb und sie in Sams dunkel-braune Augen sah, wurde sie von einem ganz anderen Gefühl durchströmt. Unvermittelt wurde ihr warm. Es war diese Wärme, die ganz sanft begann und dann schnell aufwallte, so tröstlich wie erregend. Dieses Sofa, auf dem sie viele Nächte verbracht hatte, unter einer Decke zusammengerollt, und sich gefragt hatte, was sie in ihrer Ehe falsch gemacht hatte, dieses Sofa war nun wieder der schönste Ort der Welt. Gemütlich und sicher, ein Ort von Freude und Gelächter, nicht von Tränen und Tragödie.

»Geht es dir gut?«, flüsterte Sam.

Die Lichterketten am Weihnachtsbaum betonten die weichen Stoppeln an seinem Kiefer. Das gefiel ihr. *Er* gefiel ihr. Sie nickte und tastete zaghaft nach seiner Hand, verschränkte die Finger mit seinen. *Was tust du da? Denk doch mal nach. Nein, denk nicht. Tu etwas. Renn.* Als Annas Gehirn sich seinen Weg durch den Konflikt bahnte, spürte sie, wie Sam die Innenseite ihrer Hand streichelte. Er hatte riesige Hände, außen weich, innen etwas rauer, aber sanft, fürsorglich. Sie rutschte näher an ihn heran, und ihr Herz schlug wie der kleine Trommler. Was auch immer das war, sie hatte es verdient, auch einmal an sich zu denken. Anna zu sein. Oder? Sie beugte sich vor, und ihr Körper spürte bereits, wie es wäre, sich an ihn zu schmiegen, von ihm geküsst zu werden ...

Im nächsten Moment wurde alles von einem allmächtigen Jaulen übertönt. Bevor Anna reagieren konnte, war Cheesecake in den Raum gesprungen, kletterte an Malcolms Ästen hinauf und ließ Kugeln, Lametta und das Rotkehlchen, das Ruthie in der Grundschule gebastelt hatte, wie Geschosse in der Gegend herumfliegen. Dann war von oben ein Schrei zu hören: »Mum!«

Neetas und Pavinders Zuhause, Richmond

»Das kannst du nicht anziehen. Damit siehst du aus wie Nigella Lawson, und das meine ich nicht als Kompliment.« Neeta warf das Kleid mit dem tiefen Ausschnitt auf die violette Überdecke ihres Betts. »Außerdem wärst du erfroren, bevor du auch nur bei der St Paul's Cathedral angekommen wärst, und würdest zudem sämtliche Tauben verscheuchen.«

Anna seufzte und sah wieder auf ihr Handy. Am Vorabend hätte sie Sam fast geküsst. Jetzt fragte sie sich immer noch, wie weit sie gegangen wäre, wenn sie nicht von der verrückten Katze unterbrochen worden wären. Fast die gesamte Weihnachtsdekoration war ihr zum Opfer gefallen, und Ruthie hatte sich panisch erkundigt, was denn da so knallte.

»Ah«, sagte Neeta und zog etwas Dickes, Wollenes hervor, das auch in ein Heidi-Remake gepasst hätte. »Das habe ich getragen, als Pavinders Mutter zum ersten Mal in dieses Haus kam. Es ist so lang, dass man meine Füße kaum sehen kann. Pavinders Mutter ist nämlich besessen von Füßen. Bei unserer Hochzeit teilte sie mir mit, dass ich von Glück sagen könne, dass Pavinder Pflanzen möge, da meine großen Zehen wie Narzissenknospen aussähen.« Neeta schnalzte. »Eigentlich wollte ich es ihr heimzahlen mit der Bemerkung, dass mich ihre Nase an einen Maiskolben erinnern würde. Als treu sorgende Ehefrau habe ich aber nur süß gelächelt und erklärt, dass dafür der Rest von mir eine wunderschöne Blume sei. Diese Hexe hat mir glatt ins Gesicht gelacht! An meiner eigenen Hochzeit! Aber jetzt ist sie taub, das Karma hat sich am Ende also erfüllt.«

Anna nickte und presste wieder den Daumen auf ihr Handydisplay. Am Morgen hatte sie Sam eine Nachricht geschickt und sich erkundigt, ob es bei zwölf Uhr bleibe. Es hatte keinen Moment mehr gegeben, in dem sie sich fast geküsst hätten, aber bevor er sich verabschiedet hatte, hatten sie sich noch verabredet. Nur dass er jetzt nicht antwortete, obwohl sie schon vor ein paar Stunden geschrieben hatte.

»Wieso schaust du auf dein Telefon und nicht auf den Inhalt meiner Garderobe?«, fragte Neeta, die Hände in den Hüften und zwei sehr pinke Kleidungsstücke über dem Arm.

»Sam hat noch nicht auf meine Nachricht von heute Morgen reagiert«, sagte Anna.

»Was hast du denn geschrieben? Pavinder beschwert sich manchmal, dass ich es mit den Emojis übertreibe. Hast du mehr als zehn geschickt? Mir wurde gesagt, dass zehn das absolute Maximum seien.«

Anna schüttelte den Kopf. »Nein. Ich habe ihm nur einen guten Morgen gewünscht und nachgefragt, ob ihm zwölf Uhr immer noch recht sei. Lisa hat versprochen, Ruthie von der Schule abzuholen und sie zum Abendessen dazubehalten …«

»Die Verabredung habt ihr gestern Abend getroffen, nicht wahr?«, fragte Neeta. »Was könnte sich seither geändert haben?«

Anna schossen tausend Gründe in den Sinn, warum sie nicht gut genug für ihn war. Aber das durfte sie gar nicht erst zulassen. Daher schüttelte sie den Kopf. »Ich weiß es nicht.«

»Ich sage es dir«, erklärte Neeta. »Nichts! Und jetzt leg dein Handy weg und konzentriere dich auf die möglichen Outfits, die ich dir anbiete.« Sie schüttelte ein Baumwollgewand, das aussah, als sei es mit Zuckerstangen bedeckt.

»Neeta, wozu hast du das denn gekauft?«

»Für ein schickes Kostümfest. Das ist ein Zuckerstangenmuster, keine Reliquie der Heiligen Jungfrau.«

»Ich glaube nicht, dass das die richtige Botschaft aussendet. Es sieht ein bisschen … jung aus. Ruthie würde es vielleicht mögen.«

»Das ist ja auch kein Kleid von mir«, rief Neeta entsetzt. »Das gehört Pavinder.«

»Oje.« Anna seufzte erneut. »Vielleicht sollte ich lieber etwas von mir tragen und mich als die Person fühlen, die ich bin. Ich muss doch niemanden durch Kleidung beeindrucken.«

»Wenn du auf deinen Kleiderschrank zurückgreifen würdest, würdest du Jeans und ein Sweatshirt von Primark tragen.«

»Was ist daran schlimm?« Prompt vernahm Anna Nanny Gwens Stimme in ihrem Unterbewusstsein – weniger ein *Du bist nie vollständig angezogen ohne ein Lächeln*, als ein *Du bist nie vollständig angezogen ohne ein sorgfältiges Make-up und eine auffällige Kette*. Gwen würde sich aus Neetas Sammlung großzügig bedienen und Gelbtöne mit Brauntönen kombinieren, um nicht in Turnhose und ihren Pantoffeln aufkreuzen zu müssen …

»Anna«, sagte Neeta sanft, als sie das Baumwollgewand wieder an die Kleiderstange hängte, um sich dann neben sie aufs Bett zu setzen. »Dies ist eine brillante Gelegenheit, dich mal wieder mit einem Mann zu treffen. Die perfekte Chance sozusagen. Sam ist nur vorübergehend hier. Sobald er in den Flieger steigt, endet die Sache. Eine nette, filmreife Urlaubsromanze mit jemandem, den du wirklich attraktiv findest. Nicht mit jemandem, der in einer Dating-App ein veraltetes Foto gepostet hat.«

»Du hast ja recht.« Und wenn nichts daraus wurde, konnte sie immer noch mit Neeta zum Lunch gehen. Sie maß dieser Sache viel zu viel Bedeutung bei. Dabei sollte es doch nur ums Vergnügen gehen.

Sie zeigte auf Neetas Kleiderschrank. »Was ist das Gestreifte da?«

»Oh.« Neeta stand auf. »Das hatte ich ganz vergessen. Das habe ich zum ersten Mal getragen, als Pavinder mich in ein Restaurant ausgeführt hat, das nur Nachtisch serviert. Ich habe es mit Zitronen-Baiser-Torte und Chocolate Brownies bekleckert. Aber ich habe es reinigen lassen. Du kannst es gern anprobieren.«

KAPITEL

VIERUNDDREISSIG

Richmond and Twickenham Thames Circuit

Sam ging es schlecht. Nicht auf die Weise, wie es einem geht, wenn man zu viel gegessen hat. Eher so, als habe man das Gefühl, die eigene Welt sei auf den Kopf gestellt worden, und nichts würde mehr so sein wie früher. Er fühlte sich hohl, spürte aber gleichzeitig ein großes Gewicht auf sich lasten. Das Schlimmste war, dass es nicht allein um ihn selbst ging. Diese Sache, die mit ihm nicht stimmte – diese Krankheit, die er in sich trug –, begann und endete nicht hier.

Wieder klingelte sein Handy. Es hatte unentwegt geklingelt, seit er das Zoom-Gespräch mit Dr. Monroe und Frankie beendet hatte. Er war fast drei Meilen am Fluss entlanggegangen und hatte so getan, als würde er auf das Wasser schauen und sein Frühstück abtrainieren – ein Mann im Urlaub, frei von Sorgen und Pflichten, der den gegen den scharfen Wind vermummten Radfahrern freundlich zunickte. Tatsächlich aber war er in Gedanken in Cincinnati und versuchte verzweifelt zu verdauen, was er gerade erfahren hatte.

Jetzt nahm er das Handy aus der Tasche und beschloss, das monotone Geräusch zu beenden.

»Hey.«

»Warum bist du nicht drangegangen? Ich versuche schon seit einer halben Stunde, dich zu erreichen!«, rief Frankie.

Sam stieß einen Seufzer aus und schloss die Augen. »Weil ich nicht weiß, was ich sagen soll. Zu dir oder zu sonst jemandem.«

»Sam«, begann Frankie. »Ich verstehe ja, dass das ein schwerer Rückschlag ist, aber …«

»Du verstehst, dass das ein schwerer Rückschlag ist?«, rief Sam. »Tust du das wirklich? Bisher lief in meinem Leben alles wunderbar. Und wenn es mal Probleme gab, hast du sie behoben. Jetzt habe ich eine Krankheit, die mein Leben verkürzt und mich vorher in ein sabberndes Elend verwandelt. Und niemand kann mir sagen, wann es losgeht. Vielleicht, wenn ich fünfzig bin, vielleicht schon heute.« Er sog panisch Luft ein, als ihn der Schmerz überwältigte. »Und dann muss ich mir noch anhören, dass … dass …« Das war zu viel für ihn. Es war so viel, dass er nicht einmal wiederholen konnte, was Dr. Monroe ihm zuvor erklärt hatte. Das, was alles nur noch schlimmer machte.

»Ich verstehe es, Sam«, sagte Frankie sanfter. »Natürlich verstehe ich es nicht so wie du, aber ich verstehe, dass man das erst einmal verdauen muss.«

»Er sagte, es sei … erblich, Frankie«, platzte es aus Sam heraus. »Hast du gehört? Dr. Monroe sagte, ich hätte es nicht einfach bekommen, sondern von irgendjemandem geerbt.«

»Ja«, sagte Frankie.

»Ich werde also meiner Mutter und meinem Vater sagen müssen, dass einer von ihnen auch diesen Gendefekt in sich trägt«, fuhr Sam fort. »Außerdem … außerdem … besteht noch die Möglichkeit, dass auch Tionne es hat.«

Seine Eltern. Seine hart arbeitenden Eltern, die ihren Lebensabend mithilfe seiner Zuwendungen in vollen Zügen genießen sollten, ohne sich jemals Sorgen machen zu müssen.

Tionne. Seine kleine Schwester, dieses Energiebündel, das so oft die falschen Entscheidungen getroffen hatte. Jetzt war er noch viel wütender als damals, als er aus dem Sprechzimmer gerannt und in den nächsten Flieger gesprungen war. Damals hatte er gedacht, es ginge nur um ihn.

»Aber es ist doch besser, es zu wissen, oder?«, fuhr Frankie fort. »Gefahr erkannt, Gefahr gebannt!«

»Ach ja? Da wäre ich mir nicht so sicher«, entgegnete Sam. »Ich meine, wenn die Diggers nicht diese Untersuchungen verlangt hätten ... Ich selber hätte sie nie gemacht. Warum sollte ich? Meine Eltern sind nicht krank. Sie wissen gar nicht, dass es dieses Problem gibt. Hatten ihre Eltern so etwas? Wie viele Generationen sind überhaupt betroffen? Irgendwo muss die Reihe doch beginnen. Dr. Monroe kann gar nicht wissen, dass es nicht bei mir ist. Vielleicht *bin* ich ja der Anfang.«

»Sam, er hat gesagt, das sei fast unmöglich. Es komme absolut selten vor, *absolut selten*, dass ein Körper diesen Gendefekt spontan entwickelt. Viel wahrscheinlicher ist, dass einer deiner Großeltern es hatte, ohne dass es diagnostiziert worden wäre. Und ...«

»Ich weiß, Frankie, ich war bei dem Gespräch dabei.« Sein Schicksal war unausweichlich, aber vielleicht war er ja doch das erste Glied in der Kette. Er betete inständig dafür.

»Das Beste wäre sicher, du kommst nach Hause zurück und sprichst mit deinen Eltern und Tionne. Dann können sich alle untersuchen lassen.«

Er schüttelte den Kopf, obwohl Frankie ihn nicht sehen konnte. Er wüsste gar nicht, wo er anfangen sollte. *Hey, Mom, hey, Dad, ich habe erfahren, dass ich ein defektes Gen in mir trage, das mich krank macht und irgendwann sterben lässt. Ich fände es toll, wenn ihr einen Test macht, um herauszufinden, ob ihr auch erkranken und bald sterben werdet. Ach übrigens, Tionne hat es möglicherweise auch.* Er sah es schon vor sich, wie alle Farbe aus dem Gesicht seiner Mutter wich und sein Vater ihn sprachlos anstarrte.

»Und was, wenn sie keinen Test machen wollen?«, fragte Sam.

»Wieso sollten sie es denn nicht wissen wollen?«

»Weil es manchmal besser ist, nicht alles zu wissen. Würdest du denn wissen wollen, wie du stirbst?«

»Natürlich«, antwortete Frankie.

»Wirklich, Frankie?« Er schritt auf eine Brücke zu. »Und was, wenn du erfährst, dass dir nicht mehr viel Zeit bleibt, weil du an einer deiner geliebten superscharfen Chilischoten erstickst? Oder dass du von einem Tieflader erfasst wirst, wenn du nach einem Cafébesuch auf die Straße trittst?«

»Keine Ahnung«, sagte Frankie. »Vielleicht würde ich beschließen, meine Wohnung nicht mehr zu verlassen.«

»Das ist genau der Punkt.« Sam blieb auf der Brücke stehen und atmete tief durch. »Sobald du es weißt, verändert sich dein Leben, das erfahre ich jetzt am eigenen Leib. Ich weiß nicht, wie lange mir bleibt, aber jetzt werde ich immerzu darauf achten, ob sich meine Stimmung oder meine Art zu gehen verändert. Wenn ich torkele, ist das der Alkoholkonsum oder ein Anzeichen für die beginnende Degeneration? Vielleicht wollen meine Eltern das gar nicht. Ich kann mir auch nicht vorstellen, dass Tionne es will.«

»Es gibt aber doch Wege, mit der Sache umzugehen«, begann Frankie. »Ich habe mich erkundigt. Deine Karriere ist nicht vorbei, solange es dir gut geht. Wir können mit einem Vorschlag an die Diggers herantreten, wie wir uns den

Deal vorstellen. Oder wir warten ab, was sie uns anbieten. Dr. Monroe wird ihnen die Ergebnisse heute mailen. Aber du weißt natürlich, wie das ist, Sam. Das ist eine Sensation, und in jedem Unternehmen gibt es undichte Stellen. Ich kann nicht garantieren, dass nichts durchsickert. Du solltest besser mit deiner Familie reden, bevor sie es aus den Nachrichten erfahren.«

»Nein.« Sam schüttelte den Kopf. »Du kennst die richtigen Leute, Frankie. Mir ist egal, was das kostet, aber es darf nicht rauskommen, ehe ich nicht bereit bin.«

»Ich mag großartig sein, Sam, aber ich kann keine Wunder vollbringen.«

Er klammerte sich an das Brückengeländer. »Aha. Schön.«

»Darf ich dir einen Vorschlag machen, ohne dass du mir den Kopf abreißt? Das ist nämlich immer meine Aufgabe gewesen, und ich möchte keinen Rollentausch.«

»Na gut«, sagte Sam.

»Denk darüber nach, was das alles für *dich* bedeutet. Nicht für den Deal. Nicht für den Football. Nicht für deine Familie. Für *dich*, Sam.«

Das hörte er nur ungern, weil es so untypisch für Frankie war. Menschlichkeit hielt sie für eine Schwäche. Normalerweise war sie knallhart und sah nur auf den Dollar. Aber plötzlich dachte sie nicht mehr an ihre Provision für den Deal, sondern mahnte ihn zur Selbstachtsamkeit. Dann war es wirklich ernst.

»Hörst du, Sam?«, fragte sie, als er nicht antwortete.

»Ja«, sagte er. »Ich versuch's.«

KAPITEL

FÜNFUNDDREISSIG

St Paul's Cathedral

»Wahnsinn!«, sagte Sam. »Absoluter Wahnsinn! Ich fasse es nicht, dass ich wirklich hier bin und das alles mit eigenen Augen sehe.«

Anna musste lächeln angesichts seiner Begeisterung. Die Kathedrale war immer beeindruckend, aber heute, mit der verhangenen Winterkulisse und der hellen Weihnachtsbeleuchtung, war der Anblick wirklich postkartenreif. Vor der Kirche stand ein großer Weihnachtsbaum mit eisig weißen und leuchtend blauen Lichterketten. Den mittlerweile kahl gewordenen Bäumen hatte man goldene Bänder um Äste und Stamm gewickelt. Fast wünschte Anna, sie wären abends gekommen, wenn die Lichter noch heller leuchteten.

»Das rückt alles in eine andere Perspektive, was?«, sagte Sam, der immer noch vor Ehrfurcht erstarrt war. »Diese Architektur, so groß und kühn und doch so schön, alles überragend … Wahnsinn, ich kann's nur noch einmal sagen.«

»Ich habe noch nie Zeit gehabt, einfach hier zu stehen und sie anzuschauen«, gestand Anna und steckte die Hände in die Manteltaschen. »Einmal war ich mit Ruthie hier, als sie noch klein war. Sie hat sich über die Tauben geärgert.«

»Es sind wirklich viele«, sagte Sam mit einem Nicken. »Aber sie passen gut ins Bild.«

»Sie picken mir fast in die Füße. Und wie viel Dreck sie hinterlassen.«

Er lachte. Dann streckte er die Hand aus. »Komm, bleib ein bisschen mit mir hier stehen.«

Anna schluckte. Händchenhalten war für sie immer etwas Besonderes gewesen, aber Sam schien eine solche Intimität keine große Überwindung zu kosten. Sie trat vor und zog die Hände aus den Taschen. Weiter musste sie nicht denken. Sam nahm eine ihrer Hände und hielt sie fest.

»Im Ernst, ich hätte nie gedacht, dass ich das mal in echt sehe«, sagte er.

Anna genoss das Gefühl, wie seine große Hand die ihre praktisch verschluckte und innerhalb kürzester Zeit wärmte. »Du hattest nie vor, nach London zu kommen?«

»Mein Leben dreht sich mehr oder weniger um die Arbeit, daher kann ich für den größten Teil des Jahres die Vereinigten Staaten nicht verlassen.«

»Hast du keinen Urlaub?«

Er schüttelte den Kopf. »Nicht vor dem Saisonende. Und dann bin ich immer so erschöpft, dass ich meine Jungs entscheiden lasse, wo es hingeht.«

»Saisonende? So etwas wie die Urlaubssaison?«

»So in der Art.«

»Und *deine* Jungs? Arbeiten sie für dich?«

Jetzt musste er lachen. »Meine Freunde. Meine Mannschaftskollegen. Chad will immer nach Bora Bora, Tyrone nach Hawaii. Ich fahre einfach mit.«

»Was ist das denn für ein Job? Du sagtest, du treibst viel Sport, aber machst du das auch beruflich?«

Mit einem Seufzer drückte er ihre Hand. »Nun ja. Ich spiele Football.«

»Wirklich? Ruthie wird beeindruckt sein. Sie ist Fan von Chelsea, vor allem wegen der blauen Trikots. Aber sie kann dir das Gründungsjahr nennen und sämtliche Manager seither.«

»Football ist so ungefähr das Einzige, was ich kann. Ich spiele schon, seit ich fünf bin.«

»Als ich jung war, dachte ich, ich kann nur Kopfstand. Jetzt kann ich mich offenbar auch noch um Ruthie, ein Kaninchen und eine Katze kümmern. Und um Mr Wongs Anliegen, der König des kulinarischen Richmond zu werden.«

»Ich werde wohl herausfinden müssen, ob ich auch noch etwas anderes kann«, gestand Sam. »Du weißt ja, dass ich sechsundzwanzig werde. Meine Karriere wird nicht ewig dauern.«

»Werden Sportler nicht alle Kommentatoren? Oder Manager? Das Wissen hast du ja, auch wenn die Knie knacken. David Beckham sehen wir kaum noch auf zwei Beinen.«

»Vielleicht«, sagte Sam.

Sein Blick löste sich von der Kuppel der Kathedrale und blieb auf Anna liegen. Die schokoladenbraunen Augen wirkten fragend.

»Was ist denn?«, fragte sie, da sie sich auf dem Prüfstand fühlte.

»Was würdest du tun, wenn du nicht darüber nachdenken müsstest, wie Mr Wong seine kulinarischen Träume verwirklichen könnte?«

»Vermutlich immer noch auf dem Kopf stehen«, sagte Anna lachend. »Herausfinden, wie St Paul's aussieht, wenn das Unterste zuoberst gekehrt ist.«

Sie sah, wie sich seine Miene veränderte, und wünschte, sie hätte nicht so leichtfertig dahergeredet.

»Nein«, sagte sie sofort.

»Was denn?«, fragte er lachend.

»Ich kenne dich ja noch nicht lange, aber dieser Blick spricht Bände.«

»Nun komm schon.« Sam drückte ihre Hand. »Du hast gesagt, du könntest es, als würdest du es ständig tun. Ich weiß nicht einmal, ob ich das überhaupt schaffen würde.«

»Sam, wir stehen vor der St Paul's Cathedral, inmitten von Menschen und Tauben und … Straßenkünstlern, die eine Grunge-Version von ›Stille Nacht‹ darbieten. Wir können doch nicht …«

»Was?«

»Ich werde es nicht aussprechen.«

»Sag's.«

»Nein!«

»Nun komm schon«, sagte Sam. »Wir machen Kopfstand.«

»Du bist verrückt! Außerdem ist das Straßenpflaster hart und kalt und vereist! Ich bin mir sicher, dass es ein Gesetz gibt, das so etwas in der Öffentlichkeit verbietet.«

»Wirklich? Na gut, ich übernehme die Verantwortung, wenn die britischen Cops anrücken.« Er zog an ihrer Hand. »*Carpe diem!*«

»Toll. Wenn du nicht Kommentator werden willst, kannst du ja Lateinlehrer werden.«

Sam hielt an einem der Bäume und zog den Mantel aus. »So, das kalte, harte Pflaster ist jetzt nicht mehr so kalt und hart. Du zuerst, weil du es mir ja beibringen musst.«

Anna betrachtete den Mantel auf dem Boden und den schmächtigen Baum, an den sie sich würde lehnen müssen. Vermutlich hatte sie das zuletzt auf der weiterführenden

Schule getan. Aber irgendetwas reizte sie an der Herausforderung. Warum nicht auf der Straße einen Kopfstand machen? Wer sagte denn, dass man jederzeit hundertprozentig normal sein musste? Schon der Gedanke hatte etwas Befreiendes. Als das Adrenalin in ihren Körper schoss, wurde ihr bewusst, dass es nie eine solche Bedeutung für sie gehabt haben dürfte.

Sie legte ihre Tasche neben den Baum und zögerte keine einzige Sekunde mehr. Als wäre sie wieder jung und trüge ihre Schuluniform mit den langen Strümpfen, die ihr auf die Knöchel hinabgerutscht waren, beugte sie sich vor, legte den Kopf auf den Mantel, schwang die Beine hoch und landete sanft mit den Füßen am Baumstamm. Sämtliches Blut schoss ihr in den Kopf, als sie versuchte, das Gleichgewicht zu halten. Sam stieß einen lauten Pfiff aus, der sicher die allgemeine Aufmerksamkeit auf sie zog. Darauf war sie wirklich nicht scharf.

Während Sam noch klatschte, atmete sie langsam und tief ein und konzentrierte sich auf die Kathedrale. Aus dieser Perspektive wirkte sie eher wie eine Filmkulisse, die nach einer perfekten Vorlage zusammengezimmert worden war. Tauben und Menschen eilten immer noch hin und her, aber aus diesem Blickwinkel hatte es etwas Verrücktes, wie sie so in Linien und Kreisen einhermarschierten, auf und ab und rundherum, ohne erkennbares Ziel.

»Wow«, sagte Sam. »Aus dieser Perspektive ist es sogar noch schöner.«

Er stand nun auch auf dem Kopf, den extralangen Körper gegen den Baumstamm neben ihr gelehnt, die trainierten Bauchmuskeln freigelegt, da sein Pullover herabgerutscht war. Sie musste sich wieder konzentrieren, sonst würde sie die Stellung nicht mehr lange halten können.

»*Du* bist ebenfalls noch schöner aus dieser Perspektive«, sagte Sam sanft.

»Ha!«, antwortete Anna. »Weil es immer spektakulär ist, wenn man die Dinge auf den Kopf stellt.«

»Nimm das Kompliment doch einfach an«, sagte Sam.

»Darin sind wir Briten Meister«, antwortete sie. »Außerdem war das Sarkasmus, falls du es nicht gemerkt haben solltest.«

»Doch, habe ich«, antwortete Sam. »Und ich weiß auch, dass das Teil deines Panzers ist.«

Anna schluckte – was nicht so einfach war, wenn man auf dem Kopf stand –, als ihr bewusst wurde, dass die wenigen Männer, die sie nach dem Scheitern ihrer Ehe getroffen hatte, sie kaum gekannt hatten – nicht die Person, die sie zu sein vorgab, und erst recht nicht jene, die sich dahinter verbarg. Sam hingegen fand einen Weg unter die oberste Schicht und von dort erschreckend nah an die anderen Schichten heran, die sie für gewöhnlich unter Verschluss hielt.

»Wenn du mit mir zusammen bist, brauchst du keinen Panzer, Anna. Das verspreche ich dir.«

Nun wurde ihr ein wenig schwindelig, wegen des Kopfstands und wegen dieser Worte. Sie wollte gar nicht immer auf der Hut sein. Ihr war klar, dass sich dann nie etwas ändern würde. Tatsächlich war sie froh, dass sie mutig genug war, Zeit mit Sam zu verbringen. Das war schon ein Fortschritt.

Schließlich ging sie aus dem Kopfstand wieder heraus, landete in aufrechter Position auf der Erde und rieb sich die Hände. Dann hob sie ihre Tasche auf.

»Gewonnen!«, sagte Sam, der die Stellung hielt. Seine Bizepse arbeiteten hart, um ihn oben zu halten.

»Gewonnen?«, fragte Anna. »Ich wusste gar nicht, dass es hier um einen Wettkampf geht.«

»Es war doch klar, dass derjenige verliert, der zuerst runtergeht.«

»Dieses Konkurrenzdenken ist vermutlich typisch für einen Sportler.«

»Ich glaube nicht, dass das mit dem Sport zu tun hat. Eher mit Sam.« Er kam mühelos aus dem Kopfstand zurück und hob seinen Mantel auf. »Meine Schwester und ich sind immer in ein Restaurant in Cincinnati gegangen und haben ein Wettessen veranstaltet.« Er lächelte kopfschüttelnd. »Es war einer dieser Orte, wo man alles bekommt: Meeresfrüchte, Indisch, Chinesisch, Kreolisch … Alle paar Monate, wenn meine Mom Gutscheine dafür ergattern konnte, ging sie mit uns hin. Danach mussten wir eine ganze Woche lang nichts mehr essen, ernsthaft.«

»Und wer hat dann meistens gewonnen?«, fragte Anna.

»Ich, natürlich. Es sei denn, es ging um Eis. Ich weiß nicht, wo Tionne das hinsteckt, aber bei Eis macht ihr keiner was vor.«

»Sollen wir uns ein Eis holen, wenn wir die Kathedrale besichtigt haben?«

»Bei den Gefriergraden halte ich das für eine großartige Idee«, sagte Sam.

»Ist es dir zu kalt dafür?«, fragte Anna. »Oder geht es eher um den Wettbewerb, wem hier zu heiß ist?«

Im selben Moment, als die Worte ihren Mund verließen, wurde ihr die doppelte Bedeutung bewusst. Es wäre leicht gewesen, einen Rückzieher zu machen oder beschämt zu erröten. Aber irgendetwas brachte sie dazu, ruhig dazustehen, die Schultern durchzudrücken, seinem Blick zu begegnen …

»Jetzt schießt mein Blut in ein ganz anderes Körperteil als beim Kopfstand«, flüsterte Sam.

Sie standen nah beieinander. Zum ersten Mal, seit sie sich zueinander hingezogen fühlten, verspürte Anna nicht den Reflex, das Gefühl zu unterdrücken oder auch nur zu bewerten.

»Sam«, sagte sie und erkannte ihre Stimme dabei kaum wieder.

»Ja?«

»Küss mich. Bevor die Straßenmusiker wieder loslegen.«

Anna konnte ihren Satz kaum beenden, da hatten sich ihre Münder schon gefunden. Die Leidenschaft, mit der Sam sie überschwemmte, riss sie fast von den Füßen. Aber da hatte er sie mit derselben fließenden Bewegung auch schon in seine Arme hochgezogen. Seine Lippen versprühten sinnliche Hitze, wie heißes Karamell und süßer brauner Zucker auf tiefdunklem Schokoladeneis, Hitze und Kälte gleichermaßen, dekoriert mit Streuseln. Die kurzen verfilzten Haarbüschel fühlten sich samtig an unter ihren Fingern. Anders als bei dem Kopfstand zuvor hatte sie nicht das geringste Problem mit dieser öffentlichen Zurschaustellung von Gefühlen. Diese Position würde sie auch wesentlich besser halten können …

Schließlich löste sich Sam von ihr. Annas Lippen hatten sich noch nie so kalt angefühlt. Lächelnd legte sie einen Finger daran.

»Wahnsinn«, sagte Sam, ebenfalls lächelnd. »Wenn ich gewusst hätte, dass mich Sightseeing in London so umhaut, wäre ich schon früher gekommen.«

Anna schüttelte den Kopf. »Nein, dann wärst du zu jung gewesen. Das Timing ist perfekt.«

Er nahm ihre Hand und drückte sie. »Lass uns reingehen. Ich möchte Apostel Paulus persönlich danken.«

KAPITEL

SECHSUNDDREISSIG

Das Globe Theatre

»Hier scheint das wahre historische England auf uns zu warten«, sagte Sam. Sie waren nebeneinander, mit je einem Eis in der Hand, vor dem großen weißen Gebäude mit dem strohgedeckten Dach stehen geblieben.

»In der Tat«, stimmte Anna zu. »Das ist Shakespeares Globe Theatre. Es wurde in der Nähe der Stelle errichtet, an der Shakespeares Truppe 1599 das Original gebaut hat.«

»Wow«, sagte Sam. »Du kennst dich in Geschichte aus.«

»Ruthie hat einen Schulausflug hierher gemacht. Manche Dinge merkt man sich, wenn man sie nur oft genug hört.«

Mittlerweile war es dunkel geworden. Nur die Lichter an den Booten und Gebäuden brannten. Die Laternen waren festlich geschmückt, und neben dem Tor zum Theater ragte ein Weihnachtsbaum auf. Das Gebäude war genauso beeindruckend wie die St Paul's Cathedral, aber auf eine ganz andere Weise. Es war, als hätte es jemand auf dem Land entdeckt und in die Stadt verpflanzt, direkt ans Flussufer.

»Wir sollten hineingehen«, sagte Sam und sah sie an.

»Es ist geschlossen.« Anna leckte an ihrem Eis.

Er zog eine Augenbraue hoch. »Du meinst, das Tor ist zu.« Er legte die Finger ans Metall. »Das hast du über das Grundstück bei Mr Wongs Imbiss auch gesagt.«

»Sam, ernsthaft, das können wir nicht machen. Hier gibt

es sicher Überwachungskameras und eine Alarmanlage und all dieses Zeug.«

»Wir wollen doch nicht Shakespeares Diamanten klauen, Anna. Wir wollen es uns nur aus der Nähe anschauen und vielleicht ein paar Fotos machen.«

»Das sollten wir auf keinen Fall tun.«

»So wie den Kopfstand?«

»Wir wollten nur ein Eis essen«, erwiderte sie.

Aber sie sah bestimmt das Feuer in seinen Augen. Wie heiß ihre Küsse waren, wusste er mittlerweile. Doch für ihn war es mehr als nur die Erregung – eher eine Offenbarung. Er hatte eine Seite an sich entdeckt, die nichts mit seiner Karriere oder seinem gesellschaftlichen Status zu tun hatte. Er war dem Sam begegnet, für den das alles keine Bedeutung hatte, und der hatte ihm gefallen. Gelassen war er gewesen, ohne Erwartungen und Forderungen, was ihn auch mit Anna verband. Sie sah nicht den berühmten Spieler in ihm, nicht die Dollarzeichen, die jede andere neue Bekanntschaft unweigerlich mit ihm verband. Aus irgendeinem Grund gab ihm eine Frau, die so schön und ausgeglichen war, eine Chance. Nur dass all dies nicht von Dauer sein würde … *Du könntest ihr von der Krankheit erzählen.* Woher war diese Stimme gekommen? Noch nicht einmal seine Familie wusste davon. *Du könntest dich jemandem anvertrauen, der nicht direkt davon betroffen ist.* War es nicht ratsam, mit Fremden zu reden? Ehrlichkeit ohne Verurteilung? Nur dass sie sich jetzt geküsst hatten und Anna allmählich ihren Panzer ablegte … Er verdrängte die Gedanken und wandte sich wieder seinem Eis zu.

»Das war, ohne jeden Konkurrenzgedanken, das beste Eis, das ich je gegessen habe«, sagte Sam und biss in sein Hörnchen.

»Reden wir noch über das Eis?«, fragte Anna.

»Haben wir über Eis geredet?« Mit einem Grinsen lehnte er sich an das Tor. Zu seiner Überraschung öffnete es sich knarrend. »Ha! Siehst du das? Das Schicksal will, dass wir eintreten.«

»Hast du etwa nachgeholfen?«, fragte Anna. »Wenn du deinen US-Touristen-Charme spielen lässt, kommst du aus der Sache sicher heil raus. Ganz im Gegensatz zu mir.«

Sein Magen zog sich zusammen. Verschaffte ihm das hier wirklich Vorteile? Daheim in Cincinnati wurde er immer noch alle paar Monate bei zufälligen Polizeikontrollen angehalten, wenn man ihn nicht sofort erkannte – als schwarzer Mann musste man offenbar berühmt sein, um überhaupt etwas zu gelten. Er sah Anna an. Naiv war sie nicht, aber solche Erfahrungen hatte sie nie machen müssen. Wie könnte er es ihr übel nehmen?

»Nun komm schon«, bat Sam. »Wir brechen keine Türen auf, das verspreche ich dir. Nur für ein paar Fotos.«

Als er durch das Tor trat, vibrierte sein Handy. Einmal. Zweimal. Ein drittes Mal. Viermal. Er steckte die Hand in die Jeanstasche und stellte es aus, ohne vorher auf den Bildschirm zu schauen. Das war bestimmt Frankie, und sie würde ihn verstehen. Sie hatte ja selbst gesagt, er solle mehr an sich denken. Ansonsten konnte er immer noch der Zeitverschiebung die Schuld geben …

»Ich versuche, Schwierigkeiten eigentlich immer aus dem Weg zu gehen.« Anna aß ihr Eis auf und trat durch das schmiedeeiserne Tor.

»Immer? Wirklich?«, fragte Sam, als sie in den Hof kamen, der mit seinen verputzten Fachwerkwänden aus einem Märchen zu stammen schien.

»Immer. Außer, es geht um Karaoke.«

»Aha! Beeindrucke mich. Was ist dein Lieblingssong?«

Anna lachte und streifte ein Blatt von ihrem Stiefel. »Ich habe keinen Lieblingssong. Das würde doch bedeuten, dass ich es vorher geplant hätte. Normalerweise muss ich erst zwei, drei Wodka Tonic trinken – ich werde nur von Wodka wirklich betrunken –, bevor ich mich von Lisa auf eine Bühne schleifen lasse. Oder auf einen Tisch, da kennt sie nichts.«

»Das muss ich sehen!«

»Neeta schmeißt jeden Dezember eine Weihnachtsfeier, die natürlich keine Weihnachtsfeier ist. Da wird dann gesungen. Außerdem werfen sich alle in Schale und bringen etwas zu essen mit, allerdings keinen Truthahn. Truthahn ist strikt verboten.«

»Aus religiösen Gründen?«, fragte Sam.

»Nein, einfach aus dem Grund, dass Neeta Truthahn nicht ausstehen kann. Angeblich fühlt sich ihr Mund nach dem Genuss von Truthahn so an, als käme sie vom Zahnarzt.«

»Das Gefühl hasse ich auch.«

»Du solltest kommen.«

Sie klang unsicher, als wisse sie nicht, was er antworten würde. In diesem Moment wollte er jede Minute mit ihr verbringen, jede einzelne. Er wollte herausfinden, wie sehr er sich verlieben könnte, wenn ihm mehr Zeit bliebe.

»Andererseits … Ich weiß ja nicht, ob du dann noch hier bist.«

»Wann soll das denn stattfinden?«, fragte Sam und hakte sich bei ihr unter.

»Am siebzehnten.«

»Gut.« Sam nickte.

»Gut, du kannst kommen?«, fragte Anna.

»Gut, ich komme … wenn ich bis dahin noch bleiben kann.«

»Wenn du kannst?« Anna verlangsamte den Schritt. »Das klingt fast so, als sei es nicht deine eigene Entscheidung, wie lange du noch hier bist.«

Das stimmte. Er hätte es anders formulieren sollen.

»Eigentlich … sollte ich in diesem Moment Football spielen.«

»Offiziell hast du also gar keinen Urlaub?«, fragte Anna und stieß Luft aus. »Bist du einfach so abgehauen, um in London shoppen gehen zu können? Oder spielst du gar nicht in der Stammmannschaft und sitzt nur auf der Bank, wo es sowieso niemandem auffällt?«

Wenn sie nur wüsste … »Eine Weile bin ich vermutlich damit durchgekommen, aber ich weiß nicht, wie lange das noch klappt.«

»Nun«, Anna holte Luft und sah zu dem Strohdach des Theaters hinauf, »ein Geschenk hast du immerhin schon.«

»Ja«, sagte Sam.

In der Eisdiele hatte er für Tionne eine abgefahrene Eisschüssel mit passendem Löffel gekauft. Babyrosa, mit leuchtend blauem Dreiecksmuster, cool und klassisch. Er wusste, dass es ihr gefallen würde. Der Kurier, der sie zum Hotel bringen sollte, hatte mehr gekostet als die Schüssel selbst, aber das musste Anna ja nicht wissen. Ihm gefiel, dass sie keine Ahnung hatte, wer er war. Alles andere brächte nur Komplikationen mit sich, und wenn es eins gab, das Anna und Ruthie nicht brauchten, dann waren es weitere Komplikationen.

»Komm, wir sollten ein Foto von uns machen, wie wir den Schurken in uns entdecken und hier einbrechen.« Sam zog sein Handy aus der Tasche. Mist. Er hatte ganz vergessen, dass er es ausgeschaltet hatte, um es zum Schweigen zu bringen. Schnell steckte er es wieder ein und legte Anna einen Arm um die Schulter.

»Sagtest du einbrechen? Das Tor war doch angeblich offen«, sagte Anna, die nun ihr Handy aus der Tasche zog.

»Könnte sein, dass ich ein wenig nachgeholfen habe.«

»Sam!«

»Lächeln«, befahl er und legte seinen Kopf an ihren, als sie für ein Selfie posierten.

»Welche Eissorte hat dir eigentlich am besten geschmeckt?«, fragte Anna, die ein Foto nach dem anderen machte und dabei jedes Mal eine andere Miene aufsetzte.

Sie hatten zig verschiedene Eissorten probiert, als sie in der gemütlichen, festlich geschmückten Eisdiele gesessen und der italienisch angehauchten Weihnachtsmusik gelauscht hatten. Schokolade, Haselnuss, irgendetwas namens Winterwunder, Cranberry und Cookie, Glühwein, Karamell – eine gewaltige Konkurrenz für Ben & Jerry's. Sam hatte allerdings keinerlei Zweifel, wie seine Antwort auf Annas Frage lautete.

»Du«, sagte er. »Meine Lieblingssorte warst du.«

Und bevor sie lachen und ihn auffordern konnte, nicht so albern zu sein, beugte er sich vor und küsste sie wieder.

KAPITEL

SIEBENUNDDREISSIG

Annas und Ruthies Zuhause, Richmond

Es war Sonntag, Anna trank bereits ihren dritten Kaffee und war vollkommen aufgekratzt. Das kam aber nicht vom Koffein, sondern von der Arbeit an ihrem Projekt für Mr Wong, mit dem sie sich am Vortag getroffen hatte. Sie sprudelte über vor Ideen, fand immer neue Namen für die drei Imbisse und war mittlerweile der Meinung, doch noch vor Weihnachten bekannt zu geben, dass das Restaurant neu öffnete, um die Nachricht so früh wie möglich zu verbreiten.

Nur dass die genaue Form des Betriebs – oder *der* Betriebe – immer noch nicht feststand. Mr Wong war sich nicht sicher, ob er aus drei eins oder zwei machen sollte oder ob ein ganz anderes Konzept hermusste. Anna versuchte also, eine Lösung für alle Eventualitäten parat zu haben. Für die Pommesbude hatte sie Namen wie »Frier Starter«, »Totally Battered« oder »The Good Plaice«, für den China-Imbiss »Chow Main«, »Egg Fried Nice« oder »You Chew« und für den Italiener »Piece of Pisa« oder »Pasta la Vista«. Aber nichts davon schien die ultimative Idee zu sein. Für ihr Gefühl lauerte unter der Oberfläche des Projekts etwas, das sich ihr noch entzog. So etwas herauszukitzeln war sonst ihre große Stärke. Aber ein paar Tage blieben ihr ja noch.

Cheesecake maunzte im Hausarbeitsraum, wo sie eingesperrt war, solange Mr Rocket ein wenig Freilauf bekam. Die

Katze führte sich auf, als habe man sie in eine Todeszelle für Haustiere gesperrt und nicht in eine geräumige Kammer mit Spezialfressen, Extrasnacks und dem Kuschelkorb, den Anna auf Amazon gekauft, Cheesecake aber bislang keines Blickes gewürdigt hatte.

»Mum«, rief Ruthie aus der Küche. »Kann ich Cheesecake rauslassen? Wir wissen doch gar nicht, ob sie Mr Rocket wirklich nicht mag.«

Weißglühende Angst packte Anna. Sie sprang von ihrem Stuhl auf, rannte in Malcolm hinein und riss drei Christbaumkugeln und eine glücklicherweise ultrarobuste Schneekugel herunter.

»Nein, Ruthie«, rief sie. »Bitte, glaub mir, sie werden sich nicht verstehen. Du hast doch selbst gesehen, was Cheesecake mit der Stoffratte angestellt hat, die wir ihr gekauft haben.«

»Hast du ihren Kopf mittlerweile eigentlich gefunden?«, erkundigte sich Ruthie, die Mr Rocket in den Armen hielt, wie ein Baby mit Fell und langen Ohren.

»Nein«, antwortete Anna. »Und ich möchte ganz bestimmt nicht Mr Rockets Pfote suchen müssen … oder Schlimmeres.«

»Cheesecake möchte doch nur spielen«, beteuerte Ruthie.

»Ich weiß.« Anna seufzte. »Aber kannst du dich erinnern, dass wir mal über Menschen geredet haben, die gute Absichten haben und trotzdem Schlimmes anrichten.«

»Wie Lennie aus *Von Mäusen und Menschen*?«

»Genau. Und wir wollen doch nicht, dass Cheesecake Kaninchen *derart* lieb hat, oder?«

Wie aufs Stichwort hörte man wieder ein Miauen aus dem Hausarbeitsraum und ein Kratzen an der Tür. Dann knallte eine andere Tür. Die Haustür. Anna riss eine Schublade auf, packte ein Nudelholz und hielt es hoch, bereit zum Zuschlagen. Als sich die Küchentür einen Spalt öffnete, holte sie tief Luft.

»Herrgott, Anna!«, rief Ed, als sie das Nudelholz in seine Richtung schwang.

»Ed!«, keuchte Anna erleichtert. Im nächsten Moment packte sie die Wut. »Hast du immer noch einen Schlüssel zu *meinem* Haus?«

»Die Tür stand auf«, antwortete Ed. Aber das war so überzeugend wie damals, als sie ihn gefragt hatte, ob es eine andere Frau gäbe. Damals hatte er geseufzt, bevor er sie wieder belogen hatte. Nanny Gwens Vorbehalte wegen seines ausweichenden Blicks und des Herumlungerns hatten sich aufs Traurigste bestätigt.

»Was für eine gequirlte Scheiße!«, rief Anna.

»Mum!«, ging Ruthie dazwischen.

»Also wirklich, Anna.« Ed schüttelte den Kopf.

»Aber ich habe doch recht, oder? Außerdem ist das sicher weniger schlimm, als irgendwo einzubrechen. Wir werden ja sehen, was die Polizei dazu sagt.« Sie griff nach ihrem Telefon.

»Sei nicht albern. Ich wollte Ruthie besuchen.«

»Du hast dich nicht angekündigt.«

»Ich habe Ruthie geschrieben, stimmt's, Ruthie?«

»Nein«, sagte Ruthie und setzte sich Mr Rocket auf die Schulter.

Urplötzlich sah Anna, wie sich Eds Miene veränderte. Sie verwelkte wie ein Weihnachtsstern in einem überheizten Raum. Oder als habe er eine ganze Packung Schokoladenbonbons gegessen und fühle sich jetzt einem Zuckerschock nahe. Er schien kurz davor zu stehen, in Tränen auszubrechen.

»Ruthie, könntest du Mr Rocket in den Tragekorb setzen und uns einen Kaffee kochen?«, bat Anna. Irgendwie schaffte sie es, Ed aus der Küche zu bugsieren, ohne ihn anfassen oder etwas sagen zu müssen. Mit düsterer Miene trat er einfach den Rückzug an.

»Das ist dann schon dein vierter Kaffee heute Morgen«, sagte Ruthie.

»Am Wochenende zählen wir nicht«, sagte Anna.

»Wir zählen *nur* am Wochenende, weil ich während der Woche in der Schule bin.«

»Ich komme gleich und hole ihn«, sagte Anna. Im Vorraum blieb sie stehen und warf einen Blick auf das Foto von Nanny Gwen, um sich moralische Unterstützung zu sichern. *Vorsicht!* Das war alles, was sie zu hören bekam. Dann trat sie ins Wohnzimmer.

»Was ist los?«, fragte sie, als Ed sich in einen Sessel sinken ließ.

»Keine Ahnung«, gab er zu und fuhr sich mit den Händen durchs Haar. »Es ist nur … Ich habe alles vermasselt.«

Alles war nicht gerade aussagekräftig. Hatte er sich mit Nicolette gestritten? Schwangerschaftshormone konnten grausam zuschlagen, zumal Ed vielleicht seinen üblichen Trick angewandt hatte. Vielleicht hatte er den Kopf über sein Handy gebeugt und so getan, als würde das, was auch immer schieflief, nicht schieflaufen. Anna riss sich zusammen. Solange es nicht Ruthie betraf, ging es sie nichts an. Zu viele Monate lang hatte sie das Ende ihrer Beziehung geleugnet und nach etwas gesucht, an das sie sich klammern konnte. An einer Ehe musste man arbeiten. Sie durfte nicht aufgeben. Sie hatte besondere

Gerichte gekocht und die Dessous mit mehr Spitze als Stoff wieder ausgegraben. Sie hatte versucht, Zeit freizuschaufeln, nur für sie beide, fern von Ruthies Ausbrüchen. Bis sie schließlich feststellen musste, dass nur sie – Nicolette hin oder her – Anstrengungen unternahm. Ed sah sich selbst überhaupt nicht in der Verantwortung. Jetzt schwieg sie.

»Ich mache immer alles falsch. Egal, was ich anfange.« Er schüttelte den Kopf. »Herr im Himmel!«

Noch mehr unspezifische Klagen. Anna sah auf die Uhr. Ruthie und sie waren in einer Stunde mit Sam verabredet, um Kais Wohltätigkeitsspiel zu Weihnachten anzuschauen.

»Ich weiß nicht, wie du das machst«, fuhr Ed fort. »Das habe ich nie verstanden.«

»Was mache?«, fragte Anna.

»Mutter sein.«

»Ed, wovon redest du überhaupt?«

»Ich rede davon, dass du eine Art Diplom dafür zu haben scheinst, während ich die Prüfung nicht bestanden habe.«

»Diese Prüfung kann man nicht nicht bestehen – es sei denn, man gibt auf.«

»So wie ich es bei unserer Ehe getan habe?«

Er fing ihren Blick auf, und sie fröstelte. Die Prüfung im Gedankenlesen würde er mit Auszeichnung bestehen. Offenbar hatte er einen Streit mit Nicolette, aber es war nicht ihre Aufgabe, Trost zu spenden.

»Es war so schwer«, fuhr Ed fort und spielte dabei an seinen Fingernägeln herum. »Ruthie ist so … kompliziert. Nun komm schon, ich meine, das ist doch eine verdammt harte Situation.«

Anna schüttelte den Kopf. Selbst vor der endgültigen Autismus-Diagnose hatte sie, wenn sie mal fünf Minuten für sich gehabt hatte, immer vor sich hin gejammert. Warum Ruthie? Warum ihre Familie? Hatte sie während der Schwangerschaft etwas falsch gemacht? War es ihr Fehler? Aber dann hatte Ruthie sie mit einer banalen Dummheit zum Lachen gebracht, und Anna hatte begriffen, dass es hier um Ruthie ging, nicht um Ed oder sie selbst. Und Ruthie hat ihr Leben auf die einzige Weise gemeistert, die ihr zur Verfügung stand: einfach weitermachen.

»Für *Ruthie* ist es schwer, Ed.«

»Es ist für uns alle schwer. Nicht zu wissen, ob ich einen Raum betreten darf. Meine Hände desinfizieren zu müssen, weil ich irgendetwas Harmloses berührt habe … meine eigenen Arme zum Beispiel. Mir dieses ewige Gerede über die sonderbarsten Dinge anhören zu müssen. Weißt du noch, wie sie uns über die perfekte Anatomie eines Bagels aufgeklärt hat?«

»Ja«, sagte Anna.

»Ich meine …«

Er ließ den Satz in der Schwebe. Anna wusste immer noch nicht, worauf er eigentlich hinauswollte. Wollte er sich trösten lassen? Jedenfalls klang keines seiner Worte wie eine Entschuldigung dafür, dass er Ruthie bei ihrem Auftritt im Pflegeheim nicht die volle Aufmerksamkeit geschenkt hatte.

»Ich weiß nicht, was du von mir erwartest«, sagte Anna. »Warum bist du hier, Ed? Wegen Ruthie? Oder wegen dir?«

»Ich will nur sagen, dass ich ein beschissener Vater bin«, stellte Ed fest.

»Das Wichtigste an diesem Satz ist nicht das Wort ›beschissen‹, sondern die Tatsache, dass du Vater bist. Punkt. Daran wird sich auch nichts ändern, selbst wenn du von dieser Position zurücktrittst.«

»Und jetzt werde ich noch einmal Vater und ... Ich weiß einfach nicht, ob ich das kann.«

Jetzt sträubten sich Anna die Nackenhaare. Sie war doch nicht die Psychotherapeutin ihres Ex-Manns. Dass Ed überhaupt auf eine solche Idee kommen konnte, zeugte nur wieder von seiner Selbstsucht, die sie beide an diesen Punkt gebracht hatte. Wo war er, als sie nach der letzten pädiatrischen Untersuchung Trost gebraucht hätte? Wo war sein liebender, unterstützender Arm um ihre Schulter, als sie Ruthie von einer Klassenfahrt abholen musste, weil ein Kind bei den Standbildern mit einem Schrei auf sie losgesprungen war? Bindungen mussten immer wieder von Neuem gefestigt werden.

»Du kannst mit Ruthie Kaffee trinken«, sagte Anna und stand auf. »Ich ziehe mich eine halbe Stunde zurück, dann kannst du dich ein bisschen mit ihr unterhalten. Frag sie einfach nach Dingen, die ihr wichtig sind. Und dann möchte ich, dass du gehst. Ich möchte auch nicht, dass du Ruthie abholst, ohne vorher eine feste Verabredung getroffen zu haben, so wie es vom Gericht festgesetzt wurde.«

»Anna ...«

»Nein. Ich kann das nicht, Ed. Wir sind nicht mehr verheiratet. Du kannst nicht kommen und gehen, wie es dir passt. Das ist *mein* Haus. Ruthies und meins. Ich weiß nicht, was du in diesem Moment von mir erwartest. Ich weiß nur, dass wir beide unsere Ehe aufgegeben haben, lange bevor du Nicolette begegnet bist. Aber du hast sie zuerst aufgegeben, ohne auch nur zu kämpfen. Dabei hätten Ruthies Probleme uns zusammenschweißen und nicht trennen sollen. Und da sie uns nicht zusammengeschweißt haben, waren wir als Paar vielleicht nie so stark, wie wir dachten.«

Unvermittelt wurde Anna von Gefühlen überwältigt. Ihre Lippen zitterten, Tränen schossen ihr in die Augen. Ed stand auf.

»Anna«, sagte er und streckte die Hand aus.

»Nein.« Anna wich zurück. »Bitte sieh in Ruthie nie etwas anderes als Ruthie. Denn genau das ist sie. Sie ist keine Ansammlung von Problemen, sie ist einfach nur unser Mädchen.«

KAPITEL
ACHTUNDDREISSIG

High Street, Richmond

»Schau doch mal, die ganzen Lichter und der Weihnachtsschmuck. Albert! Wo bist du denn? Komm aus der Speisekammer und schau dir an, wo Sam gerade ist. In England!«

Sam musste unwillkürlich lächeln, weil sich seine Mutter derart für eine Einkaufsstraße begeistern konnte, die geschmückt war mit silbernen und goldenen Girlanden, Schneemännern und Weihnachtsmännern, riesigen Zuckerstangen, die von den über die Straße gespannten Drähten herabhingen. So großartig die Dekoration war, über den Anblick seiner Mutter, die das übliche senfgelbe Kopftuch um ihre Dreadlocks geschlungen und wieder ihren geliebten hellrosa Lidschatten aufgetragen hatte, freute er sich viel mehr. Er wusste, dass Tionne ihn hasste und ihre Mutter immer dazu ermunterte, mal eine andere Farbe auszuprobieren oder sich falsche Wimpern anzukleben. Aber Dolores blieb hart. Wenn etwas nicht kaputt war, reparierte man es auch nicht. Und wenn es kaputtging, reparierte man es um jeden Preis, statt es wegzuwerfen. »Neu« war immer die zweite Wahl nach »zusammengeflickt«. So hatte Dolores sie erzogen, und das war auch der Grund dafür, dass er auf seinem Vermögen saß und es nicht verpulverte. Er sparte für die Zukunft. Er verprasste nicht Tausende von Dollars für Poolpartys und Maseratis. Und was hatte ihm das nun gebracht?

»Albert! Komm, habe ich gesagt. Sam ist hier und zeigt sein Gesicht!«

»Mom«, sagte Sam. »Das klingt, als sei ich ein Ganove.«

»Warum bist du überhaupt drüben? Die Bisons haben das letzte Spiel verloren. Im Radio haben sie gesagt, du wärst daran schuld, weil du nicht mitgespielt hast. Sie haben auch gesagt, dass du einen Unfall hattest. Ist das der Grund, warum du da drüben bist?« .

Ein Unfall. Nun, ihm war egal, wie Frankie dafür gesorgt hatte, dass über seine Abwesenheit nicht spekuliert wurde. Ein Unfall war vollkommen in Ordnung. »Mir geht es gut, Mom.«

»Gut genug, um ans andere Ende der Welt zu reisen, aber nicht gut genug, um spielen zu können?«, fragte sie. »Hat das etwas mit diesem großen geheimen Deal zu tun?«

Den »großen geheimen Deal« hatte sie hinausposaunt, aber hier achtete ohnehin niemand auf seinen FaceTime-Call. Alle waren damit beschäftigt, sich mit ihren prallen Einkaufstüten aneinander vorbeizuschieben.

»Albert! Kommst du jetzt endlich!«, rief Dolores wieder. »Ich weiß gar nicht, was in letzter Zeit mit ihm los ist. Er schlurft wie ein Hundertjähriger durch die Gegend, isst auch wie einer und kleckert sich ständig die Klamotten voll ... Albert!«

Sam gefror innerlich, bekam keine Luft mehr, musste stehen bleiben. Sein Dad war antriebslos? Degenerierte?

»Mom«, sagte Sam mit zittriger Stimme. »Ist Dad krank?«

»Krank?«, fragte Dolores mit erhobener Augenbraue. »Dein Dad war noch nie im Leben krank!«

»Aber du sagtest doch, er würde durch die Gegend schlurfen und sich bekleckern.«

»Weil er faul und tollpatschig ist. Albert! Komm sofort her!«

Seine Mom mochte es abtun, aber Sam musste sofort an seine Diagnose denken. War sein Vater schon betroffen? Er schluckte und beobachtete ihn, als er jetzt ins Bild kam.

»Auf Urlaub, mein Junge?«, fragte sein Vater mit ernster Miene. »Die Mannschaft zahlt dir zu viel.« Dann lachte er und ließ die Reihe blitzend weißer Zähne sehen, die er immer für seinen größten Vorzug gehalten hatte. Auch Dolores hatte er in einer überfüllten Blues-Bar damit aus der Ecke gelockt.

Sam ging weiter. »Sie müssen sich ihre besten Spieler ja warmhalten, was?«, antwortete er, während er seinen Vater im Blick behielt und nach Spuren suchte. Unabsichtlichen Zuckungen. Langsamen Augenbewegungen. Artikulationsproblemen. Im Geist hakte er die Liste ab, die Dr. Monroe ihm geschickt hatte.

»Was ich noch gern wissen würde: Dürfen wir jetzt über den großen geheimen Deal reden?«, flüsterte Dolores lautstark.

Sam blieb auf der Brücke stehen und lehnte sich an das Geländer. »Tionne hat gesagt, du hättest es deinem Friseur erzählt, Mom.«

»Deine Schwester! Kann kein Geheimnis für sich behalten. Kennst du schon ihren neuen Freund? Den ganzen Hals voller Bilder. Ich habe ihr gesagt, wenn Gott gewollt hätte, dass wir überall Bilder auf der Haut haben, dann hätte er sie selbst gemalt und sicher bessere Arbeit geleistet als irgendein dahergelaufener Typ in einer dreckigen Gasse.«

Sam konnte den Blick nicht von seinem Dad lösen. Huschten seine Augen immer wieder vom Bildschirm weg, weil

FaceTime ihn zu sehr anstrengte? Oder nahm seine Konzentrationsfähigkeit ab?

»Sie … na ja … hat mir von dem Typen erzählt. Ich habe gesagt, sie soll keine Entscheidungen treffen, bis ich zurück bin«, antwortete Sam.

»Seit wann hört Tionne auf irgendjemanden?«, fragte Dolores.

Sein Dad sagte nicht viel. Wobei Dolores natürlich für zwei sprach. Wirkte er geistesabwesend, oder bildete Sam sich das nur ein?

»Was macht die Werkstatt, Dad?«, fragte er. Das war eine gezielte Frage, deren Beantwortung nicht einfach seine Mutter übernehmen konnte.

»Viel Arbeit«, antwortete Albert. »Letzte Woche habe ich fünf Autos verkauft. Der neue Bursche nur drei.« Er kicherte. »Und bei zweien habe ich die meiste Arbeit geleistet. Der Junge muss noch viel lernen.« Er schüttelte den Kopf. »Sie haben gefragt, wann ich in den Ruhestand gehe. Wenn ich nicht mehr auf dem Vorplatz zu Johnny Lee Hooker tanzen kann, habe ich gesagt.«

»Du wirst dort noch sterben«, stellte Dolores fest. »Eines Tages brichst du zusammen, fällst gegen die Karosserie eines Cadillac und wirst zum Schrottplatz transportiert.«

Sam schluckte. Das ging ihm alles viel zu nahe. Sein Herz pochte in seiner Brust, als er sich an das stabile Brückengeländer lehnte und Körper und Geist zu erden versuchte.

»Wann kommst du nach Hause?«, fragte Dolores. »Der Metzger muss das wissen. Ich wollte Grillhähnchen machen, in einer weihnachtlichen Marinade – mit Zimt und Sternanis zusätzlich zu den üblichen Gewürzen –, und danach mein Ziegencurry.«

Wann kam er nach Hause? Und wie würde dieses Zuhause aussehen, wenn die Nachricht erst einmal heraus wäre? Wenn der Deal, der ihn zu einem der bestverdienenden Spieler der Geschichte machen würde, nicht zustande käme? Kameras vor seinem Gesicht, Presse vor der Tür, alle gierig auf ein Exklusivinterview. Er wusste, dass er seinen Eltern alles erzählen musste. Andererseits würde ein Aufschub auch nichts ändern.

Für diese Krankheit gab es keine Heilung. Wenn seine Eltern oder Tionne dieses defekte Gen auch hatten, dann konnte er nichts für sie tun. Sollte er sie noch eine Weile schützen? Könnte er Weihnachten feiern, ohne dass die Gesundheit zum Hauptgesprächsthema wurde? Oder hatte Frankie recht? Ließ sich gar nicht kontrollieren, wie schnell sich die Nachricht herumsprach? Er wollte nicht, dass seine Mom oder Tionne es von Fremden erfuhren, ein Aufnahmegerät vor der Nase, damit sie gleich einen Kommentar abgeben konnten. Und was war mit Anna und Ruthie? Bei diesem Gedanken krampfte sich sein Magen zusammen. Wenn sich die Nachricht verbreitete, solange er noch hier war, was dann? Im Moment mochte er noch unerkannt durch die Straßen laufen, aber wenn es erst einmal heraus war, würden sich womöglich auch die britischen Journalisten auf ihn stürzen.

»Sam«, rief Albert und ging näher an den Bildschirm heran, so nah, dass Sam die Haare in seiner Nase erkennen konnte. »Ist alles in Ordnung mit dir?«

Die Stirn seines Vaters war immer von tiefen Furchen durchzogen gewesen, aber nun wirkten sie noch tiefer – massive Schienenwege, schwer lastend, während er auf Sams Antwort wartete. Sam konnte es nicht tun. Er konnte es ihnen nicht erzählen. Nicht jetzt. Nicht über eine Internetverbindung.

»Mir geht es gut, Dad«, sagte Sam und legte so viel Energie in seine Stimme, wie er nur konnte. »Mir geht es wirklich gut.«

NEUNUNDDREISSIG

Richmond Harriers Rugby Club, Richmond

»Los, Kai! Zeig's ihnen, mein Sohn!«, schrie Paul an der Seitenlinie und blies dabei weißen Dampf in die Luft.

»Ja genau! Los, Kai!«, schloss Lisa sich an und klatschte in die behandschuhten Hände.

»Ich habe nie begriffen, worum es dabei überhaupt geht«, gab Anna zu. Die Rugbyregeln würde sie nie verstehen. Was hatte es mit diesem »Scrum« auf sich, wenn sich alle Spieler auf einem Haufen zusammendrängten? Und wie um Himmels willen erkannte man ein Abseits? Und wenn dann erst einmal alle Spieler mit Schlamm verkrustet waren, woher wusste man dann überhaupt noch, zu welcher Mannschaft sie gehörten?

»Ich habe auch keine Ahnung, was da abgeht«, erklärte Neeta. »Aber der Kaffee ist immer großartig.«

»Außerdem gibt es ein paar heiße Spieler«, sagte Kelsey. »Leider nicht unter denen, mit denen mein Bruder befreundet ist.«

»Verstehst du das Spiel?«, fragte Anna und sah zu Sam auf, der neben ihr stand. Sie war etwas besorgt. Er war pünktlich eingetroffen und hatte mit Ruthie über den Trailer des demnächst herauskommenden Marvel-Films gesprochen, aber irgendwie wirkte er abwesend.

»Ja«, sagte er. »Ich verstehe es. Denke ich jedenfalls. In den Staaten spielen wir es ein wenig anders, aber …«

»Du bist nachher mit dabei beim Eltern-Match, oder?«, erkundigte sich Paul mit schmeichelndem Tonfall.

»Eltern-Match?«, fragte Sam.

»Nach dem Spiel«, erklärte Anna. »Die Eltern und sämtliche Erwachsene, die dumm genug sind, sich darauf einzulassen, stellen zwei Mannschaften zusammen und treten gegeneinander an. Währenddessen gehen Lisa, Neeta und ich mit einer Dose und sammeln Geld für wohltätige Zwecke.«

»Dieses Jahr sammeln wir für einen neuen MRT-Scanner für das Krankenhaus. Man weiß nie, wann man so etwas mal braucht«, sagte Neeta. »Hoffentlich nicht heute. Als Pavinder das letzte Mal so ›zum Spaß‹ an dem Wohltätigkeitsspiel teilgenommen hat, musste er eine ganze Woche lang eine Halskrause tragen.«

»Ich weiß nicht«, sagte Sam.

»Bitte spiel mit«, sagte Ruthie. »Ich glaube, du wärst sehr gut. Und der Dad von Jason Burgess nimmt immer Leute, die wirklich Rugby spielen können. Daher hat sich Paul letztes Jahr ein blaues Auge geholt.«

Paul verzog das Gesicht. »Mich hat ein Ellbogen erwischt. Den Ball habe ich trotzdem bekommen.«

»Außerdem hast du den Werbestand für Proper Pies kaputt gemacht«, fuhr Ruthie fort.

»Er war nicht richtig kaputt«, protestierte Paul, der jetzt rot angelaufen war.

»Aber sie mussten jemanden kommen lassen, damit er das Schild mit dem Schwein neu malt«, schloss Ruthie.

»Ist alles in Ordnung?«, fragte Anna, nachdem sie Sam ein Stück zur Seite gezogen hatte. Sie fragte sich, ob es ein bisschen viel für ihn war, ihre Freunde ertragen und in diesen Festtrubel eintauchen zu müssen. Sie hatten ein paar heiße

Küsse ausgetauscht – mehr als heiß –, aber die Sache blieb trotzdem unverbindlich, oder? Da seine Zeit in England begrenzt war, konnte es gar nicht anders sein. Vielleicht war sie nach ihrer anfänglichen Zurückhaltung nun zu fordernd …

»Ja«, sagte er, den Blick auf die Jungen auf dem Rasen gerichtet. »Mehr oder weniger.« Er seufzte. »Ich habe heute mit meinen Eltern telefoniert und bin nun ein wenig besorgt wegen meines Vaters.«

»Oh«, sagte Anna. »Das tut mir leid. Geht es ihm nicht gut?«

Sam schüttelte den Kopf. »Ich weiß nicht. Vielleicht ist es nur so ein Gefühl, dass irgendetwas nicht stimmt.«

»Dein Gefühl solltest du niemals ignorieren, wenn du mich fragst, besonders wenn es um alte Leute geht, die man besser kennt als sämtliche Ärzte zusammen. Ich denke da etwa an Nanny Gwen. Ältere Menschen sind Experten darin zu verstecken, was in ihrem Innern wirklich vor sich geht. Diese stoische Ruhe, mit der sie immer durchkam, hat ihr das Leben am Ende echt schwer gemacht.«

»In der Tat«, stimmte Sam zu. »Mein Vater würde es niemals zugeben, wenn es ihm nicht gut gehen würde.«

»Meine Nanny war genauso.« Anna seufzte. »Erst als sie im Badezimmer den Herd gesucht hat, war mir klar, dass wirklich etwas nicht stimmt.«

»Was ist aus ihr geworden?«

»Sie litt an Demenz. Nach und nach, über Monate und Jahre hinweg, wurde es immer ein bisschen schlimmer. Manchmal hatte sie gute Zeiten, aber dann folgten schreckliche Tage, und so ging es immer weiter und weiter, ein ewiger, grauenhafter Kreislauf. Ich war zweiundzwanzig, frisch verheiratet, mit Ruthie schwanger – und musste mit ansehen, wie sich meine wunderschöne, starke, lebendige Großmutter in nichts als eine leere Hülle verwandelte. Gleichzeitig wusste ich, dass sie es hassen würde, so zu sein.« Wieder seufzte Anna. »Als sie starb, war ich am Boden zerstört, aber ein Teil von mir war auch erleichtert. Nicht wegen mir, sondern wegen ihr. So ein Leben hätte sie nie gewollt. Es war unerträglich, das mitanzuschauen.«

Sam wusste nicht, was er sagen sollte. Anna hatte miterlebt, wie sich eine geliebte Person veränderte und immer schwächer und schwächer wurde, bis nichts mehr von ihr übrig war. *Degenerierte.* Wie bei Chorea Huntington.

»Du solltest deinen Vater ermuntern, zum Arzt zu gehen. Sicher ist alles in bester Ordnung, aber es ist wichtig, Gewissheit zu haben.«

»Ja.« Sam nickte. Er musste dieses Gespräch sofort beenden. Er würde ihr gern erzählen, wie es ihm ging und welcher Art seine Sorgen um seinen Vater waren. Aber dies waren weder der rechte Ort noch der rechte Moment dafür. Außerdem sah er die Traurigkeit in Annas Miene, wenn sie von ihrer Großmutter erzählte. Er drehte sich zu der Gruppe um. »Hör mal, Paul. Ich kann gern mitspielen, wenn ihr das möchtet.«

»Klar!«, rief Ruthie und hüpfte vor ihm auf und ab. »Natürlich wollen sie das. Pavinder ist der Beste, aber er ist nicht hier. Wenn du nicht aushilfst, sind sie im Arsch.«

»Ruthie!«, rief Anna.

»Was denn?«, fragte Ruthie mit Unschuldsmiene. »Solltet ihr nicht eure Spendendosen holen? Es dauert nicht mehr lange bis zum Spiel.«

»Ruthie hat recht«, sagte Lisa. »Feuert Kai für mich an. Komm, Neeta. Und Kelsey, dich brauche ich auch.«

»Ist es in Ordnung, wenn du bei Ruthie bleibst, während ich bei den Vorbereitungen helfe?«, erkundigte sich Anna bei Sam.

Sam sah, dass Ruthie die Augen verdrehte. Dann sagte sie: »Ich werde ihm taktische Anweisungen geben, da ich weiß, wie die Leute auf beiden Seiten spielen.«

»Ruthie wird auf *mich* aufpassen«, sagte Sam zu Anna.

Sobald Anna außer Sicht war, fragte Ruthie: »Bist du nun eigentlich der Freund meiner Mutter?«

»He, Ruthie, das hat doch nichts mit Taktik zu tun.«

»Trotzdem! Ist es so?« Ruthie sah ihn immer noch direkt an.

»Ich weiß nicht, was ich darauf antworten soll«, gestand Sam.

»Du musst mir die Wahrheit sagen. Es ist bekannt, dass man Menschen mit Autismus die Wahrheit sagen muss, selbst wenn man alle anderen mit Märchen abspeist.«

»Aha.«

»Also?«

Es wurde immer schwerer. Ruthie war ein außergewöhnliches Kind, das einen außergewöhnlichen Menschen in ihrem Leben verdiente. Den hatte sie in Anna. Eigentlich kam sie ganz gut zurecht. Was sollte er sagen? Sie war dreizehn, aber ihren Altersgenossinnen meist weit voraus.

»Ich mag deine Mutter wirklich sehr«, sagte Sam. »Ist es in Ordnung, wenn ich das sage?«

»Es ist in Ordnung, wenn es die Wahrheit ist.«

Er nickte. »Das ist die absolute Wahrheit.«

»Gut.« Damit schien Ruthie zufrieden. »Du bist vielleicht ein bisschen jung, aber … sie lächelt mehr, seit du hier bist.«

»Wirklich?«

»Absolut.« Ruthie seufzte. »Wegen meinem Dad lächelt sie nicht mehr – schon lange, bevor sie geschieden wurden.«

Was sollte man dazu sagen? Das arme Kind. Sam streckte die Hand aus, aber Ruthie wich zurück.

»Wir müssen uns nicht berühren«, sagte sie. »Erinnerst du dich?«

»Verstanden«, sagte Sam und ließ die Hand wieder sinken. »Na gut, wenn es für dich in Ordnung ist, dass ich deine Mutter mag, vielleicht kannst du mir dann ja einen Tipp geben, wohin ich deine Mutter zu einem Date ausführen kann.«

»Ernsthaft?«, fragte Ruthie begeistert.

»Klar«, antwortete Sam lächelnd. »Ich brauche alle Hilfe der Welt.«

»Das brauchst du«, bestätigte Ruthie. »Sie mag nämlich komisches Zeug. Kerzen, die nach Zitronen riechen ... und Putzmittel, die nach Mandeln riechen und ...«

»Gibt es noch etwas anderes als Düfte, die sie mag?«

»Sie mag nicht, wie Mr Rockets Käfig am Ende der Woche riecht.«

»Zitronen, Mandeln, aber keine Kaninchenkacke. Verstanden.«

Ruthie lächelte. »Gut, Falcon, es gibt noch etwas, das du über das Rugby-Spiel wissen musst, das du gleich spielen wirst.«

Sam grinste. »Du willst mir wirklich taktische Ratschläge erteilen? Ich verrate dir ein Geheimnis: So ganz unbekannt ist mir dieses Spiel gar nicht.«

Ruthie drohte mit dem Finger. »Das denkst du vielleicht. Aber die Engländer haben Rugby erfunden, und das hat nichts mit diesem komischen amerikanischen Spiel zu tun, wo es nur um Cheerleader, Feuerwerk und das schiefe Absingen der Nationalhymne geht.« Sie betrachtete ihn ernst. »Weißt du überhaupt, was ein ›Scrum‹ ist?«

»Ist das nicht so ein Menschenklumpen? Wenn alle zusammenkommen und sich beratschlagen, wie sie die andere Mannschaft austricksen können?«

»O Gott.« Ruthie schüttelte den Kopf und sah auf die Uhr. »Hör zu, denn wir haben nicht mehr viel Zeit. Unter gar keinen Umständen darfst du den Ball vorwärtspassen.«

»Wie bitte?«

»Aber du darfst mit dem Ball jederzeit aufs Tor schießen.«

»Willst du dich über mich lustig machen?«

»Und du wirst in einem Kostüm spielen. Letztes Jahr hat Paul ›Zahl‹ gehabt und gewonnen, daher bekamen sie die bequemeren Weihnachtsmannkostüme. Wenn er dieses Mal beim Münzwurf nicht gewinnt, werden es die Rentierkostüme, und die haben Glöckchen und Geweihe.«

Verdammter Mist.

KAPITEL
VIERZIG

Sein Team sah aus, als würde es in einem Weihnachtsfilm mitspielen. Erwachsene Männer, als Rentiere verkleidet, die Glöckchen bei der geringsten Bewegung bimmelnd, die Geweihe hin und her schlenkernd. Sams Kostüm war etliche Zentimeter zu kurz, sodass die Rentierbeine auf halber Höhe der Waden und Arme endeten. Der Rest seines Körpers klemmte in einem flauschigen Anzug mit Reißverschlüssen, die jeden Moment zu platzen drohten.

»Gut«, sagte Paul zu seinen Leuten. »Angeblich ist es ein Freundschaftsspiel, aber wir wissen ja, wie die sind. *Brutal.*«

Das Wort hatte Paul ausgesprochen, als beschreibe er ein Rudel Löwen, die an einem Wasserloch ein unglückliches Zebra reißen. Vielleicht war es keine gute Idee gewesen, hier teilzunehmen. Tatsächlich war es sogar eine miserable Idee. Jede Versicherung, die die Bisons für ihn abgeschlossen hatten, würde sofort hinfällig, dabei hatte er diesen heftigen Unfall gerade erst hinter sich. Andererseits, wieso sollte man sich noch an Regeln halten, wenn die Lebenszeit von einer tickenden Uhr bestimmt wurde?

»Also«, fuhr Paul fort, »wir wissen, was wir zu tun haben. Reißt ihnen die Bärte ab, bevor wir auch nur darüber nachdenken, was wir mit dem Ball anstellen.«

»Moment! Was war das gerade?«

»Das mag ein ungewöhnlicher Ansatz sein«, sagte Paul, »aber wir haben uns mit den Jahren damit abgefunden, dass wir nicht die begabtesten Spieler sind. Dafür reißen wir an den Nylonbärten der anderen, um sie zu verwirren. Letztes Jahr hatten wir fast Erfolg damit.«

Die Gruppe war einverstanden, Köpfe nickten, Glöckchen klingelten. Diese Typen dachten wirklich, sie könnten gar nicht gewinnen. In Sam regte sich etwas. Es war, als wäre er wieder ein Kind an Heiligabend, das so tat, als würde es schlafen, während es tatsächlich nur darauf lauerte, was Santa Claus ihm bringen würde. Mittlerweile wusste er, dass es seine Eltern waren, die durch die Wohnung schlichen, wobei Albert zwei Kokosnussschalen aneinanderschlug, um das Hufgeklapper des auf dem Dach landenden Rentiers nachzuahmen.

»Wie wär's, wenn wir es dieses Jahr anders angehen?«, sagte Sam zu Paul. »Wenn wir wirklich versuchen zu gewinnen?«

»Gewinnen?«, fragte Paul. »Wir haben ... äh ... noch nie gewonnen.«

Plötzlich spürte Sam eine wilde Entschlossenheit – dieses Gefühl, vor einer Schlacht zu stehen, das sich in der Woche vor einem großen Spiel anbahnte und zu einer Kraft anschwoll, die man im entscheidenden Moment gegen den Gegner entfesseln konnte. Die nötige Geschwindigkeit und Fitness hatte er, und da ihm Ruthie all die seltsamen Grundregeln von Rugby beigebracht hatte – viel komplizierter als die der NFL, wenn man ihn fragte –, hatten sie sicher eine Chance.

Er schenkte Paul ein Lächeln. »Dann wird es Zeit, das zu ändern.«

»Jede Spende ist willkommen«, rief Neeta und schwenkte ihren Eimer in Richtung der Zuschauer. »Gern Scheine, aber Münzen tun es auch, wenn Sie mit dem schlechten Gewissen leben können und sicher sind, dass Sie oder Ihre Lieben nie ein MRT brauchen.«

»Schau dir das mal an«, sagte Lisa und zeigte auf die Mannschaften auf dem frostigen Rasen, der nun von Flutlichtern erhellt wurde. »An einigen sitzt das Kostüm wie eine zweite Haut. Sind sie in der Wäsche eingegangen?«

»Ich nehme eher an, dass die Spieler seit letztem Dezember ein paar Zentimeter zugelegt haben«, sagte Neeta. »Und nicht wegen exzessiven Muskelaufbaus.«

»Nur einer platzt auf positive Weise aus seinem Rentierkostüm heraus«, erklärte Lisa und stieß Anna so heftig an, dass die fast ihren Eimer verlor. Mehr musste Lisa nicht sagen. Anna war nur zu bewusst, dass Sam sein Kostüm praktisch sprengte, von den muskulösen Waden bis hin zum breiten Rücken.

»Wie läuft's denn so mit euch beiden?«, erkundigte sich Lisa.

»Gut«, sagte Anna.

»O Anna, ›gut‹ ist nicht gut genug. Wir wollen vielmehr wissen, ob du ihm schon das Gel von unseren Spa-Partys auf den Körper geschmiert hast.«

»O Gott, nein!« Anna verzog das Gesicht. »Ihr habt das Zeug doch wohl nicht mehr, oder?«

Die Ausrichtung von Spa-Partys war auch mal eines von Neetas Hobbys gewesen. Es ging nicht nur um Schönheit, und es ging auch nicht nur um Erotik, sondern um irgendetwas dazwischen. Und da sie ihrer Freundin über das Debakel mit dem Malereistudium hinweghelfen wollten, hatten auch

Lisa und Anna solche Partys geschmissen. Aus irgendeinem Grund hatten sie gewaltige Mengen eines glitzernden Massagegels gekauft, das eine überaus merkwürdige Konsistenz hatte und nach Haschisch roch.

»Ich musste noch welches bei eBay besorgen, als der Hersteller pleiteging. Paul liebt das Zeug«, gestand Lisa, als Geld in ihren Eimer plumpste.

»Pavinder hat seine Pflanzen damit eingerieben«, fuhr Neeta fort. »Angeblich verleiht es den Blättern einen schönen Glanz.« Sie seufzte. »Eigentlich hatte ich mir das für meine Klitoris erhofft.«

»Aber egal«, sagte Lisa. »Anna drückt sich wie immer um eine Antwort herum.«

»Wie war noch mal die Frage?«, erkundigte sich Anna, den Blick auf die beiden Mannschaften in den Weihnachtskostümen gerichtet. Man bereitete sich auf das Spiel vor.

»Wie weit ist die Sache mit Sam schon gegangen?«, fragte Neeta.

»Oje, nicht sehr weit. Natürlich nicht. Ich habe doch Ruthie und eine Katze und ein Kaninchen«, rief Anna ihr in Erinnerung. »Außerdem kennen wir uns ja noch nicht lange.« Aber was sah eigentlich die Etikette vor, wenn die Person, mit der man so gut auskam, nur für kurze Zeit im Land war? Beschleunigte das den Prozess? Und was war überhaupt das Ziel einer Weihnachtsromanze?

»Du klingst wie eine Mama«, sagte Lisa.

»Ich *bin* eine Mama.«

»Aber wie eine Mama von einem Fünfundfünfzigjährigen.«

»Worauf wartest du denn? Wenn Celia Duke Sam zu Gesicht bekommt, garantiere ich dir, dass sie nicht lange zögert. Bedenken kennt die nicht.«

Anna verzog das Gesicht. Sie wollte nichts mehr davon hören. Dachte Sam auch, dass sie sich zu viel Zeit ließ? Wenn ja, dann hatte er es nicht durchblicken lassen. Nun reckte er die Arme über den Kopf und trabte auf der Stelle, da das Spiel gleich beginnen würde. Selbst in dem grässlichen Rentierkostüm sah er umwerfend aus …

Anna schüttelte ihren Eimer und kassierte Spenden von den Umstehenden. »Ich habe keine Ahnung, wie das überhaupt gehen soll. Bei der App ging es immer um ein Date, und ich musste nichts weiter tun, als sicherzustellen, dass ich nicht zu viel Pinot trinke und mir noch selbst ein Uber-Taxi bestellen kann. Mit Sam bin ich … Den mag ich wirklich gern.«

»Exakt unser Punkt!«, rief Neeta. »Also …«

»Aber es ist nichts Ernstes, oder? Es darf nichts Ernstes sein.«

»Mit jemandem Sex zu haben heißt ja auch nicht gleich, Mitgift zahlen zu müssen.«

»Wenn du jemanden brauchst, der Ruthie über Nacht zu sich nimmt, kann ich das gern tun«, bot Lisa an.

»Ich auch. Ruthie findet meine Handseife sowieso besser als deine, das hat sie mir selbst gesagt. Sie hat auch gesagt, dass ich dir das nicht erzählen soll«, erklärte Neeta.

»Ich weiß nicht«, erwiderte Anna.

»Du bist unmöglich! Was hast du denn schon zu verlieren?«, fragte Lisa.

»Meine Würde.«

»Tut mir leid, aber wer zu einem Vanilla-Ice-Song rappt, um für Suppe zu werben, hat seine Würde längst verloren«, sagte Neeta.

Ein lauter Pfiff erklang, und vom Feld waren Geschrei und Gejohle zu hören.

»Los, mach schon, Paul!«, schrie Lisa.

»Bewegt euch, Rentiere!«, rief Neeta.

Der Ball verschwand unter den Füßen – Hufen oder Stiefeln vielmehr, je nach Kostüm –, bis ihn schließlich jemand von den Rentieren in der Hand hielt. Dann flog er in die eisige Luft. Im Bruchteil einer Sekunde hatte sich Sam den Ball geschnappt und raste ins gegnerische Feld, schneller als Lichtgeschwindigkeit.

»O Gott.« Neeta ließ ihren Eimer zu Boden fallen.

»Fast so, wie ich es mir vorgestellt hatte«, stimmte Lisa mit einem Seufzer zu.

Anna biss sich auf die Lippe und konzentrierte sich darauf, wie Sam über das gesamte Feld stürmte, um ein Tor zu erzielen. Gewaltiger Jubel brach unter den Rentieren aus, und Sam wurde von Nylon und Geweihen umringt. Sämtliche Glöckchen klingelten.

»Und? Immer noch keine schmutzigen Gedanken?«, fragte Neeta.

Vor Annas und Ruthies Zuhause, Richmond

»Da sind mehr Lichter als vorhin, als wir zu dem Spiel aufgebrochen sind!«, rief Ruthie begeistert und rannte den Bürgersteig entlang. »Schaut mal! Mr Penderghast hat ein elektrisches Rentier … O, aber der Kopf funktioniert nicht richtig. Er knallt immer gegen den Zaun.«

Sam atmete die würzige kalte Luft ein und legte Anna den Arm um die Schulter. Es ging ihm gut. Zum ersten Mal seit langer Zeit spürte er etwas vollkommen Reines in sich, etwas, das ihm kein Genetiker erst zeigen musste. Trotz aller Widrigkeiten hatte dieses schlichte Gefühl etwas Stärkendes. Er fühlte sich sicher in dieser Blase. Beschützt.

»Das war's dann wohl, das ist dir doch klar, oder?«, sagte Anna und betrachtete Ruthie, die das Rentier musterte.

»Was? Ich soll den Kopf des Rentiers reparieren?«, fragte Sam.

»Klar. Aber das hatte ich gar nicht gemeint. Ich wollte dich darauf hinweisen, dass Paul das natürlich ernst meint, wenn er die Gründung eines echten Rugby-Teams verkündet – mit dir als Mannschaftskapitän.«

Sam lachte. »Er hat mich im selben Moment vergrault, als er das Wort ›Veteranen‹ in den Mund nahm.«

»Du hast ein gewisses Talent«, sagte Anna.

»Ein gewisses Talent?«, fragte er. »Diese Mannschaft hat

noch nie gewonnen. Die Weihnachtsmänner haben nicht einen einzigen Punkt erzielt.«

»Ich will nur nicht, dass dir das zu Kopf steigt. Das würde dir nicht stehen«, sagte Anna.

»Aber das Rentierkostüm, das stand mir?«, sagte Sam.

Sie gingen im Gleichschritt, sein Arm eng um ihre Schultern geschlungen, ein gewöhnliches Paar auf dem Heimweg …

»Möglicherweise«, sagte Anna. »Wenn es nicht so ausgesehen hätte, als würdest du im Kostüm eines Fünfjährigen stecken.« Anna lachte.

»Neeta hat das für mich aufgetrieben«, erwiderte Sam.

»Neeta braucht ein wenig Abwechslung, da das Pflegeheim ihre Bewerbung abgelehnt hat.«

»Tatsächlich ist es Ruthies Verdienst, dass es so gut gelaufen ist. Wenn sie mir nicht vor Beginn des Spiels die Regeln erklärt hätte, wäre es sicher anders ausgegangen.«

»Wirklich? Mir war gar nicht bewusst, dass sie Kais Spielen immer so aufmerksam folgt.« Dann schüttelte Anna den Kopf. »Unsinn. Sie nimmt alles superschnell auf, da muss sie sich gar nicht anstrengen.«

Vor dem Tor zu Annas und Ruthies Haus blieben sie stehen. Ruthie beugte sich immer noch über den Zaun des Nachbarn und redete mit dem Rentier. Sie war überglücklich gewesen, als die Rentiere den Sieg eingefahren hatten, und hatte Sam sogar, die Ärmel ihres Pullovers über die Hände gezogen, ein High five gegeben. Als er erklärt hatte, der Sieg gehe auf ihr Konto, hätte ihr Blick die Weihnachtsbeleuchtung hier in der Straße überstrahlen können. Sie so glücklich zu sehen erfüllte ihn mit großer Wärme, von den nackten Waden, die aus seinem Kostüm herausschauten, bis hinauf zum Rentiergeweih.

»Möchtest du noch mit reinkommen?«, flüsterte Anna und sah zu ihm hoch.

»Lieber als du ahnst«, flüsterte er zurück. Dann lächelte er. »Für einen Kaffee würde ich gerade alles tun.«

»Und wenn ... ich dir mehr anbieten würde als nur einen Kaffee?«

Nie war Anna anziehender gewesen als jetzt im Licht der Straßenlaterne. Er musste hart mit sich kämpfen. Ihre Verbindung hatte alles, was er sich von einer Beziehung wünschen könnte. Sie hatten Spaß und begegneten sich auf Augenhöhe. Es würde schwer werden, Abschied zu nehmen, wenn die Zeit kommen würde, und sie würde kommen. Doch in diesem Moment ...

»Ich habe noch eine Art Verabredung mit Ruthie«, gestand er.

»Bitte nicht noch ein Marvel-Filmmarathon.«

Er lachte. »Pscht, sie könnte dich hören.« Dann streckte er die Hand aus und berührte Annas Haar. Es war weich und seidig und roch immer so verdammt gut. »Hast du morgen Zeit?«

»Warte eine Sekunde ... ja.« Sie lächelte.

»Dann lass uns jetzt auf den Kaffee verzichten und morgen Abend vielleicht mehr als einen Kaffee trinken. Wenn das für dich in Ordnung ist«, sagte Sam, während er immer noch ihr Haar streichelte.

»In Ordnung«, sagte sie.

Er überließ sich diesem Anblick und sog sie in sich auf, diese Frau, die in sein Leben geplatzt war und ihn im Tsunami seines Lebens irgendwie erdete.

»Dann küss mich jetzt«, sagte er. »Bevor ich diesen Rentierkopf reparieren muss.«

Er wartete, wollte sehen, wie sie sich vorbeugte, wollte die Vorfreude genießen. Und dann hatten sich ihre Lippen gefunden, und er spürte dieselbe Hitze in seinem Körper aufwallen, die jede ihrer Berührungen begleitete. Wenn die Dinge doch nur anders wären … Andererseits würde sich dieses schlichte Gefühl dann vielleicht nicht so lebendig anfühlen.

»Sam! Wenn du meine Mum zu Ende geküsst hast, kannst du dann kommen und das Rentier reparieren? Es heißt Cecil.«

Annas Mund löste sich von seinem. Dann machte sie diese reizende Geste, mit der sie sich das Haar aus dem Gesicht strich, das ein wenig rot geworden war. Ein Klingelton zerriss die Luft. Anna holte ihr Handy aus der Tasche.

»Alles in Ordnung?«, fragte Sam, als sich ihre Miene veränderte.

»Ja … es ist nur Neeta.«

»Gut«, sagte er. Dann sah er zu Ruthie hinüber. »Ich komme jetzt wegen Cecil.«

Oxford Street, London

An diesem Vormittag hatte Sam sich ins ultimative Weihnachtsshopping gestürzt, wie es die Frau an der Hotelrezeption ausgedrückt hatte. Es wurde langsam Zeit. Schließlich konnte er nicht nach London fahren, ohne mit einem Berg von Geschenken für seine Familie zurückzukehren.

Vielleicht ein neues Kopftuch für seine Mutter? Eine Krawatte für seinen Vater, der seine Autos stets im Anzug verkaufte. Irgendetwas Verrücktes mit Union Jack für Chad. Vielleicht etwas Schickes für Frankie – die für eine derart toughe Frau eine überraschende Obsession für Rosa hatte. Und dann waren da noch Ruthie und Anna.

Die Idee war neu, aber er hatte das Gefühl, er sollte ihnen etwas schenken. Nein, nicht sollte, er wollte es unbedingt. Wenn er daran dachte, dass er zurückgehen würde, dass er diesen ganzen Ereignissen einen Sinn verleihen würde, musste er ja nicht vergessen, was er hier gefunden hatte. Er schluckte. Nur dass niemand in seinem Leben die Wahrheit kannte. Nicht seine Mom und sein Dad, nicht Tionne oder seine Mannschaftskollegen, nicht Anna. Wann würde er darüber reden? Wann würde diese lauernde Krankheit ans Licht kommen und seine Identität bestimmen?

Sam sah zu den Reihen glitzernder Engel hoch, die über die Straße gespannt waren. Schwarze Taxen, rote Busse,

Fahrräder fuhren darunter durch, ohne Blick für ihre Schönheit. *Momente*. Das war es, was das Leben ausmachte. Nicht das lange Spiel. Er ließ das sacken. *Momente*. Gelächter. Lächeln. Gespräche.

Sein Handy klingelte. Als er sah, dass es Frankie war, trat er an die Bordsteinkante und nahm das Gespräch an.

»Hallo.«

»Hallo, Sam.«

Ihr Tonfall klang schwer, als müsse sie sich wappnen.

»Schieß los«, sagte Sam und beobachtete einen Hund im Weihnachtsmäntelchen, der mit seinem Besitzer über die Straße ging, als die Ampel auf Grün sprang. »Was auch immer es ist, sag's einfach.«

Frankie seufzte. Entweder passte es ihr nicht, dass er sie durchschaut hatte, oder sie mochte nicht, was sie ihm zu sagen hatte.

»Der Deal mit den Diggers ist ... geplatzt.«

Sam schloss die Augen und lehnte sich an den Laternenpfahl. Obwohl er es *gewusst* hatte, wurde es mit dieser Nachricht real. Er würde nie der Spieler sein, der Geschichte schrieb. Es würde kein weiteres Foto mit einem Handschlag geben, das seine Mutter sich an die Wand hängen könnte.

»Sam, ist alles in Ordnung? Hast du mich verstanden?«

»Ja, ich habe dich verstanden.« Was würde jetzt noch kommen? Was wollte er hören? Und warum? Die Nachricht war eindeutig. Sie gaben Millionen aus. Sie wollten den Besten. Und das war er nun nicht mehr. Er galt lediglich als Ware, ein Talent mit Schulterpolstern und Kompressionsshorts.

»Ich habe versucht, mit ihnen zu verhandeln. Ich habe

erzählt, was Dr. Monroe in seinen Bericht schreiben wird – dass es im Moment noch schlummert. Dass du nach allem, was wir wissen, bis zu deinem Karriereende in Topform sein wirst, aber …«

Sie musste den Satz nicht beenden. Er wusste, dass es vorbei war. Er hatte es von dem Moment an gewusst, als er aus dem Büro des Arztes geflohen war. Das war der Grund, warum die Diggers auf all diesen Untersuchungen bestanden hatten. Hätte man einen hohen Blutdruck oder Diabetes diagnostiziert, wäre es auf dasselbe hinausgelaufen. Nur dass man diese Dinge behandeln konnte. Man würde eine zweite Chance bekommen.

Er schluckte. »Was passiert jetzt?«

»Hast du mit deinen Eltern gesprochen?«, fragte Frankie.

»Nicht so, wie du meinst.«

»Nun, ich weiß, dass du seit unserem letzten Telefonat mit Tionne telefoniert hast. Sie ahnt etwas, Sam. Ständig ruft sie mich an oder schreibt mir. Vermutlich ist sie drauf und dran, mit einer Flasche Tequila auf meiner Fußmatte zu stehen. Und du weißt nur zu gut, was Tequila bei mir bewirkt.«

»Ich weiß nicht, was ich ihnen sagen soll«, gab Sam zu. Seine Kehle schnürte sich zusammen. »Sobald ich es ihnen erzählt habe, werden sie den Boden unter den Füßen verlieren. Es wird nicht mehr um die Diggers gehen. Es wird darum gehen, dass einer von ihnen es vermutlich auch hat. Und meine Schwester mit fünfzigprozentiger Wahrscheinlichkeit ebenfalls.«

Er hätte alles dafür gegeben, jeden Fitzel dieses verdammten Chorea Huntington zu packen und zu verschlingen. Sein Blick fiel in das Geschäft, vor dem er stand. Weihnachtsschmuck in Schachteln, leuchtend grüne und rote Kugeln, die mit goldenem und silbrigem Weiß überzogen waren, Feen und Rentiere an Fäden, damit man sie aufhängen konnte …

»Sam, du musst zurückkommen«, sagte Frankie.

»Ich weiß.«

»Warum bist du dann immer noch dort?«

»Weil … Ich muss einfach. Noch eine Weile.«

Wenn er Frankie von Anna erzählen würde, würde sie es nicht verstehen. Frankie war das Gegenteil einer hoffnungslosen Romantikerin. Partner waren für sie wie Gerätschaften. Man benutzte sie für das, wozu sie sich am besten eigneten, und tauschte sie dann gegen ein aktuelleres Modell aus. Wenn er ihr zu erklären versuchen würde, dass Anna anders war als alle anderen und dass er ihr zufällig begegnet war und dass sie ein wunderbares Kind hatte und dass er, wenn er am Morgen aufwachte, an sie dachte und nicht an die Krankheit, die sein Leben ruinierte, dann würde Frankie ihn nicht verstehen. Der Gerechtigkeit halber musste er zugeben, dass er diese Dinge vor ein paar Wochen auch nicht verstanden hätte. Er hatte das Junggesellendasein genossen, hatte ein unabhängiges Leben geführt, all das getan, was von ihm erwartet wurde, und dabei ganz vergessen, dass es noch etwas anderes gab im Leben. Ihm war selbst nicht bewusst gewesen, wie sehr er sich nach jemandem gesehnt hatte, mit dem ihn so viel verband. Klar hatte er Freundschaften gepflegt, mit Chad und Tyrone und den anderen aus seinem Team, aber sie waren oberflächlich gewesen, so als hätte es zwischen den Spielen und dem Training und diesem ganzen Social-Media-Getöse keine Zeit gegeben, in die Tiefe zu gehen. Das war etwas vollkommen anderes, als jemanden von Grund auf kennenzulernen, so wie er es mit Anna erlebte.

»Sam, bist du in Schwierigkeiten?«

War er. Das war ihm durchaus bewusst. Er verlor sein Herz an Anna. Aber das meinte Frankie vermutlich nicht.

»Du meinst Ärger wie damals, als Chad festgenommen wurde, weil er einen Einkaufswagen voller Waffeln geklaut hat?«

»Die offizielle Sprachregelung lautet, dass er eine Spritztour mit dem Wagen machen wollte und keinerlei Absicht hatte, sie aus dem Geschäft mitzunehmen«, erinnerte Frankie ihn. »Egal, was für Ärger.«

»Nein«, sagte er. »Ich habe keinen Ärger.«

»Wie ich schon sagte, Sam. Es braucht nur einen einzigen Journalisten, der herumschnüffelt und einen winzigen Tipp bekommt, und die Geschichte schlägt hohe Wellen. Du darfst auf keinen Fall auffallen.«

»Ja, das habe ich schon beim letzten Mal verstanden.« Er hatte viel darüber nachgedacht. Tatsächlich war er sogar dazu übergegangen, auf der Straße ständig über die Schulter zu schauen und jeden Menschen mit einer Kamera um den Hals misstrauisch zu beäugen. Und davon gab es viele hier, alles unschuldige Touristen.

»Ich meine es auch so.«

»Ich hab's verstanden, Frankie. In Ordnung?« Er hatte gar nicht so barsch klingen wollen, aber es gab in diesem Fall keine versöhnlichen Wendungen. Das war die nackte Wahrheit.

»Gut«, sagte sie. »Und denk immer daran, dass ich auch eine Freundin von dir bin, nicht nur deine Agentin. Du bist nicht allein mit der Sache, Sam. Und wie die Bisons sich verhalten werden, wissen wir nicht. Für die war es auch ein großer Deal. Denk also über deine nächsten Schritte nach. Wenn du immer noch wechseln willst, nehmen wir am besten Kontakt zu anderen Clubs auf. Klar, die werden nicht die Summen zahlen, über die wir im Fall der Diggers reden, aber du bist immer noch ein gewaltiges Kapital, Sam.«

Ein gewaltiges Kapital. Das klang immer noch nach Steak auf dem Teller. Wieder sah er in das Geschäft. Sein Blick wurde von den verschiedenen Dekorationsgegenständen angezogen. Und dann entdeckte er es. Ein schwarz-weißes Kaninchen mit einer Kristallmöhre zwischen den Lippen. Es sah aus wie Mr Rocket.

»Keine Pressekonferenz, habe ich den Diggers gesagt, kein Kommentar zu dem Deal, bis du wieder hier bist und wir gemeinsam daran arbeiten können, dass alle Beteiligten so unbeschadet wie möglich aus der Sache herauskommen. Wenn wir also Glück haben und alle den Mund halten und niemand sich von der Presse kaufen lässt, sollten wir vorankommen.«

Vorankommen. Oder in Cincinnati bleiben. Wenn ihn die Bisons noch wollten …

»Ich muss gehen, Frankie. Ach so, eine Sache noch.« Sam betrat den Laden.

»Was auch immer du willst.«

»Magst du immer noch Rosa?«, erkundigte er sich.

»Nur, wenn du es für dich behältst«, antwortete Frankie.

KAPITEL
DREIUNDVIERZIG

Bean Afar, Richmond

»Verdammt!«

Lisa hatte schon mindestens fünfmal »verdammt« gesagt, seit ihnen das Spezialangebot der Woche serviert worden war: ein Zimt-Karamell-Kaffee mit dekorativer Sahnehaube und Schokoladenstreuseln. Je näher Weihnachten rückte, desto dramatischer wurden Esthers Kreationen.

»Sprichst du ›verdammt‹ wie eine Amerikanerin aus, weil Sam Amerikaner ist?«, wollte Neeta wissen. »Du klingst ein bisschen wie Dolly Parton.«

»Ich sage es so, weil … nun, schaut ihn euch doch an!«

Dieser »ihn«, den sie auf Annas Handy bestaunten, war Sam. Sam Jackman von den Cincinnati Bisons. Keine Fußballmannschaft in dem Sinn, wie Anna geglaubt hatte, sondern ein American Football Team. Ein NFL-Team. Und Sam war eine kleine Berühmtheit in den Staaten. Es gab Millionen von Fotos von ihm, mit diesen engen Shorts und den Schulterpolstern, die es mit denen von Joan Collins in den Achtzigern aufnehmen könnten. Dann gab es noch andere Bilder: bei der Eröffnung von Schulsportplätzen, im Frack bei Charity-Events, eines, auf dem er mit Jimmy Fallon lachte … Nachdem sie am Vorabend Neetas Nachricht erhalten hatte, hatte sich Anna durch Tausende dieser Bilder gescrollt. In der Nachricht hatte einfach gestanden: »Google Sam.« Die

Suche war überaus erfolgreich gewesen, und Anna wusste immer noch nicht, was sie davon halten sollte.

»Kais Freund Scrubs hat ihn erkannt. Er ist ein großer Fan von American Football, und als Kai ihm das Video von dem Spiel gezeigt hat, wusste er sofort, wer das ist. Ich habe zuerst Neeta geschrieben, weil ich, keine Ahnung … Ich wusste nicht, ob Sam es dir erzählt hat und du es geheim halten solltest. Oder ob er es dir nicht erzählt hat und du sauer sein könntest. Okay, ich habe es also erst einmal Neeta erzählt und ihr die Entscheidung überlassen«, fuhr Lisa fort. »Oh, schau doch mal, wie er sich über den Hummer beugt.«

»Was ist denn Scrubs für ein Name?«, wollte Neeta wissen. »Soll er mal Arzt werden? Ooh, dieses Foto mit dem Aftershave. Er ist komplett nass.«

»Das wird mir jetzt zu viel«, sagte Anna und nahm ihr Handy an sich.

»Hast du es denn gewusst?«, fragte Neeta und nahm einen Schluck von ihrem Kaffee. Sofort hatte sie einen üppigen Milchbart.

»Was soll ich gewusst haben? Dass er mit einem Tiger für Aftershave posiert?«, erwiderte Anna.

»Das alles. Dass Sam in der NFL spielt und da drüben ein Star ist. Wenn er noch nicht zu *Let's Dance* eingeladen wurde, ist das nur eine Frage der Zeit«, sagte Lisa.

»Nein«, sagte Anna. »Ich habe es nicht gewusst.«

»Aber du wirst ihn doch gefragt haben, was er beruflich macht«, sagte Lisa entsetzt. »O Gott, hat er gelogen?«

»Nein«, sagte Anna schnell. »Er hat mir erzählt, dass er Football spielt. Aber ich habe da wohl etwas missverstanden. Ich dachte, er meint *richtigen* Fußball. Sorry, Amerika.« Sie seufzte. »Außerdem bin ich davon ausgegangen, dass er eher in einer unteren Liga spielt, falls es in den USA so etwas gibt. Woher sollte ich wissen, dass er auf der Gästeliste für Soccer Aid steht.«

»Sam hängt mit absoluten Berühmtheiten herum«, sagte Neeta, deren Ohrringe klingelten.

»Und Kai behauptet, er stehe kurz davor, einen neuen Multi-Millionen-Dollar-Deal abzuschließen. Paul war stinksauer. Er war wirklich der Meinung, er hätte jemanden gefunden, der seinen Traum von einem Veteranen-Rugby-Team Wirklichkeit werden lässt.«

Davon hatte Anna auch gelesen. Cheesecake war mittlerweile dazu übergegangen, in ihrem Schlafzimmer zu schlafen, in ihrem Bett, zwischen ihren Beinen, daher hatte sie sich nicht bewegen können. Eingeklemmt unter ihrer Bettdecke, hatte sie ein paar Artikel über diese Chance gelesen, »die man nur einmal im Leben bekommt«, eine, die alles Bisherige in der NFL sprengte. Sam war dazu auserkoren, eine Art übernatürliches Wesen auf dem Spielfeld zu sein. Warum um alles in der Welt – von welchem Planeten dieser zukünftige Superheld auch stammen mochte – war er hier in Richmond, besuchte mit ihr ein chaotisches Mittelklasserestaurant, machte Kopfstand vor St Paul's und … küsste sie?

»Er hatte etwas mit einem Supermodel«, fuhr Neeta fort. »Hast du gesehen?«

»Vermutlich mit mehr als einem«, ergänzte Lisa. »Man hat ihn auch mit Misha D'vice in Verbindung gebracht.«

»Misha D'vice? Ist das nicht die aus einem deiner Magazine, die Tausende von Pfund für ein diamantenverziertes Auto ausgegeben und es mit Lutschern gefüllt hat?«

»Das war eine Spende für einen wohltätigen Zweck zugunsten von Kindern.«

»Das Auto?«

»Nein, nur die Lutscher.«

Was für ein Kuddelmuddel. Nicht einmal der überzuckerte Weihnachtskaffee konnte das unbehagliche Gefühl, das sich in Annas Magengrube ausbreitete, noch vertreiben. Plötzlich war alles anders. Nun war er nicht mehr ein Fast-Sechsundzwanzigjähriger aus den Vereinigten Staaten, jetzt spielte er in einer komplett anderen Liga. Sein Leben bestand aus Partys und coolen Locations, an denen er mit anderen Berühmtheiten abhing. Es bestand darin, kostenlos die teuersten Produkte abzugreifen und exklusiven Zugang zu Ereignissen zu haben, von denen gewöhnliche Sterbliche nur träumen konnten. Ein Leben in Luxus. Das Gegenteil von Katzen und Kaninchen und Zwangsstörungen und Weihnachtskonzerten in Pflegeheimen …

»Eigentlich wollte er heute Abend mit mir ausgehen«, sagte Anna.

»Ooooh! Wohin denn?«, erkundigte sich Lisa. »In ein exklusives Luxusrestaurant?«

»Er hat Ruthie seine Telefonnummer gegeben. Sie hat ihm gestern Abend ganze Romane geschrieben und wollte nicht, dass ich sie lese. Irgendetwas hecken die beiden aus. Keine Ahnung.« Anna raufte sich die Haare.

»Was heißt hier, keine Ahnung?«, sagte Neeta. »Eigentlich sollte ich es dir nicht vor fünf Uhr nachmittags verraten, aber Ruthie übernachtet heute bei mir. Pavinder und Ruthie kochen Bang Bang Chicken für mich. Tut mir leid, Lisa, aber Ruthie hat noch einmal bestätigt, dass meine Seife besser ist als deine. Und dass sie das Waschmittel mag, das meine Handtücher so weich macht.«

»Aber das hier!«, sagte Anna und hielt ihr Handy wieder

hoch. »Tatsache ist, dass Sam ... Keine Ahnung, wer er ist. Für die US-Presse scheint er schon fast so etwas wie eine Football-Legende zu sein und heißer als ... die Hemsworth-Brüder zusammen.«

»Er *ist* heißer als die Hemsworth-Brüder zusammen«, stimmte Lisa zu. »Aber um das zu wissen, brauchst du ja nicht diese Artikel, oder?«

Anna legte ihre Stirn auf den Tisch. Wenn sie nicht in diesem weihnachtlich geschmückten Café mit dem beruhigenden Hintergrundgemurmel wären, mitten zwischen diesen Leuten, die den sanften Klängen von Michael Bublé aus dem Radio lauschten und zum Zischen der Espressomaschine ihre Crumpets, Croissants und Kuchen verzehrten, dann würde sie jetzt laut schreien.

»Anna, was ist los?«, wollte Neeta wissen. »Du wusstest doch schon vorher, dass er heiß ist. Du hast ihn doch schon sehr oft gesehen. Warum knallst du den Kopf auf den Tisch, nur weil er Geld hat ... und weil die Designer wollen, dass er ihre Kleidung und ihren Duft trägt ... und weil auch die Supermodels das wollen? Ist Ehrgeiz denn etwas Schlechtes?«

Anna schüttelte den Kopf. Sie wusste auch nicht, was es war, außer einer kleinen Komplikation. Er war jemand. Er war ein VIP. Es hatte sie schon wahnsinnig gemacht, dass er so viel jünger war als sie, und nun war er nicht mehr nur viel jünger als sie, sondern hatte sich offenbar mit Frauen getroffen, die nicht so aussahen, als bestünde ihre tägliche Pflegeroutine darin, sich kurz mit einem Feuchttuch übers Gesicht zu fahren. Diese Frauen hatten ein ganzes Team professioneller Stylisten hinter sich.

»Er hat sich mit einer Frau namens Misha D'vice getroffen. Ich meine, ich bin Anna Heath. Ich *esse* Lutscher, statt teure Autos damit zu füllen. Ich habe gar nicht das Geld für teure Autos. Ich habe auch noch nie einen Tiger gesehen, geschweige denn einen dazu ermuntert, für ein Foto mit mir zu posieren. Bei meinem letzten ›Gala‹-Dinner gab es Fischstäbchen mit winzigen Pommes in noch winzigeren Tüten, während Sam vier verschiedene Sorten Kaviar hatte. Ich wusste nicht einmal, dass es vier verschiedene Sorten Kaviar gibt! Außerdem ... Er ist mit nichts als einem Rucksack nach England gekommen. Warum ist er mit nichts als einem Rucksack gekommen?«

»Esther!«, rief Neeta und reckte den Finger, als sei sie in der Schule. »Hast du einen Kaffee, der gegen Hyperventilation hilft?«

Anna hob den Kopf vom Tisch und holte tief Luft. Sie hyperventilierte doch nicht, oder?

»Sie hyperventiliert nicht«, sagte Lisa ruhig. »Sie denkt einfach nur noch einmal nach.«

»Genau«, stimmte Anna ihr zu. »Warum hat er mir nichts davon erzählt? Hätte er es mir je erzählt?«

»Lass uns kurz darüber nachdenken«, schlug Neeta vor und schüttete noch ein wenig Zucker in ihren Kaffee. »Du bist ein sehr großer, sehr breiter, sehr attraktiver junger Mann, der kurz davor steht, einen Multi-Millionen-Dollar-Deal abzuschließen, der dein Leben komplett verändern wird, obwohl du ohnehin schon Tausende von Dollars in der Woche verdienst. Und dann begegnest du zufällig einer Frau, die du wirklich – *wirklich* – magst und die dich auch mag, weil du ihr Kind vor irgendwelchen armseligen Typen gerettet hast, und die dich wiederum nach einem Unfall rettet. Du lernst sie ein bisschen besser kennen, und sie stellt dich ihren Freunden vor, und es ist einfach schön zu wissen, dass dich jemand um deiner selbst willen mag und nicht wegen der Menge verschiedenen Kaviars, die du ihm gratis auftischst.«

Neeta war zweifellos sprachbegabt. Und ihr Vortrag hatte durchaus seine Berechtigung. Es war ja nicht so, dass Sam gelogen hätte. Er spielte ja Football, nur eben nicht so, wie Anna gedacht hatte. Und auch den damit verbundenen Dollarregen hätte sie sich nicht träumen lassen.

»Ist das denn so schlimm?«, fragte Lisa plötzlich. »Ich meine, macht das wirklich einen so großen Unterschied?«

»Genau!«, sagte Neeta, als Esther mit einem Glas Wasser und zwei Paracetamol kam, vermutlich gegen die »Hyperventilation«. »Du hast ihn doch schon gemocht, bevor du wusstest, dass er in Geld schwimmt. Also kann er dir wohl kaum unterstellen, dass du nur deswegen hinter ihm her bist.«

»Nein. Aber was ist, wenn ich ihn nun weniger mag?«, sagte Anna. Sie konnte es kaum fassen, dass diese Worte ihren Mund verlassen hatten, aber es war einfach eine intuitive Reaktion. Sam war eine große Nummer und stand im Rampenlicht. Ihr erster Gedanke war gewesen, dass die Sache so schnell enden musste, wie sie begonnen hatte. Wie konnte es anders sein?

»Wie bitte?« Neeta und Lisa hatten die Frage zur selben Zeit ausgestoßen.

Anna nahm ihre Kaffeetasse. »Ich meine, ich wusste ja immer, dass er hier nur Urlaub macht. Irgendwann habe ich der Sache eine Chance gegeben, und das war sehr schön. Ich habe ihn wirklich ins Herz geschlossen. Alles schien zu passen, als hätten wir schon immer zusammengehört.« Sie atmete tief durch, selbst schockiert über ihr Bekenntnis. »Ich hatte gerade aufgehört, mich ständig zu fragen, wie lange er noch hier sein würde und wann es vorbei wäre. Allmählich habe ich Gefallen an der Sache gefunden und mich fast schon wieder so gefühlt wie die alte Anna.«

Neeta steckte die beiden Paracetamol in ihren eigenen Mund und trank einen Schluck Wasser.

»Das ist doch großartig«, sagte Lisa und drückte ihren Arm.

»Nein, eben nicht. Plötzlich fühlt es sich nicht mehr richtig an. Jetzt denke ich wieder, dass er mich gar nicht mögen kann. Er war mit Models und Frauen zusammen, die das Geheimnis der ewigen Jugend in sich zu tragen scheinen. Mit denen kann ich sowieso nicht mithalten.«

»Das stimmt.« Neeta nickte.

Lisa stieß Neeta mit dem Ellbogen an. »Das stimmt *nicht*, Anna. Du siehst immer umwerfend aus.«

»In der Tat«, sagte Neeta und rieb sich die schmerzende Stelle. »Das tust du wirklich. Außerdem solltest du bedenken, dass Filter heutzutage eine genauso wichtige Rolle spielen wie Schönheitsprodukte.«

»Das ist nicht das Schlimmste, was hätte passieren können«, sagte Lisa sanft.

»Nein«, stimmte Neeta zu. »Es ist nicht so, als hättest du herausgefunden, dass er verheiratet ist … oder die Hauptrolle in einer Netflix-Doku über wahre Verbrechen spielt und in vier verschiedenen Ländern gesucht wird. Oder dass er sich vor allem für Arbeitskolleginnen interessiert, die den Unterschied zwischen Blütenblattzellen und Stängelzellen kennen.«

Anna holte tief Luft. »Ansichtssache. Na gut, vor ein paar Wochen wusste ich noch nicht mal, dass es ihn gibt, also sollte es mich nicht derart aus der Bahn werfen. Nichts hat sich verändert. Er verbringt immer noch seinen Urlaub hier, und ich bereite mich zusammen mit Ruthie auf Weihnachten vor. Außerdem … Mist, wie spät ist es?«

»Kurz vor zehn«, teilte Neeta ihr mit. »Musst du noch irgendwo hin? Anders als wir beide, die wir uns mit Wohltätigkeitsveranstaltungen und Lebensmitteltafeln begnügen müssen?«

»Ja.« Anna stürzte ihren Kaffee hinunter und bereute es sofort, weil der Sirup auf ihrem Mantel landete. »Ich habe ein Telefonat mit Adam wegen Mr Wong. Wenn ich das versäume, besteht eine durchaus realistische Chance, dass er mich feuert.«

»Atme erst einmal tief durch«, munterte Lisa sie auf, bevor sie ebenfalls aufstand.

»Ein Telefonat? Dein Handy liegt noch hier«, erinnerte Neeta sie und hielt es ihr hin.

Die Akkuanzeige war schon orange, es blieb nur noch wenig Gesprächszeit. Das kam davon, dass sie all diese Bilder von Sam gesucht hatten!

»Ich muss nach Hause, weil ich meinen Laptop brauche. Und ich muss dieses Teil hier aufladen.« Anna nahm das Handy und steckte es in die Tasche. Dann holte sie tief Luft. »Also, was soll ich tun? Wegen Sam, für den überall rote Teppiche ausgerollt werden, während ich bestenfalls Rabattcodes bekomme?«

»Meiner Meinung nach«, begann Neeta, »hast du zwei Möglichkeiten. Entweder tust du so, als hättest du es nie herausgefunden und wartest, ob er es dir selbst erzählt, bevor er in die Staaten zurückkehrt. Oder du offenbarst es ihm heute Abend. Du knallst ihm all die Tiger- und Parfümfotos vor den Latz und hörst dir seine Erklärungen an, warum er es dir verschwiegen hat.«

Beides klang nicht gerade verlockend. Das Ganze war ihr, wie dieses Getränk gerade, auf den Magen geschlagen.

»Anna«, sagte Lisa. »Es könnte gute Gründe dafür geben, warum er es dir nicht erzählt hat.« Sie legte ihr die Hand auf die Schulter. »Wenn du mich fragst, sei ehrlich mit ihm. Stell Fragen. Und denk dran, dass nicht alle Männer wie Ed sind.«

Anna nickte. »Ich muss los. Aber ich danke euch.«

»Gern geschehen«, sagte Neeta, als Anna zur Tür ging. »Und ich freue mich wirklich auf das Festmahl, das Pavinder und Ruthie mir heute Abend servieren werden.«

Festmahl. Feast. Das Wort drang sofort in Annas Unterbewusstsein ein, und im nächsten Moment sprudelte sie über vor Ideen.

KAPITEL

VIERUNDVIERZIG

Annas und Ruthies Zuhause, Richmond

»Ruthie, bist du dir absolut sicher, dass du heute Abend bei Neeta und Pavinder übernachten möchtest?«, fragte Anna und überprüfte im Spiegel über dem Holzofen ihr Aussehen.

Nanny Gwens Wandspiegel war eines der vielen Dinge, die sie liebevoll restauriert hatte. Sein materieller Wert war eher gering, aber Anna hatte ihn immer gemocht. Anna erinnerte sich noch, wie sie mit ihrer Großmutter davorgestanden und sich ewig betrachtet hatte, nachdem sie sich den ganzen Nachmittag über Lockenwickler in die Haare gedreht oder sich vollkommen neu gestylt hatten.

Im Moment war er mit den roten Lamettagirlanden umrahmt, die einst von Ruthies Kostüm für eine Weihnachtsaufführung übrig geblieben waren. Die spezielle Sinnlichkeit dieser Girlanden liebte Ruthie, und so ließ sie sie jedes Jahr, bevor sie über den Spiegel gehängt wurden, mehrere Minuten lang durch die Finger gleiten.

Im Moment tat Ruthie etwas Ähnliches mit Cheesecakes Schwanz und beachtete Annas Frage gar nicht, als sei sie weggetreten. Das passierte manchmal, besonders in Stresssituationen. Vielleicht waren all diese Veränderungen mit Sam doch zu viel für sie.

»Ruthie?« Anna drehte sich vom Spiegel weg. »Hast du meine Frage gehört?«

»Denkst du, Dad wird zu dem neuen Baby so sein wie zu mir?«, erkundigte sich Ruthie. »Oder wird er es mehr lieben als mich?«

Annas Herz krampfte sich zusammen. Ruthie trug solche belastenden Dinge immer viel zu lange mit sich herum, bis sie dann, während sie sanft den Schwanz ihrer Katze zwirbelte, mit aller Macht hervorbrachen. Anna setzte sich zu ihrer Tochter und sah in dieses wunderschöne Gesicht mit den weit auseinanderstehenden klugen Augen. Ihr war klar, dass sie Ruthie nicht vor den Verletzungen dieser Welt schützen konnte, aber wenn sie einen Wunsch frei hätte, würde sie genau das tun wollen. Sanft strich sie über Ruthies Locken, was mit einem gewissen Widerstand und einem Stirnrunzeln quittiert wurde.

»Alle Menschen sind ein bisschen anders, Ruthie«, erinnerte Anna sie.

»Manche stechen aus dem Tortendiagramm aber stärker hervor als andere.«

»Das Verhalten, das dein Vater manchmal an den Tag legt, hat nichts mit dir zu tun, Ruthie. Das habe ich dir schon oft gesagt. Er versteht vieles nicht und bekommt vieles in den falschen Hals, das ist mir bewusst.«

»Sam versteht mich«, stellte Ruthie fest.

»Sam ist nicht so involviert in die ganze Situation. Das kannst du nicht vergleichen.«

»Er hat die Jungs gesehen, die mich geärgert haben. Er hat *Loki* mit mir geschaut und sich nicht beschwert, dass ich zu viel rede. Er versucht nicht, mir in die Augen zu blicken, wenn ich die Tapete anstarren und die Blumen darauf zählen muss ...«

»Ich weiß. Aber Sam ... ist nur zu Besuch. Dad war immer hier. Diese Dinge haben die Neigung, ganz klein anzufangen und einen dann langsam, nach und nach, mit sich zu reißen. Ehe man sich's versieht, sind sie riesengroß und geraten außer Kontrolle. Das hat Sam noch nicht mitmachen müssen. Er hat nur die schönen Zeiten erlebt, nicht die schweren.«

»Ist es das, was ich tue?«, fragte Ruthie. »Die Menschen zur Verzweiflung treiben?«

»Nein«, sagte Anna schnell. »So war das nicht gemeint. Es ist nur, dass kleine Dinge mit der Zeit immer größer werden.« Sie könnte jetzt über Ed und sich selbst reden, wie sie sich langsam auseinandergelebt hatten, bis er schließlich zu Nicolette gezogen war. Oder über die Krankheit ihrer Großmutter, die damit begonnen hatte, dass Kleinigkeiten an Glanz verloren, bis nichts mehr von der alten Gwen übrig geblieben war. Alles begann klein, aber meistens waren es diese ersten Symptome, die zu einem abgrundtiefen, manchmal unüberbrückbaren Graben führten.

»Sam ist also jetzt nett zu mir – aber mit der Zeit und vor allem, wenn er hier eingezogen ist, wird ihn mein Verhalten mehr und mehr irritieren?«, fragte Ruthie.

Eingezogen! Es klingelte an der Haustür.

»Ruthie, ich mag Sam, das weißt du. Aber er ist nur für eine sehr kurze Zeit in Richmond.«

In einer einzigen schnellen Bewegung hatte Ruthie Cheesecake von ihrem Schoß verscheucht und die Arme vor der Brust verschränkt. Das war ihre Haltung, wenn sie hochgradig verärgert war. »Vorerst jedenfalls.«

»Ruthie, er lebt in Amerika. Und er hat einen … sehr wichtigen Job.« Sie hatte Ruthie noch nichts davon erzählt, aber sie würde es Kai durchaus zutrauen, die Neuigkeiten weiterzuerzählen, wenn nicht direkt, dann doch auf Instagram. »Ich bin sehr gern mit ihm zusammen, aber ...« Sie hielt inne, weil sie nicht wusste, wie sie den Satz beenden sollte.

Wieder klingelte es. So beharrlich war nur ihre Freundin. »Das werden Neeta und Pavinder sein. Ist deine Tasche fertig?«

»Sie steht an der Tür. Fass sie nicht an«, sagte Ruthie und stand auf.

Anna eilte in den Vorraum und riss die Tür auf, bevor es noch einmal klingeln konnte. Aber es waren nicht Neeta und Pavinder, die in der Kälte standen. Es war Sam.

»Hallo«, begrüßte er sie mit seinem umwerfenden Lächeln.

»Oh, hallo. Mit dir hatte ich noch gar nicht gerechnet. Neeta und Pavinder haben Ruthie noch gar nicht abgeholt.«

»Ich weiß«, sagte Sam. »Das war der Plan.«

»Aha. Nun mache ich mir aber doch Sorgen, wie durchdacht euer Plan ist. Außerdem trägst du einen Anzug, während ich nicht anständig angezogen bin, weil ich gar nicht weiß, wo wir hingehen!« Sie fuhr mit den Händen über den Wollrock, den sie zu Strumpfhose und Stiefeln trug. Sie hatte sich für einen warmen Alltagslook entschieden, wünschte sich aber jetzt, sie wäre eleganter gekleidet. Wen kümmerte schon die Kälte?

Sam nahm ihre Hand und hielt sie fest. »Das gehört zum Plan. Und du bist ... wunderschön.«

Anna schluckte. Er klang so aufrichtig, aber sie konnte die Bilder von all diesen umwerfenden Frauen, die er im Arm gehalten hatte, einfach nicht loswerden.

»Sam!«, rief Ruthie und schubste Anna beiseite. »Ich

dachte schon, Neeta sei zu früh. Ich wäre fast in Panik ausgebrochen. Neeta ist immer zu früh.«

»Aber ich bin pünktlicher als pünktlich gekommen, wie du es von mir verlangt hast«, antwortete Sam. Er hielt ihr den Ellbogen hin, und Ruthie stieß mit ihrem dagegen.

»Sind sie schon da?«, fragte Ruthie mit leuchtenden Augen.

»Darauf kannst du dich verlassen«, sagte Sam.

Anna beobachtete diesen Austausch und verspürte einen Stich. Das war so schön. Wunderschön war es, aber Ruthie war bereits zu sehr involviert. Und wenn Ruthie involviert war, dann war es nicht so, dass sie etwas mochte und dann enttäuscht war, wenn es sich in Luft auflöste. Es war so, dass sie alle Liebe, Zeit und Energie in etwas hineinsteckte und nach einer Enttäuschung durch eine Phase tiefster, gramvollster Trauer schritt, einschließlich schwarzer Kleidung, düsterem Make-up und »Everybody Hurts« von REM.

»Mum, komm her und schau!«

Ruthie zog sie am Arm. Anna öffnete die Tür noch ein Stück, bis sie sehen konnte, worum es bei all diesen Heimlichkeiten gegangen war. Sie rang nach Luft, als sie die beiden weißen Pferde sah – Shire Horses, die vor eine altmodische Kutsche gespannt waren, welche nun hinter ihrem Wagen stand. Ihre Nachbarn lugten durch die Gardinen und schoben die Weihnachtsbeleuchtung beiseite, um einen besseren Blick zu erhaschen. Sie musste träumen, oder?

»Sag, dass du Pferde magst«, flüsterte Sam, als Anna einen Schritt vortrat. »Oder ist das eher Ruthies Ding, und ich wurde reingelegt.«

»Ich mag Pferde«, antwortete Anna, deren Herz in ihrer Brust heftig pochte. »Und ich wollte immer schon in einem solchen Ding fahren. Im Richmond Park gibt es welche, aber sie sind einfach so … teuer, dass wir nie …« Sie konnte nicht weiterreden, weil die Pferde einfach zu schön waren. Muskulöse Körper mit zotteligen Haaren am Hals und an den mächtigen Hufen, die Lederzügel festlich mit roten, grünen und goldenen Glöckchen geschmückt. Ruthie war bereits auf der Straße, hatte dem vorderen Pferd die Hand an den Hals gelegt und redete auf es ein.

»Mir dünkt, das sei reinstes *Bridgerton*, Mylady.«

»Da liegen Sie richtig, Viscount.«

»He. Ich sehe mich eher als Duke of Hastings.«

Einen gewissen Hochmut konnte man nicht leugnen.

»Überraschung gelungen?«, erkundigte sich Sam.

»Mehr als das«, antwortete Anna, die nun nicht mehr die Pferde, sondern ihn ansah. »Ich … ich weiß nicht, was ich sagen soll.«

»Sag einfach, dass du mit mir in die Kutsche steigst«, bat Sam. »Wir können Ruthie erst einmal mitnehmen und eine Runde um den Block drehen, bis Neeta eintrifft und unser Date beginnt.«

Wie konnte das plötzlich ihr Leben sein? Sie stand in der Straße, die sie seit jeher kannte und liebte, eine Kutsche mit Shire Horses wartete auf sie, ihre Tochter war unfassbar glücklich, und an ihrer Seite stand ein überwältigender, lustiger, netter Mann. Sie könnten Figuren in einer Schneekugel mit Nachthimmel sein, so perfekt war das alles.

»Insgeheim hatte ich auf ein Ja gehofft«, sagte Sam, als sie nicht sofort antwortete.

»Ja! Entschuldigung, ja! Ich hole nur schnell den Schlüssel und stelle sicher, dass Cheesecake gut versorgt ist. Dann komme ich.«

Sie drehte sich um und kehrte zum Haus zurück. Von der Tür aus beobachtete sie, wie Sam zu Ruthie ging und ihr etwas reichte, mit dem sie die Pferde füttern konnte. Eines war klar: Sie würde ihm heute Abend gestehen müssen, dass sie wusste, wer er war.

KAPITEL
FÜNFUNDVIERZIG

Richmond Park

»Ich weiß nicht einmal, was Slow Gin ist«, verkündete Sam, als er an seinem Glas nippte. »Heißt er so, weil er am besten ist, wenn man ihn langsam trinkt?«

Anna lachte. »Er heißt Sloe Gin, mit e am Ende. Das ist eine Beere. Und obwohl Gin Schnaps ist, handelt es sich bei Sloe Gin um Likör.«

»Danke, Bartender«, sagte Sam.

Er zog die Decke über Annas Knie und stopfte sie um sie beide herum fest. Die Nacht war klar und frisch, aber der Alkohol würde ein wenig Wärme spenden. Aus irgendeinem Grund verspürte er allerdings eine brodelnde Beklommenheit in der Magengegend. Er wollte unbedingt, dass der Abend ein Erfolg wurde. Es sollte die spektakulärste Verabredung in Annas Leben werden.

»Nanny Gwen hat mir alles über Drinks beigebracht. Ihrer Meinung nach konnte man viel über Menschen erfahren, wenn man darauf achtete, was sie tranken.« Anna rückte ein Stück an ihn heran.

»Aha. Ich mag die verschiedensten Drinks. Was sagt das über mich aus?«, fragte Sam und neigte den Kopf ein wenig zu ihr.

»Dass du entweder ein Connaisseur der schönen Dinge des Lebens bist oder ein Alkoholiker«, antwortete Anna.

Er lachte. »Das klingt nach tiefer Weisheit.«

»Meine Nanny war weise. Sie hätte dich gemocht. Sie hätte dich ›appetitlich‹ genannt.«

»Appetitlich«, wiederholte Sam kopfschüttelnd. »Ist das eine altmodische Version von ›scharf‹?«

»Unbedingt.«

Sam beobachtete Anna, die den Blick in die dunkelrote Flüssigkeit in ihrem Glas senkte. Irgendwie wirkte sie heute anders als sonst. Vielleicht machte sie sich Sorgen wegen Ruthie. Vielleicht hatte sie Bedenken wegen ihres Dates. Wieder verspürte er dieses brodelnde Unbehagen.

»Ist alles in Ordnung, Anna?«, fragte er.

Sie nickte. Aber als sie den Blick von den glitzernden Zweigen der frostbedeckten Bäume abwandte, hatte sich ihre Miene verändert. Er wartete, dass sie etwas sagen würde.

»Alles in Ordnung, ja«, begann sie. »Aber bei diesem Rugbyspiel hat ein Freund von Kai dich erkannt. Tut mir leid, aber ich bin in dieses Kaninchenloch namens Google gefallen und weiß jetzt, was für ein Leben du in Cincinnati führst und was in Dallas abgeht. Mit Tipi-Bars und Weihnachtsmärkten hat das nichts zu tun. Es geht um verschiedene Kaviarsorten und … und du bist Arnold Schwarzenegger begegnet.«

Er schloss die Augen und spürte, wie sich die Last der Verantwortung auf seine Schultern herabsenkte. Er hätte es ihr sofort erzählen sollen. Aber dann wären sie vielleicht nicht hier, in dieser gemütlichen, lebendigen Stimmung, die sie sich selbst geschaffen hatten. Nach einem kurzen Zögern fuhr er sich mit den Fingern durch die verfilzten Stoppeln auf seinem Kopf und stöhnte laut auf.

»O Gott! Du hast das Foto mit dem Tiger gesehen?«

»In der Tat.«

»Und das Foto, auf dem ich vollständig mit Gold eingesprüht bin und so etwas halte wie die Olympische Fackel?«

»Mit nichts als einem Tanga am Leib.«

Wieder stöhnte er und zog sich die Decke vors Gesicht, weil er sich nicht traute, Anna in die Augen zu schauen. »Das ist schlimm. Das ist entsetzlich.« Die Pferde verlangsamten das Tempo ein wenig, und die Kutsche fuhr etwas ruhiger.

»Warum hast du mir nicht erzählt, dass du ein Superstar bist?«, fragte Anna.

»Ich habe dir doch erzählt, dass ich Football spiele.«

»Aber dir war klar, dass ich dachte, du wärst eher wie David Beckham, nur nicht so talentiert.«

»Das hast du wirklich gedacht? Dass ich nicht so talentiert bin?«

»Ich habe keine Ahnung, wie die Dinge in Amerika laufen. Es ist so … groß.«

»In der Tat.« Sam seufzte. »Das ist es.« Er holte tief Luft, als sich wieder alles in ihm zusammenschnürte.

»Und?«

»Und … keine Ahnung, Anna. Vermutlich habe ich nicht gerufen ›Hallo zusammen, drüben in den Staaten halten mich manche für eine Berühmtheit‹, weil es nicht das ist, was Bedeutung für mich hat.«

»Aha?«

»Als ich herkam, habe ich das alles hinter mir gelassen. Wie … keine Ahnung … Julia Roberts in *Notting Hill*. Dieser englische Typ …«

»Hugh Grant!«

»Da hat es einfach gefunkt. Erst als alles ans Licht kam, ging die Sache den Bach runter.«

Genauso fühlte Sam sich. Was auch immer er jetzt sagen

würde, für Anna würde es keinen großen Unterschied machen. Die reine, ehrliche, wunderschöne Anna. Und noch wusste sie nicht, dass die Tatsache, dass er in der NFL spielte und Wahnsinnssummen dafür kassierte, dass er seinen Namen und sein Gesicht für Markenwerbung hergab, noch nicht das Schlimmste war, was er ihr verschwiegen hatte.

»Alles löst sich in Luft auf«, sagte Anna leise. »Ich habe einfach das Gefühl, einen großen Teil von dir nicht zu kennen, einen riesigen und bedeutsamen Teil. Natürlich wusste ich, dass dein Beruf nicht darin besteht, chinesische Pommesbuden mit Pizzaverkauf umzustrukturieren. Aber es scheint so, als würden viele Leute dich für überaus wichtig halten.«

»Football ist das, was ich spiele«, sagte Sam. »Es ist aber nicht das, was ich *bin*. Du hast den wahren Sam kennengelernt.«

Sobald dieser Satz heraus war, erkannte Sam, dass er vielleicht der Schlüssel zu allem war. Also redete er weiter.

»Es hat eine Weile gedauert, bis ich begriffen habe, dass diese beiden Seiten nicht so stark miteinander verknüpft sein sollten. Ich muss keine Kopie dessen sein, was Amerika sich unter einem NFL-Spieler vorstellt. Ich muss nicht meinen Status nutzen, um Zutritt zu VIP-Bereichen zu bekommen. Und ich muss auch kein schlechtes Gewissen haben, wenn ich abends nicht mit den Jungs ausgehe, weil ich lieber mit einer Decke auf dem Sofa liegen und alle Folgen von *Better Call Saul* anschauen möchte. Ich kann Sam ohne Football sein. Glaube ich zumindest.«

»Nun«, begann Anna, rückte die Decke auf ihrem Schoß zurecht und griff zu ihrem Glas. »Vielleicht ist es an der Zeit, dir von *meiner* heimlichen Karriere zu erzählen. Eigentlich bin ich nämlich Künstlerin«, flüsterte sie. »Die Leute nennen mich Banksy.«

»Von dem habe ich gehört«, antwortete Sam.

»Von *der*«, sagte Anna. »Es handelt sich um *mich*.«

»Aha. Der Sloe Gin scheint dir allmählich zu Kopf zu steigen.« Er nahm ihr das Glas ab und stellte es auf den Boden der Kutsche.

»Gibt es keinen mehr?«, fragte sie.

»Doch«, antwortete er. »Aber ich dachte, dass du vielleicht etwas noch Süßeres möchtest.«

Er hüllte sie in die Decke, vorsichtig, fürsorglich und, wie er hoffte, auch ein wenig verführerisch. Dann rückte er näher. Die Pferde trotteten einfach weiter. Es war ihm egal, dass die Kutsche die Aufmerksamkeit der Spaziergänger, Jogger und Radfahrer auf sich zog. Hier drin waren nur sie beide. Als seine Lippen die ihren berührten, spürte er ein gewisses Zögern. Er zog sich wieder zurück und sah ihr in die Augen.

»Du hast Bedenken.« Das klang wie eine Feststellung, nicht wie eine Frage. Die Reaktion in seinem Innern jagte ihm Angst ein.

»Keine Bedenken«, sagte Anna, nahm eine seiner Hände und drückte sie. »Nur Gedanken.«

Er sah, wie sie Luft holte und ihn dann mit diesen wunderschönen Augen anschaute. Würde das jetzt der Moment werden, in dem alles in Scherben zerfiel, so wie es schon jenseits des Atlantiks passiert war?

»Ich denke, es ist zu spät«, gestand Anna. »Ich meine … Ruthie steckt tief drin, genauso wie ich, und ich weiß, dass du nicht lange hier bist. Das ist auch in Ordnung so. Aber ich denke auch … Selbst wenn du für die Präsidentschaft kandidieren würdest ... oder für Bräunungscreme werben ... Trotzdem wäre ich dir längst verfallen.«

Nun stand er am Scheideweg. Er konnte sich diesem Moment hingeben, und auch all den Momenten, die sie vor seiner Rückkehr in die Vereinigten Staaten, wo er sich seinen Problemen stellen müsste, noch erleben könnten. Oder er stieg aus der Kutsche aus und lief einfach davon. Anna würde eine Weile leiden, und Ruthie würde ihn nicht mehr für einen wandelnden Superhelden halten, aber sie würden es überleben. Sie würden weitermachen. Was allerdings, wenn es mehr sein könnte? Was, wenn es nicht nur andauerte, solange er hier war? Er sah sie an, wohlwissend, was es sie gekostet haben dürfte, ein solches Geständnis abzulegen. Konnte es etwas anderes sein? Bestand die Chance, dass es länger halten könnte als nur ein Weihnachtsfest lang? Das würde alles verändern. Das würde bedeuten, dass er Anna alles erzählen musste.

Er streckte die Hand aus und strich über ihr dunkles Haar. »Verfallen«, flüsterte er. »Apropos ›fallen‹ ...«

KAPITEL

SECHSUNDVIERZIG

Somerset House, London

»Du musst mich mit Samthandschuhen anfassen«, forderte Sam. »Wenn ich mir die Knochen breche, werden die Bisons erst recht auf mich losgehen.«

»Meinst du, auf mich auch?«

Er lachte. »Chad würde dich vollquatschen, bis es dir zu den Ohren rauskommt.«

»Ich würde kontern, indem ich Ruthie auf ihn loslasse.«

»Wow!«, sagte Sam und nahm Annas Arm.

Sie liefen Schlittschuh, zusammen mit den vielen anderen Menschen, die sich auf der Eisbahn tummelten, in die sich der Hof des Somerset House verwandelt hatte. Das Somerset House war ein prächtiges neoklassizistisches Gebäude, das nun ein Kunstzentrum beherbergte. Jeder, der etwas auf sich hielt, kreuzte um diese Jahreszeit hier auf. Die Eisbahn rühmte sich, die schönste Londons zu sein. Mit dem gewaltigen Weihnachtsbaum, der über und über mit Lametta, Kugeln und Lichtern behängt war, und der romantischen Fassade um die Eisbahn herum war es eine Insel der Winterglückseligkeit inmitten der Stadt.

Sams Größe und Statur schienen ihm allerdings zu schaffen zu machen. Beides war nicht gerade hilfreich, wenn man auf zwei schmalen Kufen das Gleichgewicht halten wollte. Anna packte seinen Arm, bis er die Kontrolle wiedererlangt hatte.

»Weiß dein Team, dass du dich vor Autos schmeißt?«, erkundigte sich Anna. »Schlittschuhlaufen wird da glatt zur Nebensache.«

»He«, protestierte er. »Wir waren uns doch einig, dass ich nicht in die richtige Richtung geschaut habe, bevor ich auf die Straße gelaufen bin, dass es aber vor allem an der Frau lag. Sie ist zu schnell gefahren und hat nicht aufgepasst.« Er breitete die Arme aus. »Ich bin ja wohl kaum zu übersehen.«

Wieder strauchelte er. Anna wollte ihn festhalten, aber diesmal war er schon zu weit vornübergekippt und schlug hart auf dem Eis auf.

»Mist!«, rief Sam, lachte aber und klopfte sich die eiskalten Flocken von den Ärmeln seines Mantels.

»Wie ist es eigentlich, im Anzug Schlittschuh zu laufen?«, fragte Anna.

»Etwas beengter, als befürchtet«, gab er zu und erhob sich wackelig. »Aber ich hatte mich ja auch für später angezogen, nicht fürs Schlittschuhlaufen. Und da ich nur Sweatshirts im Koffer habe, musste ich mir den hier zulegen.«

Anna konnte nicht leugnen, dass ihm der nachtblaue Anzug äußerst gut stand. Andererseits stand ihm alles äußerst gut. Und er hatte sich in sie verliebt – gerade als sie schon fast nicht mehr daran geglaubt hatte, sich je wieder wie sie selbst fühlen zu können. Aber da war sie nun, fuhr in Kutschen herum, lief Schlittschuh und begeisterte sich für ein berufliches Projekt, wie sie es seit ihrer Scheidung nicht mehr getan hatte.

Sie stieß sich auf dem Eis ab und genoss die eiskalte Luft an ihren Wangen. »Ich hatte eine Erleuchtung, was das Restaurant von Mr Wong betrifft.«

»Ach, tatsächlich?«

»Tatsächlich. Und zum Teil verdanke ich das dir.«

»Wirklich?« Er hatte jetzt zu ihr aufgeschlossen. Sein Körper war so massiv wie anziehend.

»Du hast mir von diesem Restaurant in Cincinnati erzählt – das fast alle Küchen der Welt anbietet.«

»Hm.«

»Na ja, ich habe Mr Wong die Idee vorgeschlagen. Er war vollkommen aus dem Häuschen, wirklich. Mir ist bewusst, dass ein Restaurant nach dem Modell eines All-inclusive-Urlaubs nicht gerade revolutionär ist, aber ich habe mir ein paar Finessen ausgedacht, die aus dem Feast etwas wahrhaft Besonderes machen.«

»Feast!«, sagte Sam. »Wow. Das ist wirklich ein toller Name.«

»Mist, jetzt habe ich die Pointe vermasselt. Ich bin noch dabei, die Marke zu definieren. Ich schwanke zwischen Flammen, die aus dem F emporschlagen, und herabrieselnden Gewürzen. Was denkst du?«

»Keine Ahnung. Auf dem Gebiet habe ich nicht viel Erfahrung. Ich …«

»Nicht viel Erfahrung?!«, rief Anna und geriet nun selbst ins Straucheln. »Du hast doch für die größten Marken der USA geworben.«

»Anna, ich habe in Samtsesseln gesessen, während die Fotografen sich an mir abgemüht haben.«

»Die Fotos habe ich gesehen«, erinnerte sich Anna.

»Und ich bereue es zutiefst.« Er schwankte, und sie hielt ihm den Arm hin. »Das ist das Schwerste, was ich je in meinem Leben getan habe.«

»Schlittschuhlaufen?«, fragte Anna. »Oder Fragen über deine Zeit als Model beantworten?«

Er lächelte. »Das ist es, was ich an unserer Geschichte so mag. Was ich an uns beiden so mag … Du verstehst mich.«

Sie spürte, wie sie errötete. Es stimmte. Zwischen ihnen war alles kinderleicht. Man musste über nichts nachdenken, man musste nichts erarbeiten, alles war einfach da, vollkommen organisch. Und mit jedem einzelnen Tag schien es stärker, aufregender und intensiver zu werden.

»Habe ich etwas Falsches gesagt?«, fragte Sam und stieß sie mit dem Ellbogen an, als sie eine Kurve fuhren, gefühlt immer noch viel langsamer als alle anderen um sie herum.

»Nein«, sagte Anna schnell. »Nein, überhaupt nicht. Es ist nur …« Sie unterbrach sich. Dies war ein perfekt geplantes Date, das mit einem Dinner fortgesetzt werden würde. Sie würde es jetzt nicht ansprechen – vielleicht auch nie –, aber wie immer wollte sie vor allem Ruthie schützen. Andererseits gab es da neben ihrem Mutterinstinkt noch etwas, das ihr sagte, dass es auch um sie selbst ging.

»Du hast bei Ruthie einen starken Eindruck hinterlassen«, sagte sie, während sie einen Fuß nach dem anderen vorwärtsgleiten ließ. »Einen gewaltigen Eindruck.«

»Wirklich?«

»Sam, Ruthie spricht normalerweise nicht so ohne Weiteres mit anderen Menschen. Die meisten können Ruthies hohen Erwartungen gar nicht gerecht werden. Nicht dass ich sagen möchte, sie sollten es tun. Die Menschen sollen ihr Leben leben und nicht darüber nachdenken müssen, wie ihre Schuhe über den Bürgersteig scharren. Sie müssen nicht drei verschiedene Äpfel anfassen, um sich dann für den vierten zu entscheiden. Du hingegen hast dich, durch Zufall oder durch einen besonderen Blick für Ruthies Bedürfnisse, so mühelos wie Ebbe und Flut an unser Leben angepasst.« Sie holte tief Luft und kam direkt am Weihnachtsbaum zum Stehen.

»Das klingt, als sei das etwas Schlechtes«, sagte Sam.

»Ich weiß«, sagte Anna. »Und ich weiß auch, dass es nicht so klingen sollte. Das ist es aber nicht … nicht wirklich … außer …«

»Ich hänge fest«, antwortete Sam, die Hand ans Geländer geklammert. Sein Atem trat heiß an die kalte Luft.

»Oje, armer Kerl.«

»Sprich einfach mit mir«, ermutigte er sie und legte ihr die Hand auf die Schulter.

Da war sie nun, diese Berührung, die sie so sehr genoss und so sehr herbeisehnte, wenn er nicht in der Nähe war. Nachdem sie ihn ursprünglich für zu jung gehalten hatte, um so etwas ernsthaft in Erwägung zu ziehen, würde sie ihn nun am liebsten gar nicht mehr gehen lassen.

»Ruthie sucht nach Beständigkeit, Sam. Immer. Sie möchte wissen, dass wir in demselben Haus in derselben Straße wohnen und sie ihren grünen Tee in demselben Becher serviert bekommt. Alles Außergewöhnliche muss Wochen vorher offiziell angekündigt und die Ankündigung ständig wiederholt werden. Unmittelbar vor Eintritt des Ereignisses muss eine Art täglicher Countdown stattfinden. Trotzdem kann sie immer noch irgendetwas aus dem Gleichgewicht bringen, irgendetwas derart Unbedeutendes, dass man es einfach nicht voraussehen kann, und …«

Er legte ihr seine andere Hand auf die Schulter. Schwer und tröstlich lag sie dort. »Ich sage doch immer, dass sie ein wunderbares Kind ist. Ich bin unglaublich gern mit ihr zusammen. Ihre Art zu denken ist sehr tiefsinnig und bringt mich selbst zum Denken.«

Nun konnte Anna nicht mehr um den heißen Brei herumreden. »Wenn ich versucht habe, die Geschichte mit uns nicht überzubewerten, dann habe ich das für sie getan, Sam. Ich habe ihr gesagt, dass du bald gehen wirst, noch vor Weihnachten, und dass wir keine Zukunft haben. Sie sagt immer, das sei ihr schon klar, aber ich sehe doch den Ausdruck in ihren Augen. Und ich habe mitbekommen, dass sie dir ein T-Shirt näht und mit ihren schönsten Perlen verziert. Es wird dir nicht passen … aber wie ich schon sagte, sie ist wirklich hin und weg. Wenn du nach Hause zurückfährst, wird es ihr das Herz brechen, all meinen Warnungen zum Trotz.«

Nun liefen die Tränen. Sie hasste sich dafür. Die Geschichte mit Sam war nur eine Episode in ihrem Leben, in dem sie vor allem Ruthies Mutter war. Es war ein Rückfall in das Dating-Spielchen, bei dem sie ein bisschen Spaß haben und sich wie Anna fühlen konnte. Doch es ließ sich nun mal nicht mit ihrer Rolle als Mum vereinen.

»Hey, komm mal her.« Sam nahm die Hand von ihrer Schulter und zog sie an sich. »Du zitterst ja. So schlimm ist es um meine Schlittschuhkünste auch nicht bestellt.« Er rieb ihren Arm, um sie ein wenig zu wärmen.

»Es ist grauenhaft«, sagte Anna, den Mund an seinen Mantel gepresst.

»Willst du mich auffressen?«, sagte er mit einem leisen Lachen. Dann schob er sie von sich fort, hob mit einem Finger ihr Kinn an und schaute ihr tief in die Augen.

»Es tut mir leid«, flüsterte sie. »Ich verbringe eine so wunderbare Zeit mit dir, aber wenn ich nichts gesagt hätte, wäre das nicht ehrlich.«

»Das ist schon in Ordnung«, sagte er. »Ich bin froh, dass

du es gesagt hast. Aber du solltest wissen, dass ich nicht vorhabe, Ruthie das Herz zu brechen.«

»Das weiß ich doch«, sagte Anna schnell. »Tatsächlich ist es ziemlich leicht, ihr das Herz zu brechen. Das heißt aber nicht, dass ich ihr so etwas nicht ersparen möchte.«

»Außerdem kann ich mich nicht darin erinnern, dass ich je gesagt hätte, das hier wäre nur eine kurzzeitige Sache«, fuhr Sam fort. »Zumindest nicht, was mich betrifft. Du weißt doch, dass es mich erwischt hat. Und damit meine ich nicht den Autounfall.«

Was sagte er da? Plötzlich konnte Anna nicht mehr atmen, nicht mehr denken …

»Aber … das wäre nicht praktikabel«, entfuhr es ihr.

Sam musste lachen. »O Anna. Nicht praktikabel?«

Tja. Sie hatte wie eine Mutter geklungen. Eine Mutter aus der Zeit um 1800. Eine Frau, die von Olivia Colman gespielt werden könnte …

Er ließ seine Hand über ihre Schulter gleiten, dann über ihren Arm, bis sich ihre Finger ineinander verhakten. »Es gibt da etwas, das ich dir beim Dinner sagen möchte.«

»Das klingt höchst praktikabel«, antwortete Anna und drückte seine Hand.

Er nickte. »Ja, in gewisser Weise schon. Vielleicht sollten wir hier auf dem Eis noch den größtmöglichen Spaß herausholen. Willst du sehen, wie ich einen Moonwalk hinlege?« Er ließ sie los und suchte sich eine Stelle, wo mehr Platz war.

»Sam, nein!«, rief Anna, riss den Blick von dem glänzenden Weihnachtsbaum los und sah Sam hinterher.

»Angst?« Sam bewegte sich rückwärts, wirkte aber nicht sehr souverän dabei.

»Entsetzliche Angst! Sam, hör auf!«, rief Anna und schoss vorwärts, während er unerbittlich nach hinten glitt. »Sam! Da sind Leute!«

Seine Arme wirbelten wie Windmühlenflügel durch die Luft, bevor er hart auf dem Boden aufprallte.

KAPITEL
SIEBENUNDVIERZIG

Die Themse

»Hör auf zu lachen«, sagte Sam, als sie am Flussufer entlangliefen, das von goldenen, silbernen und eisblauen Lichtern erhellt war. Die Stadt wimmelte von Menschen, die sich gegen die Kälte eingehüllt hatten. Er genoss es, Teil dieses Getümmels zu sein.

»Sag mir nicht, dass ich nicht lachen soll, wenn du selbst nicht aufhörst«, antwortete Anna und drückte seinen Arm. Sie gingen dicht beieinander.

»Ich hatte noch Glück, dass sich nicht ein Plastikpinguin in mich hineingebohrt hat.«

»Ich würde eher sagen, dass der kleine Junge Glück hatte, weil er den Pinguin noch rechtzeitig loslassen konnte. Sonst hättest du ihn umgenietet statt seiner Eislaufhilfe.«

»Du kennst mich doch. Da hätte ich lieber den Weihnachtsbaum umgefahren, als einem Kind wehzutun«, erinnerte Sam sie.

»Ich weiß«, sagte Anna.

»Also …«

»Also was?«

»Weißt du, wo wir zum Dinner hingehen?«, fragte er und genoss die Aura des Mysteriums, die diese Verabredung umgab. Der nächste Programmpunkt lag allein in seiner Verantwortung. Ruthie hatte nur einen dezenten Hinweis gegeben.

»Na ja … Da gibt es diesen Weihnachtsmarkt an der Southbank, auf dem man die besten Hotdogs der Welt bekommt«, riet Anna.

»Oh, wow, Anna. Denkst du, ich fahre mit dir in die Innenstadt, um Hotdogs zu essen?« Er schüttelte den Kopf.

»Moment mal. Zum einen mag ich Hotdogs. Ich hätte gedacht, dass Ruthie dir das vielleicht verraten hat, in einer dieser ewig langen Nachrichten, die sie dir ständig schickt. Außerdem hattest du mal angedeutet, dass du diesen ganzen Firlefanz mit fünf Sternen und so nicht magst.«

Wieder lachte er. »Firlefanz!«

»Ich muss zugeben, dass ich dieses Video gesehen habe, wo du zu wohltätigen Zwecken über den Laufsteg läufst«, sagte Anna.

»Gibt es überhaupt etwas, das du nicht über mich weißt?«

»Nichts, über das je berichtet wurde. Andererseits darf man nicht davon ausgehen, dass die Medien immer die ganze Wahrheit kennen.«

Das hatte ein Scherz sein sollen, aber es hatte ihn getroffen. Es gab Dinge, die sie nicht wusste. Bedeutende Dinge. Dinge, die ihre Gefühle in Bezug auf ihre Beziehung verändern könnten. Ein weiterer Grund, sich Sorgen wegen Ruthies Reaktion zu machen. Anna hatte vollkommen recht. Diese Interviews, diese Artikel, sie waren nicht die ganze Wahrheit. Und je länger er hier war und Dinge tat, für die er sich daheim nie Zeit genommen hatte, desto stärker begriff er, wie wenig Wichtiges diese Berichte enthielten.

Er legte ihr den Arm um die Schulter und drehte sie zum Flussufer. »Eigentlich wollte ich ein Boot mieten, nur für uns beide. Ein kleines Dinner, während wir den Fluss hinabgleiten und die Lichter der Stadt an uns vorbeiziehen sehen.« Er ließ die Hand über den Horizont schweifen, wo die Sehenswürdigkeiten Londons leuchteten. »Aber dann bin ich noch einmal in mich gegangen. Bald ist Weihnachten, und ich habe ja schon die große Show abgezogen, mit Pferden und Kutsche und so. Und wie du richtig bemerkt hast, ist es nicht unbedingt mein Ding, eine Show abzuziehen …«

Er drehte Anna ein wenig nach rechts, wo ein hell erleuchtetes Schiff am Ufer lag. Feierliche Musik schallte herüber, und es befanden sich bereits einige Menschen an Bord.

»Ich glaube, der Zauber von Weihnachten liegt auch darin, dass man andere Leute diesen Zauber genießen sieht. Daher dachte ich, wir schauen mal, was der Rest von London tut, und tun es dann mit ihnen zusammen«, sagte Sam.

»Ein Partyschiff«, flüsterte Anna. »Du hast Plätze auf einem Partyschiff gebucht.«

»Und ich erkenne schon an der Art und Weise, wie du das sagst, dass es die richtige Entscheidung war.«

»Wird dort auch getanzt?« Anna reckte den Hals, als halte sie Ausschau nach einer Band oder einem DJ auf dem Schiff.

»O ja«, sagte Sam. »Aber ich muss dich warnen. Meine Tanzkünste sind nur unwesentlich besser als meine Schlittschuhlaufkünste.«

Er sah, wie sie die Hand an die Brust legte, als würde sie bei der Aussicht auf eine Schiffstour von Ehrfurcht überwältigt. »Sam, bitte sag mir, dass auf dem Schiff das Essen in Körben serviert wird.«

»In Körben?« Er hatte keinen Schimmer, was sie meinte.

Sie lächelte. Ihr Haar bewegte sich in der kalten Brise, die vom Wasser heraufwehte. »Als ich klein war, hat mich meine Nanny Gwen mal auf ein solches Schiff mitgenommen. Eine

Jazzband spielte, es war Sommer, ich durfte Pimm's trinken, und wir bekamen Plastikkörbchen mit unserem Essen darin. Hühnchenbrust, Pommes und Salat, alles war in dem Korb aufgestapelt. Für mich war es das Paradies.«

Ihre Begeisterung bei dieser Erinnerung rührte ihn. Sollte es keine Plastikkörbchen mit Essen geben, würde er alles daran setzen, welche aufzutreiben.

Sie wedelte mit der Hand und lachte wieder. »Ignorier mich einfach, das ist ja albern. Ich kann es kaum erwarten, an Bord zu gehen. Können wir an Bord gehen?«

»Können wir. Dann mal los.«

»Vielleicht gibt es ja auch Hotdogs …«

Es gab keine Hühnerbrust in Körbchen, aber jeder bekam eine Schachtel mit Truthahnbrust und allem Drum und Dran. Es machte Spaß, sich ein freies Plätzchen an einem Tisch zu suchen und die eigene Stimmung mit anderen zu teilen. Bislang hatten sie mit einer Gruppe von Immobilienexperten, englischen Cheerleadern und vier Damen in den Achtzigern geplaudert. Letztere unternahmen jedes Jahr eine Weihnachtsschiffsfahrt, nachdem sie sich nach dem Tod ihrer Ehemänner in einer Trauergruppe kennengelernt hatten. Man spielte Spiele und tanzte zu Weihnachtsklassikern. Über der Tanzfläche hingen Unmengen von goldenen, roten, weißen und blauen Foliengirlanden, und ein von der Decke baumelnder Weihnachtsbaum fungierte als stachelige Discokugel. Sam und Anna traten als Paar auf und fühlten sich frei, sorglos, entspannt …

Trotz der sinkenden Temperaturen draußen hatte sich das Innere des Schiffs in eine Sauna verwandelt. Als Anna merkte, dass sich an ihrem Haaransatz Schweißperlen bildeten, war sie froh, für einen Moment an Deck gehen und die anderen Partygäste hinter sich lassen zu können.

Sie trank Erdbeer-Limetten-Cider aus der Flasche und spürte förmlich, wie er ihren Durst löschte. Sie konnte nicht sagen, wann sie sich zuletzt so viel bewegt hatte. Vielleicht, als sie Ruthie in einem Buggy durch die Gegend geschoben hatte? Beängstigend war das ...

»Schöne Weihnachtsparty?« Sam stellte sich dicht neben sie und lehnte sich an die Reling.

»Schöne Weihnachtsfeier!«, sagte Anna lächelnd. »Die allerschönste Weihnachtsfeier ... Aber verrat Neeta nicht, dass ich das gesagt habe.« Sie stellte ihre Flasche auf einen Tisch und trat rückwärts ans Geländer.

»Aber ihr Fest ist ja auch keine Weihnachtsfeier, oder?«, sagte Sam.

»Stimmt«, sagte Anna.

Das Wasser sah aus wie fließende Tinte. Das Schiff pflügte durch die starke Strömung und passierte die in Gold getauchten Sehenswürdigkeiten Londons. Der Anblick war denkwürdig, und Anna fragte sich, wie er auf jemandem wirkte, der das noch nie gesehen hatte.

»Wie fühlst du dich in London?«, fragte sie und sah zu Sam.

»Wie ich mich in London fühle?«, fragte er und stieß Luft aus. »Wow, das ist mal eine Frage.«

Sie lachte. »Ich meinte einfach: Was hältst du von der Tower Bridge und The Gherkin und Big Ben ... und der Wackelbrücke?«

»Der was?«

»So nennen wir die Millennium Bridge, weil sie ... Na ja, der Spitzname ist vermutlich selbsterklärend.«

»Ehrlich gesagt«, begann Sam, »ist London nicht so, wie ich es mir vorgestellt hatte.«

»O Gott! Erzähl das nicht den Tourismusbeauftragten! Wieso denn nicht? Gibt es zu wenige Shoppingmöglichkeiten? An den Gebäuden kann es nicht liegen, die haben sich seit hunderten von Jahren nicht verändert.«

»Nein, das ist alles genau so, wie ich es mir vorgestellt habe. Aber … Richmond hat die Innenstadt weit in den Schatten gestellt.«

»Das *musst* du den Tourismusbeauftragten erzählen«, sagte Anna. »Sie werden den Spruch auf Werbetafeln und T-Shirts drucken.« Sie schnappte nach Luft. »Vielleicht schreiben sie es sogar auf Busse. Warst du schon einmal auf einem Bus abgebildet?«

»Mein Gesicht war mal auf einer U-Bahn. Zählt das auch?«

Anna nickte. »Unbedingt.«

»Anna«, sagte er leise und nahm ihre Hand. »Wenn ich ganz ehrlich sein soll, geht es gar nicht um Richmond. Es geht um dich.« Er drückte ihre Hand unendlich sanft. »Das Allerbeste an meiner Reise … bist du.«

»O Sam, du hast doch St Paul's gesehen und warst angeblich auch am Buckingham Palace und am Tower.«

»War ich auch«, antwortete er. »Und ich habe keinerlei Zweifel, dass all diese Dinge überaus beeindruckend sind und man sie sich auf den Fotos, die man gemacht hat, immer wieder anschaut. Aber die Fotos, die ich mir immer wieder anschauen werde, sind die mit uns beiden.«

Annas Herz schlug schneller, und sie wusste, dass das nicht mehr vom Tanzen kam. Wieder hatte er ihr gestanden, was sie ihm bedeutete.

»Ich werde dir jetzt etwas erzählen – und das tu ich, weil ich Vertrauen zu dir habe, Anna.«

»O Gott!« Anna ließ seine Hand los und fuhr sich panisch durchs Haar. »Das letzte Mal, dass jemand so etwas zu mir gesagt hat, musste ich monatelang ein Geheimnis bewahren. Das hat mich fast umgebracht. Es war nämlich eines von Neetas Geheimnissen und drehte sich um ihre Schwiegermutter, und die ist wirklich ein Drachen.«

Er lächelte, aber es war eines dieser Lächeln, hinter denen sich etwas anderes verbarg. Was auch immer er ihr erzählen wollte, es war ihm todernst. Unvermittelt verspürte sie einen Anflug von Angst.

Sie sah, dass er tief Luft holte. Gerade fuhren sie unter die Blackfriars Bridge.

»Sam«, sagte sie. »Worum geht es?«

Er schüttelte den Kopf. »Am liebsten würde ich dir alles erzählen, aber … das kann ich noch nicht. Zuerst muss ich es anderen Menschen erzählen. Meiner Familie.«

»Du machst mir Angst«, sagte Anna und fröstelte vor Kälte, als sie unter der Brücke wieder hervorkamen.

»Tut mir leid«, flüsterte er. »Ich möchte diesen wunderbaren Abend nicht verderben.«

»Erzähl's mir«, bat Anna. Sie nahm seine Hand, drehte den Handteller nach oben und malte Kreise hinein.

Er begegnete ihrem Blick. »Du hast von dem großen Deal mit den Dallas Diggers gelesen?«

»An der Nachricht kam man kaum vorbei«, gab sie zu.

»Nun … ich werde nicht zu den Diggers gehen.«

»Nein?«

Er schüttelte den Kopf. »Aber das weiß noch niemand außer den Diggers und den Bisons. Meine Agentin versucht es aus der Presse herauszuhalten, weil sich sonst tausend Fragen anschließen. Und … ich habe noch keine Antworten.«

Anna wusste nicht, was sie sagen sollte. In Sams Miene spiegelten sich die unterschiedlichsten Gefühle: Sorge und Schmerz und noch etwas anderes, das sie nicht zuordnen konnte. Vielleicht ein Anflug von Erleichterung?

»O Gott, das herauszubringen war hart«, gestand Sam, entzog ihr seine Hand und fuhr sich durchs Haar.

»Was ist denn schiefgelaufen?«, fragte Anna.

Er seufzte. »Das ist das, was ich dir noch nicht erzählen kann.«

»Ich verstehe nicht«, sagte Anna.

»Ich weiß«, sagte Sam, während das Schiff nun Shakespeares Globe Theatre passierte. »Aber, Anna, ich versichere dir, ich würde dir mehr erzählen, wenn ich könnte. Ich muss nur … zuerst mit meiner Familie sprechen.«

»Das klingt ernst«, sagte sie und spürte einen Kloß im Hals.

»Hör zu.« Er nahm sie bei den Armen und suchte ihren Blick. »Ich erzähle dir das, weil ich im Moment keine Ahnung habe, wie meine Zukunft aussieht. In Dallas werde ich jedenfalls nicht spielen. Ob ich noch in Cincinnati bleiben kann, weiß ich nicht. Zum ersten Mal in meinem Leben ist alles offen, und das hat nicht nur mit dem Spiel zu tun.«

»Was willst du mir eigentlich sagen?«

»Ich will dir sagen, dass ich zum ersten Mal in meinem Leben begreife, dass Football nicht alles ist. Und indem ich das begreife, sehe ich auch, dass einem das Leben Bälle zuwerfen kann, mit denen man nicht gerechnet hat. Und plötzlich muss man Entscheidungen treffen.«

Sie blieb stumm und sah ihn einfach weiter an, während

er immer noch ihre Arme hielt. Sie kannten sich noch nicht lange, aber er nahm bereits eine wichtige Rolle in ihrem Leben ein, eine Rolle, an die sie sich allzu sehr gewöhnte.

»Ich war auf der Flucht, als ich nach London gekommen bin, Anna. Und plötzlich warst du da«, sagte Sam. »Ich mag ein bisschen Shopping und Sightseeing gemacht haben, aber der Grund, warum ich geblieben bin ... bist du.«

»Sam«, flüsterte sie. Tränen brannten in ihren Augen, als der Alkohol, die Gefühle und die festlichen Klänge der Partymusik aus dem Innern des Schiffs sie überwältigten.

»Weine nicht wegen mir«, bat er sie, sah aber selbst aus, als könne er im nächsten Moment in Tränen ausbrechen. »Ich bin mir sicher, dass das auf einem Partyschiff die Stimmung verdirbt.«

Sie schlang die Arme um seine muskulöse Gestalt und hielt ihn so fest wie möglich. »Wenn dieses Schiff anlegt«, sagte sie, »möchte ich, dass du mit mir nach Hause kommst. Und ich möchte, dass du die ganze Nacht bleibst.«

»Bist du sicher?«, fragte er.

»Was auch immer du mir mitteilen möchtest«, sagte Anna, hielt ihn von sich fort und sah ihm tief in die Augen, »ich kann nicht mehr warten. Und ich vertraue dir. Es sei denn, was weiß ich ... Doja Cat wartet jenseits der Kurzwahltaste auf ein Rendezvous. Kannst du mir vielleicht einfach versichern, dass es sich nicht um so etwas handelt?«

Er schüttelte lächelnd den Kopf. »Tut es nicht.«

»Dann küss mich«, befahl Anna. »Noch bevor wir die London Bridge erreichen.«

Er beugte sich so langsam vor, dass sie zitterte, als seine Lippen ihren Mund berührten. Dieses Mal fühlte es sich anders an, tiefer, bedeutsamer irgendwie. Von diesem Kuss genoss sie jeden einzelnen Moment und brannte ihn in ihre Erinnerung ein, damit sie ihn jederzeit, wenn es nötig sein sollte, noch einmal durchleben könnte. Andererseits bestand nun die Aussicht auf mehr. Eine gemeinsame Nacht. Das erfüllte Anna mit Begeisterung, aber auch Angst. Sie fröstelte, und Sam zog sich zurück.

»Geht es dir gut?«, fragte er und strich ihr mit seiner großen Hand die Haare von der Wange.

Sie nickte. »Hältst du mich fest?«

Er trat hinter sie, umschlang sie mit den Armen und küsste sie auf den Kopf, als das Schiff unter die Brücke fuhr und dahinter den Blick auf The Shard freigab. Sie lehnte sich an ihn und spürte seinen massiven Körper. Sie hatte es ernst gemeint, als sie gesagt hatte, dass sie ihm vertraute. Nachdem sie lange gedacht hatte, dass sie in Herzensangelegenheiten nie wieder jemandem vertrauen könnte, belehrte Sam sie eines Besseren. Sie konnte nur hoffen, dass das, was auch immer er ihr verschwieg, nicht alles wieder auf den Kopf stellte.

ACHTUNDVIERZIG

Annas und Ruthies Zuhause, Richmond

Sam schlug die Augen auf. Im ersten Moment wusste er nicht, wo er war. In seinem Hotelzimmer jedenfalls nicht. Dieses Schlafzimmer war gemütlich und lebendig. Halsketten hingen über dem Spiegel des Ankleidetischs, der mit Lametta, Büchern und Notizheften übersät war. Auf der anderen Seite lagen drei Packungen Feuchttücher, zwei Bürsten, eine Dose Haarspray, eine Mütze, Handschuhe, eine leere Tasse. Ein gewaltiger Eichenschrank war zu sehen … Er lächelte. Annas Schlafzimmer. So vorsichtig wie möglich, die Beine über das Bettende hinausragend, drehte er sich um und sah sie neben sich liegen. Ihre Augen waren geschlossen, ihr Mund leicht geöffnet. Sie atmete zufrieden, wirkte so friedlich und schön. Nun kamen auch die Erinnerungen an die Nacht zurück …

Auf dem gesamten Rückweg im Taxi hatten sie gesungen, und bei »Last Christmas« hatte sogar der Taxifahrer mit eingestimmt. Anna hatte Sam einen Kaffee angeboten, aber nachdem er über Cheesecake gestolpert war, ein Figürchen von Malcolm gerissen und Anna ihn noch einmal geküsst hatte, waren alle Gedanken an irgendetwas anderes wie ausgelöscht.

Er schloss die Augen und dachte daran, wie er Anna die Treppe hinaufgetragen hatte, ihre Münder immer noch miteinander verschmolzen. Aus Versehen waren sie im Badezimmer gelandet und mussten lachen. Bis Anna dann das Wasser in der Badewanne andrehte und damit begann, ihm den Anzug auszuziehen ...

Er wusste nicht, wann er sich zuletzt so gefühlt hatte. Das Wasser rann an ihnen hinab, und Annas Finger bohrten sich in seine Haut, als er sich seinen Weg über ihren Körper küsste. Es war fast, als würden sich ihre Körper kennen und wüssten genau, was sie zu tun hatten. Wusste irgendjemand da oben Bescheid? War das der Grund, warum die Dinge mit Anna so wunderbar liefen? Weil es schnell gehen musste?

Sam berührte sie nun, so sanft, als wäre sie aus hauchdünnem Glas, aber er musste einfach ihre Haut unter seinen Fingerspitzen spüren.

Du wirst ihr wehtun. Du weißt nicht, wie sie auf deine Enthüllungen reagieren wird. Schließlich muss sie sich um Ruthie schon genug Sorgen machen.

Er hielt die Luft an, da er diese innere Stimme nicht hören wollte. Vielleicht würde er Anna verlieren, das war ihm klar. Als er gesagt hatte, dass er sich in sie verliebt hatte, war es ihm ernst gewesen. Er wollte ehrlich mit ihr sein, wollte sehen, wie weit sie miteinander gehen konnten. Aber war das nun besser für sie oder eher nur für ihn?

»Sag mir, dass du Kaffee gekocht hast und ich beim Erwachen den Geruch eines starken schwarzen Americano in der Nase haben werde«, flüsterte Anna plötzlich, die Augen immer noch geschlossen, aber ein sanftes Lächeln auf den Lippen.

Er rückte näher und sog ihren Duft ein – Duschgel, frische Baumwolle, Zuhause. Himmel, sie roch so gut! Er drückte ihr einen sanften Kuss auf die Lippen. »Kaffee eher nicht, aber mit dem Rest der Bestellung kann ich dienen.«

Langsam hoben sich ihre Lider, dann sahen ihn diese überwältigenden Augen an. Das müsste er auf einem Polaroid festhalten. Nein, er brauchte keinen Schnappschuss, um dem Bild Bedeutung zu verleihen. Er wollte sich einfach vorstellen, dass er solche Momente noch oft erleben würde.

»Ich habe die ganze Nacht durchgeschlafen«, sagte Anna, die sich immer noch nicht rührte. »Das passiert nicht oft.«

»Tatsächlich?«, sagte Sam. »Vielleicht lag es am Cider. Oder am Tanzen.«

»Vielleicht auch an der Dusche.«

»Oder vielleicht«, fuhr er fort, »war es auch das rosafarbene Glitter-Massage-Gel.«

Sie musste lachen und zog sich die Bettdecke über den Kopf. »Kein Wort mehr!« Dann linste sie unter der Decke hervor. »Findest du, dass es wie Haschisch riecht?«

»Um ehrlich zu sein«, sagte Sam, »habe ich mich nur auf das konzentriert, was ich damit massiert habe.«

Sie kicherte, und er musste denken, dass er sie noch nie so sorglos und unbeschwert erlebt hatte. Dieses Gefühl wollte er festhalten.

»Wie spät ist es?«, fragte sie.

»Keine Ahnung.«

»Du hast definitiv keine Kinder.«

Und ich werde auch keine haben. Er schluckte. Diese Konsequenz hatte er noch gar nicht bedacht. Wenn er Kinder bekam, würde das bedeuten, dass sie mit fünfzigprozentiger Wahrscheinlichkeit auch diesen Gendefekt in sich trugen. Wer würde ein solches Risiko eingehen? Und wenn Anna und er eine Zukunft haben sollten, was dann? Klar, sie hatte schon eine Tochter, aber irgendwann würde sie sich vielleicht ein Geschwisterchen für Ruthie wünschen. Und das konnte er ihr nicht geben. Nicht zu fassen, was ein einziges Gen doch anrichten konnte.

Sam sah, wie Anna ihren Arm unter der Bettdecke hervorzog und auf die Uhr blickte.

»O Gott, schon acht!« Sie warf die Decke zurück, stürzte fast aus dem Bett und schnappte sich die Sachen, die sie auf dem Fußboden verstreut hatte.

»Ich habe Urlaub«, erinnerte er sie.

»Aber Ruthie muss zur Schule. Ich habe Neeta gesagt, dass sie Ruthie vorbeibringen soll, damit sie sich hier fertig machen kann. Sie werden jeden Moment da sein.«

Die friedliche, sorglose Anna gab es nicht mehr. Er beobachtete, wie sie sich in Windeseile fertig machte. Bürste, Unterwäsche, Pullover.

»Soll ich gehen?«, fragte Sam und stand ebenfalls auf. Er zog seine Hose an und nahm das Hemd von dem Stuhl, auf dem es gelandet war. »Ich könnte dir einen Kaffee kochen und mich dann schnell verziehen, bevor Ruthie kommt.«

»Nein«, sagte Anna und drehte sich zu ihm um. »Wir sind doch erwachsene Menschen.« Sie fuhr sich mit den Händen durchs Haar. »Ich denke noch mal darüber nach, aber es wird schon in Ordnung sein.« Sie nahm ihr Handy vom Nachtschränkchen und riss dabei eine rote Christbaumkugel zu Boden. »Keine aufgeregten Nachrichten von Neeta. Und besser noch: keine Nachrichten von Ruthie. Nein, warte, ich schaue noch kurz auf Instagram nach, darüber schreibt sie mir auch manchmal.«

Sam knöpfte sich das Hemd zu und trat an die Vorhänge, die noch das Tageslicht aus dem Raum fernhielten. Er mochte es, in Richmond aufzuwachen und zu beobachten, was der Nachtfrost mit den Bäumen und Gebäuden angestellt hatte. Ob der Nachbar sein elektrisches Rentier die ganze Nacht angelassen hatte? Er zog den Vorhang ein Stück zur Seite, aber im nächsten Moment stockte ihm das Herz. Die Straße war keineswegs so ruhig wie erwartet. Auf dem frostbedeckten Gehweg hatten sich Leute versammelt, eine ganze Horde, Fotoapparate um den Hals und Kameras auf der Schulter

»Keine Nachrichten auf Instagram. Vor einer Stunde hat sie etwas über Bucky Barnes gepostet, also alles in bester Ordnung«, hörte er Anna sagen.

Sam sah immer noch aus dem Fenster, vor dem die Läden halb geschlossen waren, und hoffte inständig, dass es um etwas anderes ging. Es *musste* um etwas anderes gehen, oder? Vielleicht wollte die Lokalpresse über das elektrische Rentier und die Weihnachtsbeleuchtung in Annas Straße berichten, für einen herzzerreißenden Beitrag über die Vorfreude aufs Fest …

»Sam? Alles in Ordnung? Hat sich jemand an meinem Auto vergriffen?«, fragte Anna.

Er zog die Vorhänge schnell zu, als sie sich näherte. »Nein«, sagte er. »Mit dem Auto ist alles in Ordnung.« Er suchte seine Jacke und holte das Handy aus der Tasche. Selbst durch das zersplitterte Display konnte er erkennen, dass er zig Nachrichten hatte. Was auch immer da draußen los war, es ging um ihn.

»Gott sei Dank«, sagte Anna, die sich bereits vollständig angekleidet hatte. »Letztes Jahr an Weihnachten hat irgendein Verrückter Weihnachtsmotive auf die Fensterscheiben und den Lack gesprüht. Das klingt jetzt vielleicht nicht so schlimm, aber wenn das Zeug erst einmal einfriert, bekommt man es kaum noch ab.«

Was sollte er nun tun? Erst mal ein Blick auf sein Handy. Er hatte verpasste Anrufe von Frankie und Tionne, aber in Ohio war es mitten in der Nacht. Sollte er eine von ihnen anrufen? Sollte er im Internet nach Nachrichten suchen?

»Ich koch dann mal Kaffee«, sagte Anna mit einem Lächeln. »Und gebe Cheesecake etwas zu fressen, damit sie dir nicht wieder auflauert.«

Bevor er einen Entschluss fassen konnte, hatte Anna den Raum schon verlassen und stieg die Treppe hinab. Er wollte nicht, dass sie mitbekam, was da draußen los war. Die Fensterläden mussten geschlossen bleiben, und am besten hielten sie sich weiterhin nur im Haus auf, wo ihnen nichts geschehen konnte …

»Anna«, rief er und rannte ihr hinterher, das Hemd noch nicht vollständig zugeknöpft. Sie war schon die halbe Treppe hinab und drehte sich um.

»Kannst du Ruthie oder Neeta anrufen? Ich denke, dass sie im Moment nicht kommen sollten.«

Sie lächelte, eine Hand auf der Lamettagirlande am Geländer. »Verstehe. Du willst noch etwas Zeit mit mir verbringen …«

Wenn es doch nur so wäre. Er schloss für einen Moment die Augen, weil er diese Seifenblase nicht zum Platzen bringen wollte. Aber er musste es tun. Für Anna. Für Ruthie. Schließlich war er allein schuld daran.

»Kannst du sie davon abhalten hierherzukommen?«, fragte er und schritt die Treppe hinunter, bis er neben ihr stand.

Doch Anna bekam keine Möglichkeit mehr zu antworten, weil von draußen ein markerschütternder Schrei ertönte.

Annas Herz tat einen gewaltigen Satz. Das war Ruthie, ohne
jeden Zweifel. Sie schoss in Richtung Haustür. Doch Sam
packte ihren Arm und hielt sie fest.

»Geh nicht raus«, bat er.

»Was redest du da? Das war Ruthie! Sie ist da draußen und
erleidet einen ihrer Zusammenbrüche! Irgendetwas stimmt
nicht mit ihr, und Neeta wird nicht wissen, was sie tun soll!«
Sie griff nach dem Riegel.

»Anna, lass *mich* rausgehen.« Sam blockierte die Tür.

»Was tust du da? Aus dem Weg!« Plötzlich war sie in Panik. Warum verbarrikadierte Sam die Tür? Warum schrie
Ruthie so? Dann klingelte das Handy in ihrer Tasche. Nun
befand sie sich in einem schrecklichen Zwiespalt. Sie wollte
nachschauen, ob es Neeta war, wollte wissen, was passierte,
gleichzeitig wollte sie Sam aus dem Weg schaffen und so
schnell wie möglich nach draußen eilen.

»Draußen ist die Presse«, sagte Sam. »Auf der Straße,
direkt vor unserer Treppe. Du darfst das Haus nicht verlassen. Und Ruthie darf nicht da draußen sein, mit dieser
Meute.«

Sie konzentrierte sich wieder auf Sam und seine Worte.
Presse? Vor ihrem Haus? Eine Menschenmenge vor dem
Heiligtum ihres Zuhauses würde Ruthie mit Sicherheit aus
der Bahn werfen. Annas Gehirn gab sich Mühe, die Informa-

tionen zu verarbeiten und Entscheidungen zu treffen, aber es ging nicht.

»Gibt es hier in der Nähe einen sicheren Ort?«, fragte Sam.

»Eine Kirche, oder was?«

»Nein«, sagte Sam. »Einen Ort, an dem sich Ruthie sicher fühlt.« Er legte Anna eine Hand auf die Schulter. »Denk schnell nach, Anna.«

»Ich weiß nicht …«, begann sie. Aber dann kam ihr eine Idee. »Das Café. Es ist nicht weit von deinem Hotel entfernt. Das Bean Afar.«

»Gut«, sagte Sam, langsam und ruhig atmend. Sein mächtiger Brustkorb hob und senkte sich. »Also. Ich gehe jetzt hinaus. Ich renne los und schnappe mir Ruthie. Wir werden nicht Halt machen, bis wir das Café erreicht haben.«

»Sam … ich … nein … Das ist Wahnsinn.«

»Hör zu. Ich weiß nicht, warum die da draußen sind, aber ich schätze mal, es liegt an mir.«

»Sam, du kannst Ruthie nicht den ganzen Weg bis zur High Street tragen. Außerdem brauchst du …«

»Feuchttücher? Antibakterielles Gel?«, fragte er. »Hol mir einfach alles, was ich brauche.« Er trat von der Tür weg und rannte die Treppe hinauf.

Was blieb ihr übrig? Sie stürzte in die Küche – im selben Moment, den Cheesecake für günstig hielt, um unter dem Tisch hervorzuschießen und anzugreifen – und holte Feuchttücher und Handgel aus dem Schrank. Als sie in den Flur eilte, war Sam schon wieder zurück und zog sich die Hose hoch. Anna hielt ihm Tücher und Gel hin, und er steckte sie in die Hosentaschen.

Plötzlich klingelte es an der Tür. Es war dieses penetrante Klingeln, das nur von Neeta kommen konnte. Bevor Anna etwas tun konnte, klapperte es am Briefschlitz, und eine Stimme ertönte.

»Hier stehen zig Mini-Piers-Morgans und haben Ruthie erschreckt! Ich wollte sie wieder ins Auto verfrachten, aber sie ist weggelaufen! Ich renne ihr jetzt hinterher!«

»Neeta, warte!«, rief Sam.

Sam war nicht mehr zu halten. Er konnte es nicht ertragen, dass Annas Miene immer panischer wurde. Diese Situation hatte er ihr eingebrockt, nun musste er ihr da raushelfen.

»Ich ruf dich an«, rief er. »Sobald wir dort sind.«

Er beugte sich zum Briefschlitz hinab und sah in Neetas Augen. »Geh von der Tür weg, Neeta. Ich komme raus.«

»Sam«, rief Anna und griff nach ihm.

Er blieb stehen, holte tief Luft, riss die Tür auf und rannte los. Und dann übernahm seine Sportlernatur die Regie. Es war, als hätte er nur ein Ziel: den Ball erwischen, losrennen, den Touchdown erzielen. Er war hoch konzentriert, als hinge alles davon ab, nicht nur ein Ligaspiel, nicht einmal der Superbowl. Hier ging es um Ruthie. Und um Anna. Er meinte, etwa zehn Fotografen zu sehen. Sobald sie ihn erblickten, begannen sie ihren verzweifelten Tanz – dieser Sprung auf den anderen Fuß, eine Drehung in seine Richtung, die baumelnden Kameras am Hals –, bevor sie darüber nachdachten, ob sie ihn verfolgen sollten. War die Geschichte, die offenbar auch in England eine Nachricht wert war, groß genug, dass sie in ihre Wagen springen und ihn verfolgen würden? Er hoffte verzweifelt, es möge nicht so sein.

Sam konnte Ruthie in der Ferne sehen. Sie rannte im Zickzack, was toll wäre, wenn sie von einem Krokodil verfolgt würde, aber nicht ganz so toll, wenn sie auf die Straße rannte. Der Verkehr wurde allmählich dichter.

»Ruthie!«, rief er.

Keine Antwort, als könne sie ihn nicht hören. Wieder rief er.

»Ruthie!«

In wenigen Schritten würde er bei ihr sein. Sie war verängstigt und orientierungslos. Er würde sich nicht mit ihr verständigen können, wenn sie sich so abkapselte. Er würde tun müssen, was er Anna versprochen hatte: sie zunächst in Sicherheit bringen und alles andere danach klären.

Er tat einen Satz, riss sie in seine Arme und rannte dabei immer weiter. Sie schrie auf, traktierte ihn mit den Fäusten, jedes Körperteil, das sie erreichen konnte.

»Hey, Ruthie. Ich bin's. Sam. Falcon. Es ist alles in Ordnung. Wir werden uns einfach ... auf eine Mission begeben.«

Nun wurde Ruthie ruhig und so steif, als hätte sie sich in Beton verwandelt. Sie starrte zu ihm auf, mit weit aufgerissenen Augen, ängstlich, aber offen.

»Da waren Leute ... draußen ... Sie sind auf mich zugekommen.«

»Ich weiß«, sagte er keuchend, weil er sein Tempo beibehielt. »Das war wirklich beängstigend, oder?«

»Einer der Männer hat eine Jacke über Cecils Kopf gelegt«, berichtete Ruthie mit einem Schluchzer. »Ich hoffe, er stirbt bald.«

»Wir gehen jetzt erst einmal einen Kaffee trinken. Oder eine heiße Schokolade. Was auch immer du willst. Im Bean Afar.«

»Das geht nicht«, sagte Ruthie, als sie um die Ecke bogen und Annas Straße hinter sich ließen.

»Warum nicht?«

»Weil ich nicht sauber bin. Ich wollte nach Hause, um mich nach dem Besuch bei Neeta zu reinigen, aber da waren dann diese Leute.«

»Ach so«, sagte Sam. »Ich habe Tücher und Gel dabei. Denkst du, das reicht, um mit mir was trinken zu gehen?«

Seine Lunge brannte. Er war zwar topfit, aber die Langstrecke war noch nie seine Disziplin gewesen. Ruthie schien über seine Worte nachzudenken. Er schaute über die Schulter, um zu erkennen, ob ihnen jemand folgte. Niemand. Er verlangsamte das Tempo. Sein Atem war heiß, seine Füße pochten.

»Eine heiße Schokolade«, antwortete Ruthie mit zittriger Stimme. »Mit einer doppelten Portion Sahne und … Streuseln.«

»Unbedingt«, sagte er.

»Sam«, schniefte Ruthie. »Warum hast du keine Schuhe an?«

Erst als er auf seine Füße sah, merkte er, dass er barfuß war.

KAPITEL
FÜNFZIG

Bean Afar, Richmond

Sie zogen die Blicke etlicher Gäste auf sich. Sam hoffte, dass es damit zu tun hatte, dass er die Füße auf einen Stuhl gelegt und in Geschirrtücher gewickelt hatte, um die Kratzer und Schwellungen zu verbergen, und nicht mit irgendwelchen Nachrichten, die möglicherweise bereits im Netz aufgetaucht waren. Sein Handy ignorierte er immer noch. Jetzt ging es ausschließlich um Ruthies Wohlbefinden. Sie hatte nicht viel gesagt, aber sie hatte sich den kompletten Inhalt der Tube mit dem Desinfektionsgel in die Handflächen gedrückt und dann in Mantelärmel, Kapuze und Schulhose eingerieben. Die Hälfte der Feuchttücher hatte sie benutzt, um sicherzustellen, dass keine Oberfläche ausgelassen wurde. Als sie mit ihrem Werk zufrieden gewesen war, hatte sie die größte heiße Schokolade bestellt, die Sam je gesehen hatte.

»Warum trinkst du eigentlich Kaffee«, fragte Ruthie unvermittelt, »wo du doch heiße Schokolade mit Karamellstückchen haben kannst?«

»Ich … keine Ahnung«, antwortete Sam, die Hände um seine Tasse geschlossen. »Außer dass ich manchmal kontrollieren muss, wie viel Zucker ich zu mir nehme.«

»Hast du Diabetes?«, fragte Ruthie und schlürfte etwas von der sahnigen Flüssigkeit ab.

»Noch nicht«, antwortete er. »Aber vielleicht liegt es daran, dass ich nicht mehr so viel Karamell esse.«

»Bekomme ich Diabetes, wenn ich das hier trinke?«, fragte Ruthie mit einem Anflug von Panik.

»Nein, Ruthie«, sagte er. »Mach dir keine Sorgen. Dir geht es doch wunderbar.«

»Jetzt mache ich mir aber Sorgen«, erwiderte Ruthie. »Vermutlich werde ich mir immer Sorgen machen, wenn ich das hier trinke.«

»Das wollte ich nicht ...«

Ruthie zuckte mit den Schultern. »Ist schon okay. Das hat einfach mit meinem Gehirn zu tun.«

Darauf hatte Sam keine Antwort. Er hatte auch keine Antwort auf die Frage, warum diese Leute vor Ruthies Haus herumlungerten. Er wünschte sich einfach, er könne es ungeschehen machen. Man hatte Ruthie direkt vor ihrem Zuhause in die Enge getrieben. Das war schlimm genug für jemanden, der nicht autistisch war, aber für Ruthie hatte es eine besondere Dramatik. Und er war dafür verantwortlich. Das war genau das, was passieren würde, wenn die Bombe platzte, während er noch hier war. Bing Crosby sang über Väterchen Frost, Zimtbagel wurden bestellt, die Espressomaschine röchelte – das war das Leben hier, aber er war nicht Teil davon. Sollte es vielleicht nicht sein ... Eine schreckliche Vorstellung, aber im Moment war es einfach eine Tatsache.

»Waren die Fotografen da, weil Kais Freund Scrub dich in dem Video getaggt hat, in dem du im Rentierkostüm Rugby spielst?«

Zusammen mit Informationen, die zu seinem Deal mit den Diggers oder – Gott bewahre – seinem Gesundheitszustand durchgesickert sein mochten, könnte es definitiv so sein.

»Möglich«, gab er zu und nahm einen Schluck von seinem Kaffee.

»Ich mag Scrubs nicht. Er bohrt in der Nase«, verkündete Ruthie. »Einmal habe ich gesehen, wie er einen Popel an einem Stück Apfel in Lisas Obstsalat abgestreift hat. Seither esse ich kein Obst mehr.«

Sam lächelte. »Gute Entscheidung.«

»Kommt meine Mum eigentlich auch?«, fragte sie, nahm den Zuckerstreuer und schüttete noch mehr Zucker in ihre Schokolade.

»Ich habe ihr geschrieben«, antwortete Sam. »Sicher wird sie bald hier sein.«

»Wie war euer Date?«

»Es war …« Ihm fehlten die Worte. Es war eine wundervolle Zeit gewesen. Die schönste, die er je erlebt hatte. Die Kutschfahrt, das Eislaufen, das Partyschiff. Anna zu lieben. Sie in die Arme zu schließen und zu halten.

»Ist Mum beim Schlittschuhlaufen hingefallen?«

»Nein«, antwortete Sam. »Deine Mum hat das wesentlich besser hinbekommen als ich. Ich bin über einen Pinguin gestolpert.«

Ruthie schlug juchzend die Hände vor den Mund. »Über so einen, den die Babys benutzen, die nicht Schlittschuhlaufen können?«

»Am liebsten hätte ich mir auch einen geschnappt«, gestand Sam.

»Und die Disco auf dem Partyschiff – gefiel ihr die?«

Er nickte. »Die Disco auf dem Schiff fand sie großartig.«

»Das wusste ich. Es gibt Fotos, als sie noch jung war. Wie sie auf Partys tanzt. Manche Fotos zeigen eigentlich andere Leute, aber sie tanzt im Hintergrund. Angeblich hat

Nanny Gwen ihr das beigebracht. Jetzt tanzt sie nicht mehr so viel.«

Das versetzte ihm einen Stich. Was tat er da nur? Wurde für Anna irgendetwas besser? Oder wurde es letztlich nur schlimmer?

Die Tür zum Café flog auf, und Anna kaum hereingerauscht, Neeta im Schlepptau. Sie stürzte sich auf Ruthie, umschlang sie mit ihrem ganzen Körper und hielt sie so fest, als könne sie sich in Luft auflösen.

»Esther!«, rief Neeta, so laut sie konnte, ohne sich darum zu kümmern, dass sich andere gestört fühlen könnten. »Ich bekomme das Gleiche, was Ruthie hat, nur größer. Und für Anna bitte das Übliche, mit so viel Zucker wie möglich.« Dann starrte sie Sam an. »Was ist denn mit deinen Füßen los?«

»Zu viel getanzt«, antwortete Sam.

»Mum! Du erdrückst mich!«, stöhnte Ruthie und zappelte auf ihrem Stuhl herum, bis Anna nachgab und sich auf den Stuhl neben ihrer Tochter fallen ließ.

»Entschuldigung«, sagte Anna. »Ich habe mir nur Sorgen um dich gemacht. Ist alles in Ordnung?« Sie betrachtete den riesigen Becher, aus dem Ruthie trank. »Ist das der Festive Fudge Delight?«

»Kann sein«, antwortete Ruthie. »Ich weiß, dass ich den normalerweise nicht nehmen darf, aber ...«

»Das ist meine Schuld«, sagte Sam schnell. »Ich komme mit den Größen auf dieser Seite des Atlantiks nicht zurecht, daher ...«

»Alles in bester Ordnung«, sagte Anna und sah ihm in die Augen.

Er fing ihren Blick auf, konnte ihrem Kommentar aber nicht zustimmen. »Ist es nicht, wenn du mich fragst.«

»Da kann ich dir nur beipflichten«, stellte Neeta fest. »Ich möchte nicht die ganze Zeit auf deine Füße starren und mich fragen, wie es unter den Lappen aussieht.«

»Sam …«, begann Anna.

»Na dann«, sagte er, rührte sich auf seinem Stuhl und stellte die Füße auf den Boden. »Ich gehe mal besser. Genug Drama für heute.« Als seine Füße den Boden berührten, verzog er das Gesicht.

»Wohin willst du denn?«, fragte Anna. »Wir sind an deinem Hotel vorbeigefahren, da standen noch mehr Fotografen.«

»Was? Na gut, dann werde ich mir wohl ein anderes Hotel suchen müssen. Und vielleicht einen, wie sagt man noch gleich … einen, der sich um meine Füße kümmert.« Seine Füße schmerzten nun wirklich, aber er musste dieses Café verlassen. Er musste die Menschen, die ihm am Herzen lagen, von dem Rummel um seine Person befreien. Und wenn er davonkroch.

Das Geräusch klirrender Schlüssel holte seine Aufmerksamkeit an den Tisch zurück. Neetas Hand schwebte vor seinem Gesicht, an ihren Fingern baumelte Metall.

»Mein Wagen parkt direkt vor dem Café. Ich habe Ruthies Behindertenausweis benutzt, um im gelb markierten Bereich parken zu dürfen. Warum setzt du dich nicht mit Anna in den Wagen, bis du entschieden hast, wo du hinwillst. Dann kann Anna dich fahren. Ruthie und ich bleiben bei unseren XXL-Tassen, und ich werde die Schule informieren, dass sie später kommt.« Neeta wedelte mit den Schlüsseln. »Ihr dürft auch die Sitzheizung und Magic FM anstellen, wenn es denn sein muss. Esther! Kannst du Annas Kaffee in einen Take-away-Becher füllen?«

Die Entscheidung war offenbar bereits gefallen.

KAPITEL

EINUNDFÜNFZIG

Vor dem Bean Afar, Richmond

»Was schreiben sie?«, fragte Sam.

Auf Magic FM lief romantische Weihnachtsmusik, die nicht wirklich zur Stimmung passte, wenn man gleichzeitig die Einträge zu »Sam Jackman« auf Google sondierte. Annas Finger hoben sich und wanderten zum nächsten Artikel, wieder und wieder. Sie hatte die Sitzheizung eingeschaltet, aber es war immer noch eiskalt in Neetas Wagen. Draußen erledigten die Leute ihre Besorgungen, begannen ihren Tag mit einem Kaffee oder führten Hunde mit Weihnachtsmäntelchen spazieren, während sie mit ihrem Freund, der von der Presse gejagt wurde, in einem fremden Wagen saß. Ihrem *Freund*.

»In allen Artikeln steht so ziemlich das Gleiche«, teilte Anna ihm mit. »Der Deal mit den Diggers ist geplatzt.«

»Aha«, sagte Sam und stieß Luft aus. »Andere Details stehen da nicht?«

»Es gibt ein paar hübsche Fotos von dir mit Helm«, sagte Anna. »Deine Agentin lehnt jeden Kommentar ab. Und da ist noch ein Foto von dir, auf dem man dein Gesicht durch das eines Insekts ersetzt hat. ›Flea Flicker‹ lautet die Unterschrift. Was bedeutet das?«

»Flea Flicker ist ein Spielzug beim Football. Das soll wohl witzig sein«, antwortete Sam seufzend. »Na gut, es könnte schlimmer aussehen.«

»Tatsächlich?« Anna ließ ihr Handy sinken. »Wonach habe ich denn dann gesucht? Und wieso wolltest du zuerst nicht, dass ich überhaupt suche?«

»Weil …«

»Weil?«

»Keine Ahnung, ich kann einfach nicht«, sagte Sam und legte das Gesicht in die Hände. »Ich muss zurück. Ich muss die Dinge klären.«

»Ich weiß«, sagte Anna. »Wir haben heute Nacht darüber gesprochen. Ich vertraue dir, erinnerst du dich?«

»Ja«, sagte er und sah auf. »Aber vielleicht ist das ein Fehler.«

Was hatte er da gesagt? Anna fröstelte. »Ich verstehe nicht.«

»Ich kann dir das nicht zumuten«, sagte Sam verzweifelt. »Ich kann Ruthie das nicht zumuten.« Er schüttelte den Kopf. »Ständig habe ich mir das gesagt – nur nicht zu viel Nähe, es ist ja nur für eine begrenzte Zeit. Irgendwann bin ich dazu übergegangen, es zu rechtfertigen, habe mir gesagt, dass ich einfach ein bisschen länger bleibe. Aber letztlich habe ich es immer aus meiner Sicht betrachtet, nach dem Motto ›Du hast das verdient, Sam‹, ›Das ist wirklich etwas Besonderes, etwas, das du noch nie empfunden hast‹. Dabei sollte es gar nicht um mich gehen. Es sollte immer nur um dich gehen, Anna. Und um Ruthie.«

»Das ergibt keinen Sinn.« In Annas Augen sammelten sich Tränen.

»Die letzte Nacht war … Ich weiß nicht, es gibt keine Worte dafür. Plötzlich hatte ich das Gefühl, Teil von etwas Besonderem zu sein, etwas Schönem, etwas, das wir begonnen und allen Widrigkeiten zum Trotz erschaffen haben …«

»Beendest du die Sache gerade?«, fragte Anna direkt. Die erste Träne tropfte herab.

»Ich kann dich nicht in mein Chaos hineinziehen, Anna«, sagte er.

»Du lässt also zu, dass ich mich in dich verliebe, verbringst die Nacht mit mir, nur um mir dann zu sagen, dass es das war? Wolltest du mich nur ins Bett bekommen? Hast du die Fotografen heute Morgen engagiert, damit sie dir einen Vorwand liefern, um abzuhauen?«

»Klar, und dann bin ich barfuß zum Café gerannt, Ruthie im Arm, um das Ganze authentisch aussehen zu lassen.« Er schüttelte den Kopf.

»Nun, ich werde es nicht akzeptieren«, sagte Anna trotzig und reckte das Kinn. »Das kannst du nicht einfach so tun. Du kannst nicht in unserem Leben auftauchen, einen Platz darin beanspruchen und dann wegrennen, sobald es schwierig wird. Ich habe mir selbst oft genug vorgenommen, mich nicht zu sehr auf die Sache einzulassen, aber dann hast du heute Nacht gesagt, dass es dich erwischt hat und mehr daraus werden könnte, und nun? Ein bisschen Presse vor meinem Haus, und du machst einen Rückzieher … oder einen Flea Flicker oder was auch immer? Von wegen!«

Sie verstand ihn nicht, wie sollte sie auch? Sie hatte keine Ahnung von der Welt, in der er lebte. Auch wenn sie ein paar Fotos gesehen und ein paar Vermutungen zu seinem Vermögen und seiner gesellschaftlichen Position angestellt hatte, konnte sie nicht wissen, was das für ihn bedeutete. Die Menschen drangen in sein Privatleben ein, im Internet und auch persönlich, wie man heute mal wieder gesehen hatte.

Er war ein Botschafter seines Sports, ein Rollenvorbild für Kinder in ganz Amerika. Das hatte für ihn immer an erster

Stelle gestanden. Alle Jobs, die das nicht boten, hatte er abgelehnt. Er stand immer noch im Licht der Öffentlichkeit, aber nun in einem negativen. Alles würde in einem Chaos enden, so geschickt Frankie es auch managen mochte. Wochen und Monate würde man ihn jagen, bis man schließlich ein anderes Opfer finden und das Leben einer anderen Person auf den Kopf stellen würde.

Und dann war da noch die Sache mit der Krankheit. Wenn die Presse schon wegen des geplatzten Diggers-Deals durchdrehte, wie würde sie dann erst auf den Grund dahinter reagieren? Und was würde Anna denken? Sie hatte recht. Er war ohne Vorwarnung in ihr Leben geplatzt, wie ein Superheld. Falcon. Stark, verlässlich, unantastbar. Aber wie lange würde sie ihn noch als das sehen können? Sie verdiente etwas anderes. Etwas Besseres. Die Konsequenzen dieser Geschichte würden sie noch härter treffen als das momentane Chaos. Dasselbe galt für Ruthie. Er hatte sie in Gefahr gebracht. Das hätte nie passieren dürfen.

Sam nahm Annas Hände und hielt sie fest. »Wenn wir zusammenbleiben, werden diese Leute jedes Detail eures Lebens ans Licht zerren, Anna. Alles, was ihnen interessant erscheint. Sie werden herausfinden, dass du gerne hier Kaffee trinkst, sie werden vor Mr Wongs Restaurant aufkreuzen oder bei … Neetas Weihnachtsfeier, die keine Weihnachtsfeier ist …«

»Das ist mir egal«, sagte Anna, der die Tränen über die Wangen rannen.

»Mir aber nicht«, sagte Sam sanft. »Und weil es mir nicht egal ist, kann ich nicht anders. Ich dachte, in England wäre es besser, aber das war wohl naiv von mir.«

Es war die richtige Entscheidung, die Sache sofort zu beenden. Dann würde sie nie miterleben müssen, wie die Person, die er jetzt war, allmählich zerfiel. Er würde nicht mehr wissen, wer sie war, wer er selbst war, würde nicht mehr sprechen und denken können. Jahre könnte sich das hinziehen oder auch nur Monate. Dieses Damoklesschwert würde immer über ihm schweben und ihn dazu nötigen, jede winzige Regung misstrauisch zu beäugen. Anna würde es vielleicht in den Nachrichten lesen, aber er würde nicht miterleben müssen, wie der Ausdruck des Schmerzes in ihre Augen trat. Er konnte es ihr ersparen, das alles durchmachen zu müssen. Mit ihrer Großmutter hatte sie es bereits erlebt, und sie hatte ihm selbst erzählt, wie hart das gewesen war. Wie erschütternd es gewesen war, mitansehen zu müssen, wie sich die Person, die sie am meisten geliebt und am besten gekannt hatte, in eine Fremde verwandelte. *Am Ende war sie nur noch ein Körper in einem Sessel. Als hätte jemand sie ausgehöhlt und alles herausgeholt, was einst ihre Persönlichkeit ausgemacht hatte. Trotzdem musste ich immer so tun, als sei alles normal. Ich sprach über das Wetter und darüber, was Elton John schon wieder angestellt hatte, oder was ich zum Abendessen koche. Mir war klar, dass ich keine Antwort bekommen würde und genauso gut die Lottozahlen herunterleiern könnte.* Das war der Grund, warum er jetzt ging. Er würde nie eine leere Hülle in einem Sessel für sie sein.

»Ich werde in die Staaten zurückkehren. Noch heute.«

»Nein, Sam. Tu das nicht.«

Jetzt weinte sie heftig. Er verspürte den Impuls, sie in die Arme zu nehmen und ihr zu versichern, dass alles gut würde. Mit geschlossenen Augen, ihre Hände immer noch in den seinen, dachte er an die vergangene Nacht und an die überwältigenden Gefühle, die er verspürte, wenn er mit ihr zusammen war. *Zu Hause.* Bei Anna hatte er sich zu Hause gefühlt, auch wenn es nur für eine kurze Zeit gewesen war.

»Ich bedauere es nicht, in dieses Flugzeug gestiegen zu sein«, teilte er Anna mit und legte ihr die Hand an die Wange. »Nicht eine Sekunde. Und dieser Taxifahrer, der meinte, Richmond sei ein toller Ort, nun ... Ihm verdanke ich alles.«

»Sam, tu das nicht. Ich weiß, dass Ruthie und ich zerbrechlich wirken, aber das sind wir nicht. Wir sind stark und widerstandsfähig und ...«

»Das weiß ich«, sagte Sam. »Und ihr habt mehr von einer Kämpfernatur in euch, als euch bewusst ist. Daher werdet ihr gut damit klarkommen.«

Sie schüttelte den Kopf. »Ich komme mit allem klar, was über uns berichtet wird. Aber damit nicht.«

»Hör mir zu«, sagte er und drehte sich in ihre Richtung. »Ich muss meine Mom und meinen Dad und meine Schwester sehen und ihnen etwas erzählen, das ich ihnen lieber verschwiegen hätte. Dich kann ich damit nicht belasten, unmöglich.« Er seufzte. »Aber, bitte, was auch immer du über mich lesen oder sehen magst, du sollst wissen, dass der wahre Sam der ist, der nach London gekommen ist. Dieser Sam trug keine Schutzausrüstung. Er war ein wenig verängstigt und wusste nicht, ob das Leben je wieder so sein würde wie früher.« Er lächelte. »Und dieser Sam fand heraus, dass das Leben in der Tat nicht mehr wie früher sein würde. Aber dann tauchten wunderschöne leuchtende Dinge auf, die nichts dort zu suchen hatten, fädelten sich auf eine Kette und wanden sich wie eine Sternengirlande um ihn.« Er holte tief Luft, da ihn nun die Gefühle zu überwältigen drohten.

Sie wollte etwas sagen, aber er verschloss ihren Mund mit einem Kuss, von dem er wusste, dass es der letzte sein würde. Er spürte ihre weichen Lippen, die sich mit seinen bewegten, und ihre Tränen an seinen Fingerspitzen, als er seine Hand an ihre Wange legte. Es war ein schmerzlicher, bittersüßer Moment, und er war hin- und hergerissen zwischen dem Wunsch, schnell aufzuhören, um sich nicht anders zu besinnen, und jenem, es noch ein bisschen in die Länge zu ziehen.

»Mach's gut, Anna«, flüsterte er.

Und bevor sie protestieren konnte, bevor sie überhaupt etwas tun konnte, stieß Sam die Wagentür auf, stellte die nackten Füße auf den Asphalt und rannte los.

Neetas und Pavinders Zuhause, Richmond

»Falls du schläfst«, sagte Neeta mit einem lauten Bühnenflüstern, »beachte mich gar nicht. Falls du nicht schläfst, dann lass dir von Pavinder gesagt sein, dass diese Pflanzen eine enorme Heilwirkung haben.«

Anna öffnete ein Auge. Sie lag auf dem Bauch in Neetas Gästezimmer und bekam fast ein spitzes Blatt ins Auge. Sie wusste nicht, wie lange sie schon dort lag, aber ihr ganzer Körper sagte ihr, dass sie sich, wenn sie sich nicht bald bewegte, vielleicht nie wieder bewegen würde. Im Moment schien ihr das allerdings die beste Option.

»Gut, du bist also wach.« Neeta ließ sich auf die Bettkante sinken. »Es ist nämlich bald Zeit, Ruthie von der Schule abzuholen.«

Es konnte noch nicht Nachmittag sein, oder? Lag sie wirklich schon so lange hier? Alles wirkte ein bisschen verschwommen, und ihre Augen fühlten sich an, als hätte jemand Salz hineingestreut.

»Ich könnte es für dich tun«, sagte Neeta. »Wenn du dich nicht dazu in der Lage fühlst. Oder ich könnte Lisa anrufen. Sie kommt sowieso hierher, wenn sie Kai und Kelsey versorgt hat.«

Anna wollte etwas sagen, brachte aber nur ein heiseres Krächzen heraus.

»Du hast nichts getrunken von dem, was ich dir hingestellt habe. Der Kamillentee wird jetzt kalt sein. Tizer ist auch da. Ich habe keine Ahnung, was das ist, aber Pavinder kippt das Zeug in Petrischalen, für seine Keimlinge. Und es gibt Kaffee, starken schwarzen Kaffee, aber …«

Anna stöhnte. Sie wollte nichts, ganz besonders keinen Kaffee. Der erinnerte sie nur an das Bean Afar und daran, wie sie im Auto davor eine Abfuhr bekommen hatte.

»Du hast übrigens ein Riesentheater veranstaltet«, sagte Neeta und stopfte Kissen um Anna herum. »Als hätte er dich verlassen.«

Was redete Neeta da? Anna konnte sich nicht mehr daran erinnern, wie sie zu Neeta gelangt war, aber sie erinnerte sich noch gut daran, dass sie ihr erzählt hatte, dass es mit Sam vorbei war.

»Er ist nach Hause gefahren, das ist alles. Du wusstest doch, dass das früher oder später passieren würde. Klar, diese Pressemeute mag die Abreise beschleunigt haben, aber sonst hat sich nichts geändert«, fuhr Neeta fort.

»Alles hat sich verändert, Neeta. Er möchte nicht mit mir zusammen sein.«

Die Worte brannten in ihrer Kehle und ihrem Magen, der beste Beweis dafür, dass sie sich viel zu tief in die Sache verstrickt hatte. Sie hätte es dabei bewenden lassen sollen, Durchschnittstypen aus einer Dating-App zu treffen und im Old Ship ein großes Glas Rotwein zu trinken. Ein bisschen Geplauder, vielleicht ein kleiner Flirt und dann zurück zu Ruthie, wo alles so bleiben würde, wie es war. Sie rutschte ein Stück hoch, rollte sich auf den Rücken und setzte sich mühsam auf.

»Das hat er also genau so gesagt, Anna?«, erkundigte sich Neeta und schob diese komische Pflanze näher an sie heran.

»Er hat sich auf dem geräumigen, warmen Sitz meines Wagens zu dir gedreht und gesagt: ›Anna, ich möchte nicht mit dir zusammen sein‹.«

»Das waren nicht exakt seine Worte, aber die Absicht dahinter war klar.«

»Die Absicht war klar«, wiederholte Neeta. »Und was für eine Absicht ist das?«

Anna runzelte die Stirn. »Eigentlich hätte ich gern noch ein wenig in diesem Bett gelegen. Aber bei … bei diesen Pflanzen und diesen … quietschorangen Getränken kuriere ich meinen Liebeskummer vielleicht besser woanders aus.«

»Nun komm schon, Anna! Du bist nicht der Typ, der so etwas klaglos hinnimmt!«, rief Neeta und klopfte energisch auf die Matratze. »Selbst nicht in meiner Seidenwäsche. Sam hat also eine Entscheidung getroffen, und das gestehst du ihm einfach so zu, ja?« Neeta hielt inne und fügte dann hinzu. »So wie du es mit Ed getan hast.«

Das saß. Und Anna verspürte sofort wieder diese Enttäuschung über sich selbst von damals. Sie hatte Ed wirklich fast alles durchgehen lassen. Sein Betrug hatte sie so verletzt, und auch Ruthies mögliche Reaktionen hatten ihr Sorgen bereitet, sodass sie sich einfach nicht mit diesen Dingen auseinandersetzen wollte. Das Haus ihrer wunderbaren Nanny Gwen und die Gegenstände darin waren alles, was sie mit Zähnen und Klauen verteidigt hatte.

»Wenn jemand nicht mit dir zusammen sein will, kannst du ihn nicht dazu zwingen, Neeta.«

»Du willst mit ihm zusammen sein?«, fragte Neeta. »Aber du denkst, dass er nicht mit dir zusammen sein will?«

»Er hat gesagt, er will nicht, dass Ruthie und ich mit dem ganzen Rummel belastet werden.«

»Was ich heraushöre, ist nur, dass ihr Sam am Herzen liegt.«

»Ja, aber …«, wollte Anna protestieren.

»Anna, ich sehe doch, wie sich Sam dir gegenüber verhält. Wie er dich anschaut, wenn er sich unbeobachtet fühlt. Das ist nicht normal«, stellte Neeta fest, nahm das Glas Tizer und hielt es Anna hin.

Die wusste nicht, was sie sagen sollte. Neetas Kommentare bewirkten nur, dass sie nun wieder Sams Augen vor sich hatte, dunkelbraun, tief, seelenvoll. Letzte Nacht hatte er sie zwischen den Küssen angeschaut, während er stumm neben ihr lag. Seine Ruhe, dieses friedvolle, behagliche Schweigen, hatte sie genauso genossen wie seine Fähigkeit, sie zum Lachen zu bringen.

»Was auch immer er gesagt hat, warum er dich verlässt, er meint es nicht so. Er kann es nicht so meinen. Niemand kann sich verhalten wie Sam und die Sache dann einfach wegwerfen wie ein überwürztes Aloo Gobi.«

Anna blieb stumm. Ihr Herz war schwer und litt, weil man ihr etwas so Wunderbares entrissen hatte. Aber was sollte sie tun? Es gab keine andere Möglichkeit, als seine Entscheidung zu akzeptieren, oder?

»Du musst um ihn kämpfen, Anna!«, forderte Neeta. »Das bist doch nicht du. Wo ist die Anna Heath, die all diese Formulare ausgefüllt hat, um Ruthies Autismus anerkennen zu lassen. Oder die ewig telefoniert hat, um einen Termin zu ergattern? Wo ist die Frau, die meiner Schwiegermutter erklärt hat, ihr Moghlai sei ein wenig zitronig, damit ich aus jenem Abend siegreich hervorgehen konnte? Oder die Person, die vor dem Suppenstand gerappt hat, und das wirklich schlecht?« Neeta holte Luft. »Nicht kampflos aufzugeben bedeutet nicht, dass du Sam etwas einreden willst, was er gar nicht möchte. Es bedeutet nur, dass du für deine Interessen einstehst. Dass du dich für das ins Zeug legst, was dir wirklich wichtig ist. Dass du sagst und tust, was du aus tiefstem Herzen wünschst, ganz egal, was für Konsequenzen das nach sich zieht.«

Sie hatte Neeta nie derart engagiert und lebendig erlebt. Ihre Augen sprühten förmlich. War irgendetwas mit Pavinder passiert? Hatte Neeta ihre Fragen gestellt und die richtigen Antworten bekommen? Anna musste unbedingt mehr erfahren …

»Das muss nicht das Ende sein!«, fuhr Neeta fort. »Du hast doch seine Telefonnummer, oder? Du kannst ihn anrufen und ihm deine Sicht darlegen: Was auch immer seine Beweggründe für die Trennung gewesen sein mögen, er hat nicht berücksichtigt, wie tief deine Gefühle für ihn sind. Gefühle dieser Art muss man hegen und pflegen, wie eine … Geisterorchidee.«

Anna hatte keine Ahnung, was eine Geisterorchidee war, aber in ihrem Innern war nun etwas aufgekeimt. Hatte Neeta am Ende recht? Sam mochte der Meinung sein, dass es für sie und Ruthie besser war, wenn er aus ihrem Leben verschwand. Aber das war nicht allein seine Entscheidung. Die Sache betraf sie beide, also hatte sie auch etwas dazu zu sagen. Selbst wenn er glaubte zu wissen, was das Beste für sie war, konnte sie es nicht auf sich beruhen lassen. Neeta wusste, dass sie kämpfen konnte wie ein Löwin, und wenn sie sich zusammenriss, würde die vielleicht wieder zum Vorschein kommen.

Sie warf die Bettdecke zurück und nahm Neeta den Tizer aus der Hand. »Ich trinke das jetzt, dann hole ich Ruthie von der Schule ab.«

»Gut. Und dann?«

Anna trank einen Schluck. »Dann fahre ich heim. Wenn sie weiter vor unserem Haus herumlungern, drohe ich ihnen mit der Polizei.«

»Yeah!« Neeta boxte in die Luft.

»Und während Sam über den Atlantik fliegt, werde ich die Präsentation für Mr

Wongs neues und verbessertes Restaurant beenden.« Sie stellte das Getränk weg. Es schmeckte längst schal.

»Und dann?«

»Und dann … dann werde ich Sam mitteilen, dass er seine Entscheidung überdenken muss, weil ich nicht bereit bin, sie so einfach hinzunehmen.«

»Das nenne ich die richtige Einstellung! Das … und der winzige Schuss Wodka, den ich in den Tizer gekippt habe, waren sicher auch nicht ganz unschuldig. Nur einen ganz winzigen, keine Sorge. Du kannst problemlos noch Auto fahren«, versicherte Neeta ihr.

KAPITEL

DREIUNDFÜNFZIG

Hilton Hotel, Cincinnati, Ohio

Sam wusste nicht, wie genau Frankie das angestellt hatte, aber sie hatte es geschafft, einen Privatflieger zu organisieren, der ihn von Heathrow nach Cincinnati brachte. Er lief herum wie ein Niemand – Kapuzenpulli und Jogginghose – und zog sich ins Innere dieser Sachen zurück, als wolle er darin überwintern. Es war ihm gelungen, London hinter sich zu lassen, aber in seiner Heimatstadt würden die Fotografen am Ausgang lauern und wissen, dass er es war, auch wenn er in einer dunklen Ecke des Flughafens landen und direkt in einen Wagen steigen würde.

Und nun war er hier und wartete, in einer Suite in einem der Hiltons, mit Sicherheitspersonal in der Lobby und vor seiner Tür. Frankie würde dafür sorgen, dass seine Eltern und Tionne zu ihm kamen. Die luxuriöse, aber gesichtslose Suite war festlich geschmückt, was überhaupt nicht zu Sams Stimmung passte. Sogar ein echter und kunstvoll geschmückter Tannenbaum stand hier, mit eingepackten Geschenken darunter. Unwillkürlich fragte er sich, ob die Schachteln leer waren. Andererseits waren die Gäste, die sich eine solche Suite leisten konnten, nicht der Typ Mensch, der Geschenke mitgehen ließ.

Es klopfte. Sam sprang von der Bettkante auf. Die Tür knackte, dann öffnete sie sich, und Frankie trat ein. Sie trug

Jeans und Pullover. Sam konnte sich nicht erinnern, sie je in Jeans und Pullover gesehen zu haben.

»Wie geht's?«, fragte sie Sam.

Darauf hatte Sam keine Antwort. Sein Blick wanderte von seiner Agentin zur offenen Tür. Zuerst trat Tionne ein, rasch, mürrisch, mit einem Gesichtsausdruck, als hätte sie Angst, würde Sam aber am liebsten mit Fäusten traktieren. Dann kam seine Mutter, die Augen weit aufgerissen, der Teint fast bleich, die sonst so farbenfrohe Erscheinung gedämpft. Als Letzter schlurfte sein Vater herein. Er trug seinen Anzug, als wäre er auf dem Weg zur Arbeit, wirkte aber müde.

»Idiot!«, platzte es aus Tionne heraus. »In was auch immer du verwickelt bist, es gefällt mir gar nicht, aus meiner Wohnung gelotst zu werden, als handele es sich um eine Verabredung mit Liam Neeson!« Sie boxte ihn gegen die Brust, hart.

»Ti«, begann er. »Ich wollte das nicht, aber es gab keine andere Möglichkeit.«

»Reicht es nicht, dass seit gestern ständig Kameras auf uns gerichtet sind?«, fuhr Tionne ihn wieder an. »Ich gebe mir alle Mühe, dass die Sache mit Jerome nicht an die Öffentlichkeit kommt, und plötzlich stehe ich da wie Kim Kardashian.«

»Tionne«, sagte Frankie, die Stühle herumschob, damit jeder eine Sitzgelegenheit hatte. »Gib deinem Bruder einen Moment Zeit.«

Tionnes Kopf schoss herum, ihre Haare flogen dabei durch die Luft. »Jetzt weiß ich, dass irgendetwas nicht stimmt. Wenn ausgerechnet du so freundlich bist. Das kennt man gar nicht von dir. Du bist effizient und organisiert und manchmal verrückt, wenn du Tequila getrunken hast, aber ...«

»Sei still, Tionne.«

Ihre Mom ging dazwischen. Den Tonfall kannte er noch von früher, wenn sie zu spät zum Abendessen kamen oder nach der verabredeten Zeit zu Hause waren. Wenn sie so sprach, legte man sich besser nicht mit ihr an. Tionne war tatsächlich verstummt.

»Soll ich etwas zu essen und zu trinken besorgen?«, schlug Frankie vor.

»Nein«, sagte Sam mit einem Seufzer. »Mom, bitte setz dich.« Er ging auf sie zu und wollte sie zu einem Stuhl führen, aber sie fuchtelte herum, als würde sie gleichzeitig mit den Schultern zucken und winken. Das tat sie oft, wenn ihr das Getratsche ihrer Freundinnen von der Kirche auf die Nerven ging.

»Ich möchte mich nicht setzen, Sam. Ich möchte wissen, was los ist. In den Nachrichten heißt es, dass du nicht nach Dallas gehst. Dass es ein Problem gibt. Dann werden wir in ein Auto gepackt und hierhergekarrt, wie Tionne schon sagte. Ich war gerade dabei, Hamburgerpattys für die Spendensammler der Kirche zu braten.«

»Ich sollte gehen und euch ein wenig Zeit geben«, sagte Frankie.

»Nein«, sagte Sam. »Würdest du bleiben? Bitte!«

Sam sah seinen Vater an, der noch kein Wort gesagt hatte, seit er den Raum betreten hatte. Das war nicht ungewöhnlich, da seine Mutter und Tionne für alle redeten. Aber sein Schweigen hatte auch etwas Verräterisches. Es war, als wüsste er, was nun kam.

Sam legte die Finger aneinander und lehnte sich an den Tisch. »Mom, es tut mir leid, dass du das alles mitmachen musst. Ihr alle. Dieser ganze Zirkus tut mir furchtbar leid – und dass ihr es aus den Nachrichten erfahren habt und nicht von mir. Aber ...« Er holte tief Luft. »Aber es stimmt. Der Deal mit den Diggers ist geplatzt.«

»Warum denn?«, fuhr Tionne auf. »Du hast doch gemeint, das sei eine sichere Kiste. Ich habe es schon überall herumerzählt ... Und ich habe auch schon Fanartikel bestellt.«

»Ich hatte aber auch gesagt, dass du das auf keinen Fall tun sollst«, erinnerte Sam sie. »Ich hatte gesagt, dass so etwas immer erst sicher ist, wenn die Tinte auf dem Vertrag getrocknet ist.«

»Haben die einen Rückzieher gemacht?«, fragte Tionne, während sie auf ihrem Stuhl hin und her rutschte. »Oder warst du es? Hast du kalte Füße bekommen? Oder haben die Bisons eine unvorstellbare Summe geboten, damit du bleibst?«

»Tionne«, sagte Albert. »Hör endlich einmal auf, nur an dich zu denken. Lass deinen Bruder doch ausreden.« Er zupfte seinen Kragen zurecht. »Wir wären nicht hier, wenn es nicht wichtig wäre.«

Nur sagen, was unbedingt gesagt werden muss, und das zum richtigen Moment. Sein Vater war schon immer ein Mann weniger Worte gewesen. Aber wenn er etwas sagte, setzten sich die Menschen auf und lauschten.

Dass sein Vater den Ernst der Situation verstand, ermutigte Sam fortzufahren.

»Die Diggers haben einen Rückzieher gemacht«, sagte Sam. »Ich musste mich ein paar Untersuchungen unterziehen, bevor sie unterschreiben würden, und ... eine dieser Untersuchungen habe ich nicht bestanden.«

Das klang, als rede er von einem High-School-Zeugnis. Hier ging es aber nicht darum, durch eine Prüfung zu fallen, es eigentlich besser zu können, das Jahr wiederholen und es noch einmal versuchen zu dürfen. Es gab keine zweite Chance, keine Möglichkeit, das Ergebnis zu korrigieren.

»Was für eine Untersuchung?«, wollte Tionne wissen. »So etwas wie die Mathematik der NFL? Ich kenne eine Menge Spieler, die nicht einmal ›NFL‹ buchstabieren können, und du bist doch so clever …«

»Es war eine medizinische Untersuchung.«

Er musste es sachlich halten. Fakten statt Emotionen. Mindestens einer von ihnen war überhaupt nicht betroffen. Es wäre ein höchst unwahrscheinlicher Schicksalsschlag, wenn seine beiden Eltern den Gendefekt in sich trügen. Bei Tionne betrug die Wahrscheinlichkeit fifty-fifty. Ein Münzwurf.

Die Miene seiner Mutter änderte sich zuerst. Es war das eine, dass sein Vater den Ernst der Situation begriff, aber es war etwas ganz anderes, den Ausdruck in den Augen seiner Mutter zu sehen, als der Groschen fiel. Dass seine Worte nichts Gutes bedeuten konnten, schloss sie allein aus dem Wort »medizinisch«.

»Du hast etwas?«, entfuhr es Tionne. »Was denn? Ich meine, du bist der gesündeste Mensch, den ich kenne. Musst du behandelt werden? Was für eine Behandlung brauchst du?«

»Tionne«, mahnte ihre Mutter. Dann sah sie Sam direkt in die Augen. »Was auch immer es ist, Sam, *was auch immer*, du musst keine Angst haben. Erzähl es uns einfach.«

Plötzlich war Sams Kehle ausgetrocknet. Die Vorstellung, die Worte zu formulieren – diese beiden entscheidenden Worte –, war unerträglich. Es rüttelte an den Grundsätzen seiner Welt. Stille senkte sich herab. Irgendwo war Musik zu hören, vielleicht draußen, vielleicht in einem anderen Raum.

Eine vorgezogene Weihnachtsfeier womöglich. Es passte nicht zur Situation, überhaupt nicht. Aber es musste sein.

»Ich ... ich habe ein defektes Gen. Die Krankheit nennt man Chorea Huntington.« Er seufzte schwer. »Es bewirkt, dass ich irgendwann – niemand weiß, wann genau – meine geistigen Fähigkeiten verliere und letztlich auch mein Leben.«

Aus dem Augenwinkel sah Sam, dass Tionne die Hände vors Gesicht schlug. In ihren schönen braunen Augen spiegelte sich Entsetzen. Er musste weitermachen, musste alles herauslassen, damit seiner Familie das ganze Ausmaß bewusst wurde.

»Aber was noch schlimmer ist«, fuhr er schnell fort, »solche Gene sind für gewöhnlich ... erblich.« Er konnte ihnen nicht in die Augen schauen. Daher senkte er den Blick und folgte dem Linienmuster auf dem Boden bis zu den raumhohen Fenstern. »Es besteht die Wahrscheinlichkeit, dass entweder du es hast, Mom, oder eben Dad. Und Ti ... mit einer Wahrscheinlichkeit von fünfzig Prozent hast du es auch.«

Als es heraus war, senkte sich Stille über den Raum. Aber dann, innerhalb weniger Sekunden, war seine Mutter bei ihm, nahm ihn in die Arme, drückte ihn an sich und flüsterte ihm ins Ohr, dass alles gut werden würde.

»Was auch immer es ist, Sam, Gott findet einen Weg«, teilte sie ihm mit. »Immer.«

Er schloss die Augen. Es schnitt ihm ins Herz, als er hörte, wie seine kleine Schwester in Tränen ausbrach.

KAPITEL
VIERUNDFÜNFZIG

Annas und Ruthies Zuhause, Richmond

»Was meinst du, Ruthie?«, fragte Anna. »Wird Mr Wong es mögen?«

Anna hatte einen riesigen Papierbogen an die Wohnzimmerwand geheftet, die nicht mit Weihnachtskarten übersät war, und Ruthie ihre PowerPoint-Präsentation gezeigt. Sie brauchte Ablenkung und wusste, dass es Ruthie genauso ging. Ihr graute schon vor dem Moment, in dem Ruthie Fragen zu Sam stellen würde, Fragen, auf die Anna keine Antwort hatte.

»Keine Ahnung«, sagte Ruthie. »Mr Wong hat mir Pizza serviert. Ich habe nicht genug Informationen über ihn, um zu wissen, was ihm gefällt und was nicht.«

Diese Antwort hätte Anna von einem autistischen Kind, das eine schwierige Phase durchmachte, erwarten können. »Na gut«, sagte sie, »aber gefällt es *dir* denn? Was hältst du von dem Konzept?«

»Ich glaube, mir gefällt die Idee, dass es Schachteln in verschiedenen Größen gibt. Aber was Mr Wong dazu sagt, weiß ich immer noch nicht.«

Aha.

Ruthie musste sich offenbar irgendetwas von der Seele reden.

Anna setzte sich neben sie aufs Sofa und legte ihr den Arm um die Schultern.

»Fass meinen Unterarm nicht an!«, rief Ruthie und fuhr hoch.

»Hab ich doch gar nicht«, protestierte Anna. Dann sagte sie leiser: »Ich werde ihn nicht anrühren.« Anna verstummte und wartete, dass Ruthie die Stille durchbrach. Lange musste sie nicht warten.

»Wird Sam wiederkommen?«

Anna konnte nicht verhindern, dass ihr ein Seufzer entfuhr. »Ich weiß es nicht.«

Nun war es Ruthie, die seufzte. »Immerhin hast du nicht ›Wir werden sehen‹ gesagt. Du sagst immer ›Wir werden sehen‹, wenn etwas definitiv *nicht* geschehen wird.«

Ruthie hatte wie immer ins Schwarze getroffen, aber Anna wollte ihr keine falschen Hoffnungen machen. Sam hatte sämtliche Türen hinter sich zugeschlagen. Wenn der Kontakt wiederhergestellt werden sollte, musste es von ihr ausgehen. Bisher hatte sie ihm nicht geschrieben oder ihn angerufen. Irgendetwas hielt sie davon ab, die Sache zu überstürzen. Sie hatte das Gefühl, dass sie sich Zeit lassen sollte – dass sie es richtig anstellen und ihre Chancen bestmöglich nutzen sollte. Solange sie sich einredete, dass sie die Tür irgendwann wieder öffnen könnte, lenkte sie das von ihrem Schmerz über die Trennung ab.

»Ich denke, in Sams Leben ist im Moment eine Menge los«, sagte sie.

»Wegen dieses Deals, der angeblich ein Jahrhunderttransfer ist?«, erkundigte sich Ruthie.

»Sagt man das?«

»Kai sagt das. Er hat sich erkundigt, ob Sam etwas bei uns zurückgelassen hat, das er auf eBay verscherbeln könnte.«

»Und was hast du geantwortet?«

»Dass er ein Arsch ist.«

»Ruthie!«

»Stimmt doch. Und ich werde mich nicht dafür entschuldigen.« Sie verschränkte die Arme vor der Brust, wie sie es tat, wenn eine Sache für sie erledigt war.

»Sam lebt in Amerika. Er musste nach Hause, um ein paar Dinge zu regeln, die mit … mit diesem Jahrhunderttransfer zu tun haben, und …«

»Und dann kommt er zurück?«, fragte Ruthie.

»Ich weiß es nicht«, sagte Anna wieder.

»Du sagst immer noch nicht ›Wir werden sehen‹.«

»Ruthie …«

»Möchtest du denn, dass Sam zurückkommt?«

Ihre Tochter sah sie jetzt mit unverhohlenem Interesse an. Ihre Miene war hoffnungsvoll. Anna hätte ihr die Enttäuschung, die darauf folgen würde, zu gern erspart.

»Ich mag ihn sehr«, gab sie zu.

»Und er mag dich.«

Er hatte sie gemocht. Sehr sogar. Das wusste sie, obwohl er gegangen war. Aber reichte das, um … was zu tun? Sein Leben auf den Kopf zu stellen und hier mit ihr zu leben? War es das, was sie wollte? Etwas derart Endgültiges und Dauerhaftes? Lag das überhaupt im Bereich des Möglichen?

Sie bekam nicht mehr die Gelegenheit zu antworten, da es an der Haustür klingelte. Sie zuckte zusammen. War das schon wieder jemand von der Presse? Sie blieb sitzen und fragte sich, ob sie es einfach ignorieren sollte. Aber Cheesecake war schon von ihrem Platz unter Malcolms Ästen hervorgeschossen, schlug mit den Pfoten nach den Christbaumkugeln, als sei der Weihnachtsbaum ihr persönliches

Spielparadies, und raste dann in einer Fellwolke zur Tür. Und wenn Cheesecake neugierig war, heulte sie wie ein hungriger Wolf.

»Das ist Dad«, sagte Ruthie. Sie stand auf und ging Richtung Wohnzimmertür.

»Was?«, fragte Anna. »Woher willst du das wissen?« Ed klingelte nie. Er ließ sich immer selbst herein, mit diesem verdammten Schlüssel, den er gar nicht mehr haben sollte.

Ruthie zuckte mit den Schultern. »Ich weiß es einfach.«

Als Anna die Tür öffnete, vorsichtshalber die Kette vorgelegt lassend, stand tatsächlich Ed vor ihr. Sie blickte über seine Schulter, sah aber glücklicherweise keine Presse auf der Straße, nur die blinkende Festbeleuchtung an den Häusern gegenüber.

»Hallo«, sagte Ed.

»Hallo«, sagte Anna.

»Dürfte ich … reinkommen?«

Er fragte. Das war neu. Und er trug keinen Mantel, obwohl es draußen eiskalt war.

»Ich weiß, dass ich nicht angerufen oder eine Nachricht geschrieben habe, um mich anzukündigen. Aber ich dachte, dann würdest du mich nicht sehen wollen. Aber ich musste unbedingt zu dir«, fuhr Ed fort.

Anna schluckte. Der Zeitpunkt war denkbar ungünstig. Sie hatte nicht die Nerven, sich jetzt mit Ed auseinanderzusetzen. Aber irgendetwas an seinem Auftreten – so unsicher, so wenig selbstbewusst – legte nahe, dass dieser Besuch anders war als sonst.

»Kaffee?«, fragte sie.

»Das wäre toll«, antwortete er.

Nachdem sie die Kette gelöst hatte, drehte sie sich um und kehrte ins Haus zurück.

Plötzlich fiel ihr auf, dass Ed ihr nicht folgte.

»Komm rein«, sagte sie.

Erst jetzt trat er über die Schwelle.

KAPITEL
FÜNFUNDFÜNFZIG

»… und dann drehen wir uns im Kreis, so, ich mache zwei Hampelmänner, so hoch ich kann, gehe dann in den Spagat und tanze danach so um Megan herum, die angezogen ist wie die Heiligen Drei Könige – ihre Mutter musste zwei lebensgroße Stoffpuppen anfertigen und an Megans Kostüm heften. Schließlich klettere ich auf das Weihnachtsbaumgerüst und rolle vorwärts die Rutsche hinab. Dann ist es zu Ende, mit Jazz-Händen natürlich.«

Ruthie reckte ihre gespreizten Hände zur Seite, während Cheesecake die Glöckchen am Baum zum Klingeln brachte. Ed war so begeistert von der spontanen Darbietung, wie Anna ihn selten erlebt hatte.

»Großartig, Ruthie. Wann war noch mal die Aufführung?«

»Wirst du denn kommen?«, fragte Ruthie und nahm Cheesecake auf den Arm.

»Das würde ich sehr gern«, sagte Ed. »Wenn das für dich in Ordnung ist.«

»Wirst du wieder zu spät kommen?«, erkundigte sich Ruthie rundheraus.

»Ich verspreche dir, pünktlich zu sein … Wenn ich denn kommen darf.«

Anna betrachtete die Szene zwischen Vater und Tochter. Dieser Ed hatte Ähnlichkeit mit dem, den sie damals kennengelernt hatte. Der sie bei ihrer Hochzeit zu Aerosmith über die Tanzfläche gewirbelt hatte. Der bei der Geburt ihrer Tochter Freudentränen vergossen hatte. Der Stunden um Stunden den Viktorianischen Kamin mit ihr saniert hatte. Ihr fiel es oft schwer, sich an diese Momente zu erinnern, als hätten der Schmerz der Trennung und die Qualen der Scheidung alles andere ausgelöscht.

»Du kannst gern kommen«, sagte Ruthie. »Aber du solltest wissen, dass Sam auch dabei sein wird.«

Wie bitte? Anna plumpste auf den harten Boden der Tatsachen. »Ruthie …«

»Sam wird kommen«, beteuerte Ruthie, als hätte sie das zweite Gesicht. »Ich weiß, dass er da sein wird.«

»Ich …«, begann Anna wieder.

»Ich koche noch einen Kaffee.« Ruthie hatte den Raum verlassen, bevor Anna etwas sagen konnte.

Anna nahm ihre Tasse und trank einen Schluck, aber der Kaffee war kalt.

»Für Sam läuft es wohl nicht so gut im Moment«, sagte Ed.

Da Anna nicht wusste, was sie sonst sagen sollte, hielt sie sich einfach an die Fakten. »Er ist nach Cincinnati geflogen. Und hat auch nicht vor zurückzukommen. Ich habe versucht, dass Ruthie nicht eine allzu starke Bindung zu ihm aufbaut, aber …«

»Du sprichst mit dem Idioten, der ihr einfach so eine Katze in den Arm gedrückt hat«, sagte Ed. »Man muss nur nett zu ihr sein und sich auf sie einlassen, schon baut sie eine Bindung auf. Wenn es eins gibt, das ich über meine Tochter weiß, dann das.«

Anna nickte. »Hast du die Nachrichten gelesen?«

»Nicolette entgeht kein Promitratsch. Sie hat mich über

Sam aufgeklärt ... was er da drüben macht, was für einen Status er hat.«

Anna schüttelte den Kopf. »Mir hat er nichts erzählt. Ich dachte, er sei einfach ...«

»Ein toller Typ, der dir die wohlverdiente Aufmerksamkeit schenkt? Jemand, der Ruthie mit all ihren Macken akzeptiert und schätzt?« Ed machte eine kurze Pause, bevor er fortfuhr. »Ein besserer Mann als ich.«

»Ed ...«

»Nein, wirklich, ist doch wahr. Ich bekenne, der schlechteste Ehemann, der schlechteste Ex-Mann und eine Katastrophe von einem Vater zu sein.«

»Du warst nicht immer der schlechteste Ehemann. Außerdem hatte ich keine anderen Ehemänner und kann daher auch keinen Vergleich anstellen.«

Ed schüttelte den Kopf. »Spiel es doch nicht herunter, Anna. Ich habe dich furchtbar behandelt. Sobald offensichtlich war, dass Ruthie anders ist, habe ich mich aus der Verantwortung gestohlen. Ich wusste einfach nicht, was ich tun soll. Die Sache hat mich überfordert. Ich habe Ruthie von mir gestoßen genauso wie dich. Weil ich Angst hatte. Und weil ich dumm war, habe ich so weitergemacht.« Er seufzte. »Du hast dich der Herausforderung gestellt, hast an alle Türen geklopft, um Lösungen zu suchen und ihr zu helfen – *uns* zu helfen. Während ich nichts anderes denken konnte als ›Warum Ruthie?‹ oder ›Warum ausgerechnet wir?‹ oder ›Was haben wir getan, um so etwas zu verdienen?‹ Ich habe so getan, als wäre unsere wunderschöne, kluge Tochter mit all ihren Begabungen etwas Negatives, und das werde ich mir nie verzeihen.«

Anna wusste nicht, was sie sagen sollte. Ihr war nicht klar, warum dieses Bekenntnis ausgerechnet jetzt kam. Doch wenn er es wirklich ernst meinte, wäre das natürlich schön.

»Ich werde mich ändern, Anna. Ich möchte ein besserer Vater für Ruthie sein, möchte mich dir gegenüber fairer verhalten, möchte auch für das neue Kind ein guter Vater sein. Ich weiß, dass Ruthie deswegen beunruhigt ist – alles Neue beunruhigt sie –, aber sie soll nicht denken, ich mag sie weniger, nur weil das Baby jetzt kommt.«

»Ich will dir nichts vormachen, Ed. Genau das denkt sie. Aber das liegt nur daran, dass du …«

»Immer alles vermasselst.« Er seufzte und raufte sich die Haare. Das hatte er immer schon getan, wenn er unter Druck stand, schon bevor sich graue Sprenkel in das blonde Haar an seinen Schläfen geschlichen hatten. »Ich weiß. Schlimmer noch, ich vermassele immer noch alles und erwarte, dass du es auffängst. Und sogar mich wieder aufbaust, obwohl das absolut nicht mehr deine Aufgabe ist. Es hätte nie deine Aufgabe sein sollen. Ich müsste selbst in der Lage sein, die richtigen Entscheidungen zu treffen, aus einem Instinkt heraus, so wie du. Das ist auch der Grund, warum ich jetzt hier bin.«

Anna blieb stumm. In der Küche hörte man das Wasser kochen. Ruthie würde also noch eine Weile beschäftigt sein.

»Ich bin wegen Sam hier«, fuhr Ed fort. »Und ja, es schmerzt ein wenig, es auszusprechen, aber es stimmt.«

»Ich verstehe kein Wort«, sagte Anna.

»Ich habe euch beobachtet, Anna. An jenem Abend in der Tipi-Bar, als ich zu euch kam und mich aufgeführt habe wie ein … keine Ahnung, besitzergreifender Neandertaler. Und dann die Sache im Pflegeheim.« Wieder seufzte er. »Ich habe nicht auf mein Handy geschaut, ich habe euch beobachtet.

Und ich habe auch gesehen, wie Sam Ruthie betrachtet hat. Da war alles, was uns beiden immer gefehlt hat.«

Anna stockte der Atem, als sie an die beiden Abende dachte. An das erste Date, als sie Sam davon überzeugen wollte, dass er zu jung für sie war, und panische Angst davor hatte, sich auf etwas Neues einzulassen. Dann war er plötzlich Teil ihres Alltags geworden, hatte sie zum Lachen gebracht, war für Ruthie da gewesen, hatte aus Anna wieder die Person herausgekitzelt, die sie vor ihrer Zeit als Mutter gewesen war.

»Ich erkannte in ihm den Menschen, der ich hätte sein sollen. Anfangs war ich stinksauer. Wer war dieser Mann, der mich ersetzte? Wie konnte jemand hier einfach so aufkreuzen und eine solche Verbindung zu dir und Ruthie aufbauen?« Er holte Luft. »Aber dann musste ich an die Sache mit Nicolette denken – wie schnell das damals gegangen war. Wie ich das durchgezogen habe, ist absolut inakzeptabel, klar, aber manchmal kommt das Richtige nicht zur rechten Zeit. Die richtige Wahl zu treffen bedeutet manchmal, sämtliche Regeln zu brechen, nach denen man sein Leben zu leben glaubt.«

Nun standen Tränen in Annas Augen. Wegen der Art und Weise, wie die Sache mit Ed geendet war; wegen dem, was aus ihr und Sam geworden war; wegen all der Herausforderungen, die in der Zukunft auf Ruthie warteten.

»Ich bin froh, dass du jemanden gefunden hast, der dich glücklich macht«, sagte Ed. »Er scheint ein netter Kerl zu sein. Wenn er das nächste Mal hier ist, können wir uns vielleicht mal zusammensetzen. Um über alles zu reden.«

»Nun, das wird wohl nicht passieren. Wie ich schon gesagt habe, im Moment ist er drüben, und ich bin hier, und dabei wird es aller Voraussicht nach auch bleiben.«

Ed schüttelte den Kopf. »Nun komm schon, Anna.«

»Was?«

»Das wollte ich dir doch gerade klarmachen – nicht ohne ein gewisses Unbehagen, wie ich zugeben muss: Eure Geschichte ist offenkundig etwas Besonderes, das ist nicht zu übersehen.«

Das wusste sie. Sie hatte es gespürt. Und spürte es immer noch. Sie wollte es auch nicht einfach aufgeben. Aber während die Stunden vergingen und Weihnachten immer näher rückte, wuchs die Distanz – physisch und emotional. Vermutlich war Sam in sein vertrautes Leben zurückgekehrt, während Ruthie und sie zu Menschen wurden, denen er einst in London begegnet war. Sie hatte eine Nachricht entworfen, hatte sie sicher fünfzigmal überarbeitet, aber die Worte klangen nicht richtig. Neeta gegenüber mochte sie die Heldin gemimt haben, aber die Wirklichkeit sah ganz anders aus.

»Streck deine Hand aus.« Eds Stimme brach in ihre Gedanken ein.

»Was?«

»Ich habe keine fiesen Hintergedanken. Komm, streck sie aus.«

»Das letzte Mal, als du das gesagt hast, Ed, waren wir in Cornwall, und du hast mir einen Krebs in die Hand gelegt. Ich habe geschrien, Ruthie hat geschrien, und die gesamte Grafschaft wäre fast wegen des Lärms nach Devon ausgewandert.«

Nun streckte Ed selbst die Hand aus und nahm die ihre. Sanft bog er ihre Finger auseinander und ließ etwas in ihre Handfläche fallen. Einen Schlüssel. Einen Haustürschlüssel.

»Ich weiß nicht, warum ich ihn behalten habe. Mir ist klar, dass ich das nicht hätte tun dürfen. Vermutlich hat es damit zu tun, dass ich dich und Ruthie nicht gehen lassen wollte. Das ergibt keinen Sinn, da ich ja derjenige war, der unsere Ehe zerstört hat. Und ich habe auch nicht viel Zeit mit Ruthie verbracht, aber … egal. Von nun an wird es keine Überraschungsbesuche mehr geben. Von nun an verhalten wir uns wie erwachsene Menschen.«

»Verhalten wir uns wie erwachsene Menschen«, wiederholte Anna mit einem leisen Lächeln auf den Lippen.

»Ich klinge wie mein Dad, ich weiß.«

»Danke, Ed.« Anna umklammerte den Schlüssel in ihrer Hand.

»Es gibt absolut nichts, wofür du mir danken müsstest«, sagte er schnell. »Ich habe nichts getan, als dir das Leben noch schwerer zu machen. Aber jetzt wäre ich gerne da – für Ruthie und vielleicht auch für … die Katze?«

Die Wohnzimmertür öffnete sich, und Ruthie kam herein, zwei dampfende Tassen in der Hand. »Kann Cheesecake mitkommen, wenn ich mal bei dir übernachte, Dad?«

Anna sah Ed an. Nun hatte er Gelegenheit, seinen Worten Taten folgen zu lassen.

»Wird Cheesecake Nicolettes neuen Kunstfellhocker zerkratzen?«, fragte Ed mit erhobener Augenbraue.

Ruthie dachte einen Moment nach. »Ja, das wird sie in jedem Fall tun.«

»Wunderbar«, sagte Ed. »Ich hasse das Teil. Cheesecake ist also jederzeit willkommen. Und du natürlich auch.«

Ruthie nickte. »Gut. Obwohl … Erst muss ich sicherstellen, dass Sam wieder bei Mum ist, aber dann …«

»Ruthie«, rief Anna. »Was hatte ich gesagt?«

»Na ja«, begann Ruthie und stellte vorsichtig die Tassen auf das Sideboard. Nun kehrte auch Cheesecake zurück, strich um Ruthies Beine und widmete sich dann wieder ihrem Lieblingsspiel mit den Christbaumkugeln. »Ich weiß nur, was du *nicht* gesagt hast: ›Wir werden sehen‹.«

»Zerrupft Cheesecake auch Nanny Gwens Spitzendeckchen?«, fragte Ed Ruthie.

Ruthie lachte. »Ständig.«

»Gut«, antwortete Ed. »Die habe ich auch nie gemocht.«

Anna lächelte. »Ihr war klar, dass du sie hasst. Erstaunlich, dass sie dich nicht aus dem Jenseits heimsucht.«

»Da wäre ich mir nicht so sicher.« Ed nickte. »Ich glaube, sie kontrolliert meinen Fernseher. Kürzlich bin ich daran gescheitert, eine Sendung über die Anlage von Steingärten wegzuschalten. Sicher hat sie nie vergessen, dass ich mal gedroht habe, ihre Gartenzwerge zu entsorgen.«

»Wirklich!«, rief Ruthie.

Anna musste schlucken, als sie die beiden betrachtete. Dann nahm sie ihren Kaffee, legte die Hände um die Tasse und genoss die Wärme. Als Cheesecake nun wieder seine Christbaumkugel-Show abzog, wurde Anna klar, dass sie keine Wahl hatte: Sie musste sich bei Sam melden. Sonst würden sich Ruthies Hoffnungen bis zum Weihnachtskonzert weiter aufgetürmt haben als der höchste Wolkenkratzer Londons.

KAPITEL

SECHSUNDFÜNFZIG

Dr. Monroes Büro, Cincinnati

Sam sah auf sein Handy. Das zersplitterte Display nahm den unentwegt eintreffenden Nachrichten – Instagram, Twitter, Facebook, E-Mails, Textnachrichten, Sprachnachrichten – nichts von ihrer Bedrohlichkeit. Das Gerät war auf stumm geschaltet, aber der Bildschirm blinkte wie eine Discokugel. Er sollte es abschalten. Aber er wollte sie sehen. Anna. Die Fotos von ihr. Von ihnen beiden. Von Ruthie. Von Mr Rockets flauschigem Hinterteil, wie er einer über den Küchenboden rollenden Möhre nachjagte. Es war erst ein paar Tage her, seit er abgereist war, aber es kam ihm wie eine Ewigkeit vor. Und nun war er hier, mit Tionne, am Morgen nach dem Treffen in der Hotelsuite, das sämtliche Gewissheiten zerstört hatte. Seine Eltern warteten am Ende des Gangs. Das Büro hatte sich nicht groß verändert, seit er zum letzten Mal hier gewesen war. Immer noch hingen die Plakate, die vor Gesundheitsrisiken warnten, an den Wänden. Nur ein Kaktus mit einer Krone aus goldenem Lametta war hinzugekommen.

»Wenn mein Gehirn gescannt wurde, was passiert dann?«, erkundigte sich Tionne unvermittelt. »Der genetische Berater? Oder die Blutuntersuchung?«

»Ich weiß es nicht«, sagte Sam.

»Aber du hast das doch schon alles hinter dir.«

»Das war etwas anderes.« Die Diggers hatten sämtliche

Untersuchungen organisiert und seinen gesamten Körper minutiös vermessen lassen. Man hatte nicht nach einem bestimmten Krankheitsbild oder Leiden gesucht, man hatte nach allem und nichts Ausschau gehalten. Diese Untersuchung nun war präziser, weil sie sich auf ein einziges Gen konzentrierte.

»Wonach wird mich der genetische Berater fragen?«

»Vielleicht, ob du die Untersuchung überhaupt machen willst.«

»Dann *muss* er ja als Erster kommen. Du weißt es also doch.«

»Ti, du musst dich nicht jetzt sofort untersuchen lassen«, erinnerte Sam sie. »Du musst dich überhaupt nicht untersuchen lassen. Dr. Monroe hat doch gesagt, dass man nichts überstürzen sollte.«

»Dr. Monroe hat aber auch gesagt, dass es vier Wochen dauern kann, bis die Ergebnisse vorliegen.«

»Im allerschlimmsten Fall«, erwiderte Sam.

»Vier Wochen sind eine lange Zeit«, sagte Tionne. »Weißt du, wie viele Insta-Posts das sind? Dazwischen liegen Weihnachten und Silvester. Tatsächlich ist das länger, als die meisten meiner Beziehungen gehalten haben.«

Er musterte seine kleine Schwester. Plötzlich kam sie ihm wieder so klein vor wie damals, als sie im Wohnzimmer ihrer Eltern die ersten tapsigen Schritte getan hatte. Ihre Haare mochten jetzt länger sein, die Frisur mit den blauen Strähnchen wagemutiger, aber auf ihn wirkte sie noch genauso unschuldig wie damals.

»Es tut mir leid«, flüsterte Sam. Seine Augen füllten sich mit Tränen.

»Warum sollte es *dir* leid tun?«, fragte Tionne. »Mom

oder Dad haben doch dieses Gen, das hast du selbst gestern gesagt. Wenn also jemand schuld ist, dann ...« Sie seufzte. »Ich meine natürlich nicht wirklich ›schuld‹, sie können ja auch nichts dafür. Es kommt ja von Grandpop oder Grandma Jackman oder Gramps oder von Nana Jeffrey. Und davor gab es noch, was weiß ich ... Wir werden wohl nie erfahren, wer es als Erstes hatte.«

Sam nickte. »Wahrscheinlich.«

»Was passiert also, wenn man es hat? Wenn man krank wird? Kann man dann nicht mehr laufen? Vergisst man, wer die Menschen um einen herum sind? Fallen einem die Haare aus?«

»Ich glaube nicht, dass dir die Haare ausfallen«, antwortete Sam.

»Das ist gut.« Tionne nickte.

»Ti, es kann gut sein, dass du es gar nicht hast.«

»Klar«, sagte sie. »Aber *du* hast es. Wenn ich es auch habe, können wir eine Liste erstellen, was wir noch tun wollen, bevor wir dran sind. Oder wir könnten uns schon um zwei Plätze im Pflegeheim kümmern ... oder ein anonymes Insta-Konto anlegen, um unsere Ex-Freunde mit Schmutz zu bewerfen.«

Sam griff nach ihrer Hand. »Ich habe keine Ex-Freundinnen, die ich mit Schmutz bewerfen will. Und wenn jemand dich mit Schmutz bewirft, dann möchte ich das wissen.«

»Jerome ist ein Arschloch.«

»Ach ja?«

»Jetzt sag nicht, dass du das ja gesagt hast.«

»Werde ich nicht.«

»Aber du denkst es. Ich höre es förmlich!«

Er legte den Kopf an ihren. »Ti, ich möchte nicht, dass du

diese Krankheit hast. Ich kann darauf verzichten, ein Pflegeheim zu suchen, das uns beiden gefällt.«

Sie zuckte mit den Schultern. »Wenn ich es habe, ist das eben so. Diese Untersuchungen werden nichts ändern. Nur dass ich dann Gewissheit habe.«

»Ti, das ist eine ernste Sache.«

»Ich weiß. Du hast es ja bereits. Das ist alles, was ich denken kann. Mein großer Bruder hat diese beschissene Krankheit. Das ist sicher, und es gibt nichts, was wir dagegen tun können.«

Sie saß steif da und zog ihre Nasenflügel ein, wie sie es immer tat, wenn sie verletzt war, aber es nicht zu erkennen geben wollte.

»Im Moment geht es mir gut«, sagte Sam und legte ihr den Arm um die Schultern.

»Aber die Diggers wollen dich nicht mehr«, sagte Tionne schniefend.

»Das kann ich ihnen nicht verdenken. Sie investieren ihr Geld in Perfektion. Und perfekt bin ich nicht mehr.«

»Aber was, wenn sie dich gekauft hätten, und du hättest gleich im ersten Spiel einen Unfall gehabt, der deine Karriere für immer beendet? Dann hätten sie doch auch eine Billion Dollar oder wie viel auch immer umsonst bezahlt.«

»Dagegen sind sie versichert. Aber wenn sie wissentlich einen Spieler mit einem Gesundheitsrisiko kaufen, würde die Versicherung keinen Cent zahlen.« Er seufzte. »Wenn ich einen Unfall hätte, auch wenn er gar nichts mit der Sache zu tun hätte, bestünde trotzdem immer die Gefahr, dass die Versicherungsgesellschaft einen Zusammenhang herstellt. Dieses Risiko wollen die Diggers nicht eingehen. Hier geht es ums Geschäft.«

»Geht es nicht. Es geht um dein Leben. Football ist dein Leben, immer schon.«

»Ja«, sagte er. »Aber vielleicht war das ja ein Fehler. Was hat Mom immer gesagt? Über Eier, die alle in einem einzigen Korb liegen?«

»Was wirst du jetzt tun?«

Er schloss die Augen und wartete, ob eine grandiose Inspiration aufblitzte – oder wenigstens der winzigste Keim einer Idee, an der er sich abarbeiten könnte. Aber er sah nichts ... außer Anna. Ihren traurigen Blick, als er gegangen war. Und er erinnerte sich noch genau daran, wie die Leere in seinem Innern ihn den Schmerz in seinen nackten Füßen gar nicht hatte spüren lassen. Das Handy rutschte ihm aus der Hand und fiel zu Boden. Tionne bekam es vor ihm zu packen.

»Oh ... Raus mit der Sprache. Wer ist das?«

Das Foto, das er zuletzt angeschaut hatte, befand sich nun in Tionnes Händen: Anna, die in der Pferdekutsche saß, in die Decke gewickelt, und mit einem leicht schrägen Blick in die Kamera sah.

»Sam!«, rief Tionne. »Wer ist das?« Bevor Sam etwas sagen konnte, scrollte seine Schwester durch die anderen Bilder in seinem Handy. »Ein Kaninchen? Und ... Wahnsinn! Was ist denn das für ein Monstrum von einem Weihnachtsbaum?«

Er riss ihr das Handy aus der Hand, sperrte den Bildschirm und steckte es in die Jacke.

»Nur weil du es wegsteckst, werde ich noch lange nicht aufhören, dich mit Fragen zu bombardieren. Das dürfte dir klar sein, oder?«

»Ti, das ist jetzt nicht der richtige Moment. Hör bitte auf. Wir sitzen hier und warten ...«

»Dass mein Kopf gescannt wird«, ging Tionne dazwischen. »Ich weiß. Deswegen brauche ich ein wenig Ablenkung. Diese Fotos sagen mir, dass mein Bruder sich in England nicht in einem Hotelzimmer eingeigelt und sich von Lieferdienstessen ernährt hat. Er hat das Zimmer verlassen und Dinge unternommen, und zwar mit einer anderen Person ... Also, ich frage noch einmal: Wer ist diese Frau?«

Sam schluckte. Sein Herz schlug heftig, als er an Anna dachte. An die erste Begegnung, als sie so angriffslustig auftrat, um Ruthie zu beschützen; was in Sorge umschlug, als er sich bei dem Autounfall verletzt hatte; bis schließlich die lustige, anziehende, warmherzige und tiefsinnige Anna zum Vorschein kam.

»O Gott. Wenn es hier eine ernste Angelegenheit gibt, dann das hier. So habe ich dich noch nie erlebt.«

»Ti, hör auf. Wir sollten uns lieber noch einmal die Unterlagen ansehen, die Dr. Monroe uns dagelassen hat. Oder vielleicht schaue ich mal kurz nach Mom und Dad.« Er stand auf, aber Tionne packte sein Handgelenk mit dem Hebelgriff, den er ihr selbst beigebracht hatte, und zog ihn wieder auf den Stuhl.

»Wie heißt sie?«, fragte Tionne jetzt etwas sanfter.

»Wer?«

»Diese Frau, von der so viele Fotos auf deinem komplett zerstörten Handy-Display zu sehen sind.«

Er holte tief Luft. Wenn er den Namen aussprach, würde sicher sämtliche Energie aus ihm weichen, das spürte er. Dann wäre er physisch und emotional am Ende. Außerdem könnte er es nicht mehr rückgängig machen. Dann wäre es keine Episode mehr, die er einfach hinter sich lassen konnte, um mit seinem Leben weiterzumachen. Aber wollte er das überhaupt? Wollte er niemandem erzählen, wie glücklich er gewesen war, obwohl dieses Damoklesschwert über ihm schwebte?

»Anna«, sagte er. Der Name blieb fast an seinen Lippen hängen.

Tionne schwieg. Aber sie behielt ihn im Blick, musterte ihn, wollte mit ihren braunen Augen die Wahrheit aus jeder Pore hervorlocken.

»Wahnsinn«, sagte sie schließlich. »Dieser ganze Aufruhr wegen der Diggers und dieses Gens ... Und du gehst einfach nach London und verliebst dich.«

Für den Moment schien er dem nichts hinzufügen zu können.

KAPITEL
SIEBENUNDFÜNFZIG

Weihnachtsmarkt in Kew, London

»Dieses Zeug in den Gläsern würde Pavinder bestimmt gefallen«, verkündete Neeta, nahm ein Glas von dem Stand, an dem sie mit Lisa und Anna stand, und schüttelte es. »Ich habe keine Ahnung, was das sein soll. Kann man das essen, was meint ihr? Oder ist es eher nur Deko?«

Dass Neeta nach hübschen Geschenken für Pavinder suchte, war ein gutes Zeichen. Sobald sie irgendwo etwas trinken würden, musste Anna sich unbedingt erkundigen, wie es an dieser Front lief.

»›Festliche Paste‹ steht hier«, sagte Lisa, die einen Blick auf das Etikett warf. »Das kann alles sein. Vielleicht kann man damit auch tapezieren.«

»Wir können ja mal fragen«, schlug Anna vor. »Wenn der Standbesitzer mit dem Kunden fertig ist.«

»Sieht wie Froschlaich aus«, sagte Neeta. »Was auch immer das ist, ich kaufe es für die Wichtelparty in Pavinders Labor – in der Hoffnung, dass Jessica es bekommt. Vielleicht hält sie es für Gesichtscreme. Wie es wohl riecht?« Neeta sah aus, als wolle sie den Deckel abschrauben. Anna nahm ihr das Glas schnell aus der Hand und stellte es auf den Stand zurück.

»Hast du immer noch nicht mit Pavinder über diese Jessica gesprochen?«, fragte Anna.

Neeta schnaubte und warf das Haar zurück. »Hast du Sam immer noch nicht geschrieben?«

Anna schluckte. Typisch Neeta, dieser Themenwechsel. Anna hatte in den letzten Tagen viel zu tun gehabt. Sie hatte Mr Wong das neue Konzept für seinen Imbiss vorgestellt, während Adam zuhörte und sich auf seinem Tablet Notizen machte, als würde er Zensuren für ihre Ideen verteilen. Mr Wong hingegen war aus dem Häuschen gewesen und wollte die Veränderungen so schnell wie möglich in die Tat umsetzen, mit einem vorweihnachtlichen Countdown, der auf die Ereignisse des kommenden Jahrs neugierig machen würde.

Annas Konzept sah einen vollständigen Umbau des Gebäudes vor, und Mr Wong hatte sofort jemanden anrufen wollen, damit er Wände einriss – bis Anna ihn daran erinnert hatte, das Weihnachten vor der Tür stand. Nun beschränkte er sich erst einmal darauf, einen Gärtner zu bestellen, damit er das Gelände gegenüber dem Imbiss auf Vordermann brachte. Außerdem sollten Bänke und Heizpilze aufgestellt und Banner mit dem neuen Logo erstellt werden. Dann musste sie Ruthie noch zu den Proben für ihre Stepptanzaufführung fahren, außerdem zum Tierarzt, weil Mr Rocket ein Stück Stroh ins Ohr bekommen hatte. Und am heutigen Tag standen Weihnachtseinkäufe auf dem Programm. Wie sollte Anna die Zeit finden, jemandem zu schreiben, der mit einer Instagram-Influencerin in einer Eisdiele gesichtet worden war, wo er sich laut Bericht über den geplatzten Megadeal hinwegtröstete …

»Pav verehrt dich, Neeta. Ich wette, er würde keine andere Frau auch nur anschauen«, sagte Lisa, als sie zu einem anderen Stand gingen. Von einem Platz her erklang

Blasmusik. »Paul dagegen meint seit Neuestem, ständig irgendwelche abwertenden Kommentare über das Aussehen der Schauspielerinnen abgeben zu müssen, wenn wir einen Film schauen. Meine Watchlist bei Netflix besteht mittlerweile nur noch aus Filmen mit Schauspielerinnen über fünfundsechzig, damit wir uns auf die Handlung konzentrieren können. Bei Helen Mirren sieht das allerdings schon wieder anders aus.«

»Irgendetwas verheimlicht er mir, das weiß ich«, sagte Neeta mit einem entschiedenen Nicken, als sie zu dem Stand mit den teils weihnachtlichen Kristallfigürchen weitergingen.

»Aber es könnte auch etwas Schönes dahinterstecken«, gab Anna zu bedenken. »Vielleicht steht er kurz vor einer Beförderung oder … er plant eine riesige Weihnachtsüberraschung.«

»Er ist bereits Leiter der Pflanzenabteilung. Um noch befördert zu werden, müsste er sich schon in eine Art David Attenborough verwandeln und Naturfilme drehen. Und Weihnachten feiern wir nicht, falls du dich erinnerst. Wenn seine große Überraschung darin besteht, dass er zu einer anderen Religion konvertiert, dann würde das natürlich seine ausweichenden Antworten erklären, wenn ich mich erkundige, was er den ganzen Tag so treibt.«

Anna verfluchte sich insgeheim. Ihr Hirn arbeitete offenkundig nicht richtig. Sie hasste sich selbst dafür, dass es die meiste Zeit mit Sam beschäftigt war. Und mit der Frage, wie sie mit ihren Gefühlen für ihn umgehen sollte. Mit jedem Tag, der verging, schien die Entfernung zwischen ihnen größer und größer zu werden. Vielleicht sollte sie die Sache einfach vergessen. Ruthies Beziehung zu Ed besserte sich allmählich. Anna wusste, dass ihre Tochter regelmäßig über

FaceTime Kontakt mit ihm hatte, seit er an jenem Abend mit dem Haustürschlüssel aufgekreuzt war. Und heute übernachtete sie sogar dort. Das erfüllte Anna mit einer gewissen Nervosität, aber sie musste es zulassen. Ed musste neu lernen, was Ruthie konnte und was nicht und wie er damit umgehen sollte. Er war ihr Vater. Sie wusste, dass er sich bemühte, alles richtig zu machen. Und selbst wenn es ihm nicht immer gelang, war er doch lernfähig.

»Du musst ihn fragen«, sagte Lisa. »Frag ihn einfach, was mit dieser Jessica ist. Dann weißt du Bescheid und kannst aufhören, dir ständig Sorgen zu machen. Und uns auch. Das passt gar nicht zu dir, Neeta. Normalerweise gehst du Probleme doch frontal an.«

»Aber was, wenn er sagt, dass es so ist? Dass er ihr nachstellt?«, fragte Neeta und griff zu einem Rosenquarz in Form eines Schneemanns – jedenfalls so etwas in der Art. »Was bedeutet das für uns? Führe ich dann eine Ehe wie meine Cousine Sita? Sie hat nach sechs Wochen herausgefunden, dass Javi eine andere hat, und nichts unternommen. *Nichts*. Mittlerweile sind sie neuneinhalb Jahre verheiratet und haben drei Kinder, und wenn man ihr glauben darf, hat Javi mit mehr Frauen geschlafen, als die Tube Stationen hat.« Sie stellte die Kristallfigur wieder hin.

»Das würde Pavinder dir nie antun, Neeta. Du sprichst über einen Mann, der mit Pflanzen redet, als wolle er sie in den Schlaf wiegen«, sagte Lisa.

»Das ist vielleicht auch seine Masche bei dieser Jessica. Heutzutage fährt doch jeder auf sanfte Podcast-Stimmen ab!«

»Stopp!«, sagte Anna. »Hör sofort auf damit.« Sie klammerte sich an die Stützstrebe des Stands und holte Luft.

Wieso hatte sie keine Mütze angezogen? Es war unfassbar kalt.

»Alles in Ordnung?«, fragte Lisa und nahm ihren Ellbogen. »Ist das der Glühwein? Ich hatte ja gesagt, dass in meinem Pfefferkörner waren.«

»Mir geht es gut«, antwortete Anna. »Ich kann es nur nicht ertragen, dass sich meine beste Freundin über ihren Ehemann ärgert, wo sie doch der schroffe Granitfelsen in der Brandung meines Lebens ist. Neeta, das frisst dich auf. Die ganze Zeit über.«

»Nicht die ganze«, widersprach Neeta.

»Wir sollten beide ehrlich sein«, schlug Anna vor und griff nach der Hand ihrer Freundin. Sie holte tief Luft und sah dann tief in Neetas braune Augen. »Ich vermisse Sam.«

Neetas Lippen zitterten ein wenig, und ihre Ohrringe klirrten. Dann … »Ich liebe Pavinder.«

Anna drückte fest ihre Hand, schockiert über ihr eigenes Geständnis und erfreut über das von Neeta.

»Soll ich auch etwas Herzzerreißendes beitragen?« Lisa sah in den Himmel, als erhoffe sie sich eine Inspiration. »Hm … Paul ist wie ein guter Wein gealtert, aber eher wie einer von Aldi.«

»Aha«, sagte Neeta. »Das ist es. Ich werde jetzt das Heft in die Hand nehmen.«

»Du wirst Pavinder nach Jessica fragen?«, erkundigte sich Lisa.

Neeta schüttelte den Kopf. »Ich werde Sam kontaktieren und ihm mitteilen, dass er sich gefälligst, was auch immer für footballbezogener Unsinn ihn da drüben hält, an die Verpflichtungen erinnern soll, die er hier eingegangen ist.« Neeta begann in ihrer Tasche zu kramen.

»Aber das stimmt doch gar nicht«, sagte Anna. »Er ist keine Verpflichtungen eingegangen. Keiner von uns beiden ist das. Wir wollten es so.«

»Und jetzt?«, fragte Neeta. »Ich kann mich nicht erinnern, dass du über jemanden aus den Dating-Apps gesagt hättest, du würdest ihn vermissen.«

»Na ja«, begann Anna, »ich hatte auch immer nur ein einziges Date mit diesen Männern. Sam hingegen habe ich etwas besser kennengelernt ...« Sie unterbrach sich, als ihr bewusst wurde, dass sie sich damit nicht unbedingt einen Gefallen tat.

»In Ordnung«, sagte Neeta und sah von ihrer Tasche auf. »Ich finde mein Handy nicht, aber ich schlage dir einen Deal vor.« Sie holte tief Luft und kniff die Augen zusammen. »Wenn du Sam kontaktierst, dann werde ich ... werde ich ... Pavinder nach Jessica fragen.«

»Ernsthaft?«, fragte Lisa.

»Ja«, antwortete Neeta. Dann zeigte sie mit dem Finger auf Lisa. »Und du wirst Paul sagen, dass diese abwertenden Kommentare aufhören müssen. Für immer.«

Anna betrachtete ihre beiden Freundinnen. Neeta war vollkommen überdreht, und Lisa fragte sich offenkundig, wie sie in diesen Strudel hineingezogen werden konnte. Aber sie liebte die beiden, und schon hatte sie genickt.

»Gut«, sagte Neeta. »Meine Weihnachtsfeier, die keine ist, findet übrigens diesen Samstag statt. Dann werden wir es tun. Wir werden alle da sein und sicherstellen, dass keine von uns einen Rückzieher macht.«

Annas Herz pochte heftig. Man hatte sie unter Zugzwang gesetzt, vor Zeugen. Jetzt gab es kein Entkommen mehr.

Lisa hob die Hand, als sei sie eine Schülerin in der Schule.

»Wäre es möglich, dass meine Kinder nicht im Raum sind, wenn ich mit Paul rede?«

»Nein, wäre es nicht«, antwortete Neeta. »Das ist eine wichtige Lektion, da können Kai und Kelsey einiges draus lernen.«

Anna wollte auch schon ein wenig Privatheit für sich aushandeln, da kam Neeta ihr zuvor.

»Nein!«, rief sie und zeigte nun in Annas Richtung. »Wir müssen Sam auf FaceTime sehen oder ihn am Telefon hören, bevor du über weitere Schritte nachdenkst.« Dann wandte sie ihre Aufmerksamkeit dem Standbesitzer zu. »Was kostet der Kristall, der wie Lionel Richie aussieht?«

KAPITEL

ACHTUNDFÜNFZIG

Every Day's a Sundae, Cincinnati

»Kann Huntington die Geschmacksknospen angreifen? Ich habe mich nämlich nie für Rosinen im Eis begeistern können, aber mittlerweile kann ich gar nicht genug davon bekommen.« Tionne sah von ihrem großen gemischten Eisbecher auf und blicke Sam direkt an. »Und bevor du fragst: Ich bin nicht schwanger. Letzte Woche hatte ich meine Periode, und es ging mir wirklich dreckig. Außerdem passe ich immer auf. Immer!«

Sam bedauerte es, sein Eis mit Weihnachtsspezialsoße – Cranberry-Sirup – bestellt zu haben. Er schüttelte den Kopf. »Du hast mir doch versprochen, nicht darüber nachzudenken, bevor du nicht die Ergebnisse hast.«

»Ich weiß«, sagte Tionne. »Aber es sind Wochen bis dahin. Und ich bin nicht Mom. Ich kann mich nicht den ganzen Tag mit einem Truthahn oder einer Ziege beschäftigen und Essensberge anhäufen, mit denen man von Weihnachten bis Ostern die gesamte Nachbarschaft versorgen könnte. Und mit wem sonst könnte ich darüber reden?«

»Ich weiß«, sagte Sam. Ihm entfuhr ein kleiner Seufzer, als seine Augen zur Tür der Eisdiele in der Innenstadt von Cincinnati wanderten. Draußen standen Presseleute. Immer noch ein halbes Dutzend. Sie hatten Fotos gemacht, als er mit Tionne gekommen war. Jetzt sahen sie lediglich noch ihre Stiefel, weil Sam sie in eine der hintersten Ecke geschoben hatte. Sie waren wie Hunde, die sich um einen nackten Knochen balgten. Er hatte keine Vorstellung, wie Frankie es immer noch schaffte, die heikelsten Details aus der Öffentlichkeit herauszuhalten. Niemand wusste etwas von seiner Diagnose. Niemand wusste, dass die Gesundheit seiner Familie auf dem Spiel stand. Sam war aber klar, dass es nicht mehr lange dauern konnte.

Er steckte seinen Löffel in den Becher und sah zu, wie Tionne ihr Eis aß. Tausend Dinge mussten ihr durch den Kopf gehen. Trug sie den Gendefekt in sich? Wenn ja, wie lange würde es dauern, bis sich die ersten Symptome zeigten? Und was war mit Kindern? Bei dem Gedanken verzog er das Gesicht. Er hatte sich immer vorgestellt, dass Tionne Kinder haben würde. Ja, er hatte sie schon inmitten von zwei, drei Kindern im schulpflichtigen Alter gesehen, die alle so aufgeweckt waren wie ihre Mutter und nun von ihr über das Leben aufgeklärt wurden. Was, wenn das gar nicht mehr möglich war? Oder konnte es doch möglich sein, selbst wenn Tionne auch betroffen war?

»Du hast mich doch gerade dazu aufgefordert, nicht daran zu denken.« Tionne sah von ihrem Eisbecher auf und musterte ihn.

»Ich weiß.«

»Sag nicht immer ›Ich weiß‹. Du weißt gar nichts. Niemand weiß etwas. Wir müssen den Rest dieser vier Wochen abwarten. Außerdem habe ich keine Ahnung, was du überhaupt noch hier tust, Brüderchen, wo du doch auf Schritt und Tritt von Journalisten verfolgt wirst. Warum bist du nicht in England, bei deiner Anna?«

Als seine Schwester »Anna« sagte, wallten sämtliche Gefühle in ihm auf. Er hatte Tionne von ihr erzählt, als sie darauf gewartet hatten, dass sie in das MRT geschoben wurde. Tionne hatte von ihm eine Erklärung verlangt, und plötzlich hatte er gar nicht mehr aufhören können zu reden. Unternommen hatte er allerdings nichts. Und Annas Social-Media-Kanäle schwiegen. Seit einem Post über Ruthie und Malcolm, der schon so lange im Netz stand, wie er Anna kannte, war nichts mehr erschienen. Er wollte wissen, wie es ihr ging. Er *sehnte* sich förmlich danach, irgendetwas über ihr Leben zu erfahren. Obwohl er natürlich wusste, dass er kein Anrecht auf ein solches Gefühl hatte. Er hatte sich von ihr getrennt, aus gutem Grund.

»Ich kann nicht zurückgehen«, flüsterte er.

»Warum denn nicht? Musstest du den Diggers Schmerzensgeld zahlen, sodass du jetzt keinen Cent mehr auf dem Konto hast? Du hast hier nichts mehr verloren.«

»Mom besorgt einen Truthahn und eine Ziege«, erinnerte er sie und nahm einen Schluck von seinem Espresso. »Weihnachten kann ich mich nicht aus der Affäre ziehen. Besonders jetzt nicht.«

»Du isst lieber Bauernhoftiere, als die Frau zu sehen, die dich in einen sanften Helden aus einer romantischen Komödie verwandelt hat? Absolut nachvollziehbar. Wie ich schon sagte, Mom wird eh das meiste einfrieren müssen. Du kannst also noch an Silvester davon essen.«

»So leicht ist das nicht, Ti.« Er holte Luft. »Anna weiß nichts von dem hier.« Er fuchtelte vor seinem Gesicht herum.

»Befindet es sich dort, dieses Gen? In unserem Gehirn?«

»Nein«, sagte Sam. »Aber das ist es, was sich ändern wird.«

»Und du hast es ihr nicht erzählt ... weil?«

»Was weiß ich, Ti. Vielleicht weil sie mich kennengelernt hat, als ich noch selbst essen und Konversation betreiben konnte. Als ich noch rennen und ...«

»Schlittschuh laufen wohl eher nicht, den Fotos nach zu urteilen«, ging Tionne dazwischen.

»Sie hat schon so viel in ihrem Leben durchgemacht. Eine Scheidung. Ruthies Autismus. Den Verlust ihrer Großmutter, die sie aufgezogen hat. Klar, als ich in ihrem Leben aufgetaucht bin, habe ich das alles noch nicht gewusst. Aber ich habe dann trotzdem nicht aufgehört, sie zu treffen. Ich wollte mich nicht so in sie verlieben. Es ist einfach passiert.«

Tionne nickte. »Es ist einfach passiert.« Sie steckte noch einen Löffel Eis in den Mund, sog durch die Nase Luft ein, während sie ihn genoss, und schluckte ihn dann hinunter. »Ich würde auf alle meine Gratis-Produktproben verzichten, wenn ich jemandem begegnen würde und die Dinge einfach ihren Lauf nähmen. So eine Beziehung habe ich noch nie gehabt. Allmählich glaube ich auch nicht mehr, dass ich das noch erlebe.«

»Doch, das wirst du, Ti. Du hast doch noch dein ganzes Leben ...« Er unterbrach sich, bevor er etwas Unpassendes sagen würde. »Du bist eben noch nicht dem Jungen begegnet, der dich besser behandelt als die anderen.«

»Nein«, stimmte Tionne zu. »Aber du hast jemanden getroffen, der dich glücklicher macht, als ich dich je erlebt habe. Und das hat diese Person geschafft, obwohl du die schwerste Phase deines Lebens durchmachst.«

Das stimmte. In seinem Zustand hätte er sich gar nicht darauf einlassen dürfen. Trotzdem war es passiert. Außerdem hätte er überall hinfahren können, aber der Zufall hatte ihn ausgerechnet nach Richmond geführt. Und da war sie dann gewesen, Ruthie, die man geärgert hatte wie ihn selbst früher auch.

»Wie könnte ich ihr davon erzählen?« Im Moment konnte er der Krankheit nicht einmal einen richtigen Namen geben, nun, da auch seine Familie betroffen war. »Wie könnte ich ihr klarmachen, dass ich ihr, wenn sie sich für mich entscheidet, nicht garantieren kann, dass sie noch besonders lange etwas von mir hat? Sie und Ruthie.« Er stach den Löffel in sein Eis. »Und während wir das alles durchmachen, wird die Presse an Laternenpfählen hängen und auf Mülltonnen stehen, um Fotos zu machen.« Er schüttelte sich, als er daran dachte, was Ruthie an jenem letzten Tag hatte erleben müssen.

»Oh, wow«, sagte Tionne. »Wahnsinn.«

»Ti, die beiden brauchen jemanden, hinter dem nicht die ganze Welt her ist, jemanden Verlässliches. Anna wurde auf üble Weise im Stich gelassen. Klar, sie ist eine starke, mutige Frau, die mit allen Schicksalsschlägen klargekommen ist. Aber mit wem auch immer sie ihr Leben zu leben gedenkt, er muss dauerhaft an ihrer Seite stehen.«

»Sprich nur weiter.« Tionne verdrehte die Augen. »Ich kann es kaum erwarten, was als Nächstes aus deinem Mund kommt.«

»Ich habe sie hintergangen, das weiß ich. Den einen Tag habe ich das eine gesagt, den anderen etwas ganz anderes. Aber sie hat mir von ihrer Großmutter erzählt und von der Art und Weise, wie sie aus dem Leben getreten ist, und das glich so verdammt dem, was mich erwartet. In diesem Moment einen schmerzhaften Schlussstrich zu ziehen, erschien mir besser, als ihr mitzuteilen, dass ich genauso elendig zugrunde gehen werde.«

»Und jetzt werden wir auch noch so richtig egoistisch. Wahnsinn.«

»Ich weiß nicht, was ich sagen soll.« Sam lehnte sich zurück und verschränkte die Arme vor der Brust.

»Natürlich.«

Er zuckte mit den Schultern, da er nicht wusste, wie er fortfahren sollte.

»Rede weiter«, drängte Tionne ihn. »Sag mir, was du jetzt vorhast. Wirst du den Football aufgeben, nur weil du nicht der reichste Spieler der Geschichte wirst? Was sagen die Bisons eigentlich zu deiner Diagnose?«

»Das weiß ich noch nicht. Frankie will mir ein bisschen Zeit geben, bevor wir mit ihnen reden.«

»Gut. Möglicherweise hast du also ein Team, das dich braucht. Ein Team, das ohne dich, wenn wir ehrlich sind, beschissen gespielt hat.«

»Ti …«

»Aber statt zu leben, konzentrierst du dich aufs Sterben. Du versteckst dich in deinem atemberaubenden Apartment, raubst jenseits dieser vier Wände niemandem mehr den Atem, tust auch keine Dinge, die dich glücklich machen, verbringst keine Zeit mit den Menschen, die du liebst, und versuchst gar nicht erst, die verbleibende Zeit bestmöglich zu nutzen.«

Sam wollte etwas sagen, aber Tionne redete einfach weiter.

»Weißt du, was ich tun werde, wenn ich erfahre, dass ich es auch habe?«

»Ein Pflegeheim mit einem Doppelzimmer suchen?«

»Nein«, sagte Tionne. »Das war nur ein Scherz. Ich werde mich an die erste Stelle setzen. Den ganzen Mist, den ich nicht machen möchte, werde ich dann auch nicht mehr tun.«

Sam schüttelte den Kopf. »Das funktioniert nur, wenn

man ein konkretes Ziel vor Augen hat. Man kann nicht seine Zeit damit verbringen, Dingen aus dem Weg zu gehen. Ich habe vielleicht noch zwanzig, dreißig Jahre, vielleicht auch nur fünf oder zehn. Oder noch weniger. Es gibt nichts, auf das man sich verlassen kann.«

»Jetzt kommen wir der Sache näher, Brüderchen. Niemand weiß, wann er sterben wird. Stell dir nur vor, wir wüssten es! Wenn wir alle unser Todesdatum kennen würden, stünde die Welt still. Dann würden wir alle den ganzen Tag Cocktails trinken. Warum solltest du nichts mehr mit Anna unternehmen? Warum solltest du nicht vielmehr so viel wie möglich mit ihr unternehmen?«

»Das ist nicht fair. Wir hatten doch eigentlich über dich geredet«, protestierte er und trank seinen Espresso aus.

»Nun, egal wie lange mir noch bleibt, ich werde nicht zuschauen, wie du dich jetzt schon dem Verfall hingeben wirst, obwohl es sicher noch Jahre dauert, bis er eintritt, wenn er es überhaupt tut. Wenn es das ist, was du vorhast, kannst du genauso gut sofort auf die Straße rennen und die Sache beenden.«

Das erinnerte ihn an ein Gespräch, das er mal mit Frankie geführt hatte. Damals hatte er sie auf die Palme gebracht, weil er ihr vor Augen geführt hatte, dass sie im nächsten Moment vor ihrem Lieblingscafé überfahren werden könnte.

Sein Blick wanderte nach draußen, wo die Pressemeute nun von zwei mit Eimern bewaffneten Weihnachtsmännern, die Spenden sammelten, belästigt wurde. Dahinter floss der Verkehr vorbei, ein steter Strom unter Lichterketten und Engeln, die man über die Straße gehängt hatte. Einige dieser Menschen würden demnächst womöglich das Zeitliche segnen, ohne dass sie etwas davon ahnten. War das wirklich so anders als das, was er erlebte? Man hatte ja keinen Krebs bei ihm diagnostiziert, der ihm nur noch eine begrenzte Zeit ließ. Tatsächlich tappte er nicht stärker im Dunkeln als jeder andere Mensch auch. Erst seine kleine Schwester hatte es geschafft, ihm das klarzumachen.

»Das erste Vorhaben auf *meiner* Liste lautet, krankes Gen hin oder her: Ich möchte Anna kennenlernen«, fuhr Tionne fort.

»Ti, ich weiß gar nicht, ob sie mich überhaupt wiedersehen will«, gestand Sam.

»Aber du möchtest sie wiedersehen, oder? Du redest all dieses Zeug daher, aber im Wesentlichen möchtest du doch mit ihr zusammen sein. Du hast nur Angst, dass sich etwas ändern könnte, wenn sie von dieser Sache erfährt.«

»Ja«, gab er zu. »Das ist unvermeidlich, oder?«

»Sag du's mir«, erklärte Tionne mit grimmiger Miene.

Darauf hatte Sam keine Antwort. Konnte er es Anna erzählen? *Sollte* er es Anna erzählen, bevor sie es aus der Presse erfuhr? Was seine Eltern und Tionne betraf, war ihm das wichtig gewesen. Verdiente Anna nicht denselben Respekt? Erst wenn alle Karten auf dem Tisch lagen, wäre er wirklich ehrlich. Vielleicht war er tatsächlich egoistisch. Vielleicht hatte er sich aus der Sache davongestohlen, weil er Angst vor einer Zurückweisung hatte, da seine Eröffnungen ihr zweifellos das Herz brechen würden. Nein, das war es nicht. Er erinnerte sich noch an alles, was er an jenem Morgen in Neetas Wagen gedacht hatte. Es ging nicht um ihn, sondern um Anna. Er wollte ihr das Schicksal ersparen, zusehen zu müssen, wie eine geliebte Person nach und nach den Verstand verlor. Und er war nicht derjenige, der diese Entscheidung für sie treffen würde.

»Du hast mal gesagt, dass es im Football nichts Schlimmeres gibt, als Angst zu zeigen. Selbst wenn du in Panik bist, weil die Gegenseite so gut ist, gibst du dich stark und lässt die Selbstgewissheit den Rest erledigen.« Tionne sah ihn mit ihren sanften braunen Augen an. »Das Match ist noch nicht vorbei, Sam. Gib nicht vorzeitig auf. Schau dem Schicksal direkt ins Gesicht, als würde es einen Helm tragen und sich mit dir auf einen Menschenhaufen stürzen. Und schaff um Gottes willen ein Mädchen herbei, das mir eine gute Freundin sein kann und über Mode und Bubble Tea mit mir redet – über alles außer Football jedenfalls!«

Sam stand auf, ging um den Tisch herum, schlang seine Arme um Tionne und drückte sie fest an sich.

»Ich habe jeden Tag gebetet, seit ich erfahren habe, dass es auch dich und Mom oder Dad betreffen könnte«, flüsterte er ihr ins Ohr.

»Und ich habe den Glauben im selben Moment verloren, als ich erfuhr, dass du es hast«, antwortete Tionne und barg ihren Kopf an seiner Brust.

Er hielt sie fest an sich gedrückt, als sie nun zu weinen begann. Gleichzeitig kehrten seine Gedanken in das gemütliche Zuhause, Tausende von Meilen entfernt, zurück zu der Person, die er stärker vermisste, als er es sich je hätte vorstellen können.

KAPITEL
NEUNUNDFÜNFZIG

Feast, Richmond

»Was halten Sie also davon?«

Es war Samstag, der Abend von Neetas Weihnachtsfeier, die keine war, und Anna hatte auf dem Weg dorthin einen Zwischenstopp eingelegt. Zusammen mit ihrem Chef, den sie vom Squash-Platz weggelotst hatte, stand sie nun vor dem umgewandelten Gartenbereich gegenüber von Mr Wongs Buffetrestaurant mit dem neuen Namen Feast.

Es fand eine kleine interne Veranstaltung statt. In der Imbissbude waren zwar noch keine Wände eingerissen worden, dafür hing ein neues Schild über der Tür, halb verhüllt von einem Vorhang, der auf baldige große Ereignisse hinwies. Mr Wong war auf ihre Ideen angesprungen und schien seit ihrem letzten Treffen unzählige Laternen und Tausende von Lichterketten erworben zu haben, mit denen er einen ganzen Wald dekorieren könnte, nicht nur die paar Bäume auf seiner Grünfläche. Es gab Holzbänke und -tische, alle mit einem weihnachtlichen Blumengesteck und LED-Licht in der Mitte. Kellner gingen herum und servierten den Anwesenden mundgerechte Happen, von Kartoffelpüree über Miesmuscheln, Teppanyaki, Tofu, Pizza, Pasta bis hin zu Bergen von Pommes.

»Wenn du mich fragst, ist das der komplette Wahnsinn.« Adam griff nach einer Tigergarnele. »Wie kann ein Mann, der eine Pommesbude, einen Chinaimbiss und eine mittelmäßige Pizzeria betreibt, plötzlich mit einer globalen Fusion-Küche in ganz großem Stil aufwarten? Bei unserem ersten Gespräch dachte er daran, neu zu tapezieren und vielleicht die Speisekarte zu reduzieren.«

»Ah«, sagte Anna. »Nun, als wahrer Profi habe ich natürlich in die Vollen gegriffen und meine Hausaufgaben gemacht. Mr Wong hat fünf Söhne und zwei Töchter, die alle in der Lebensmittelbranche arbeiten. Und als wir die Zahlen beleuchtet und diese Zahlen und meine Visionen der Familie vorgestellt haben, schienen sie alle ein profitables Gemeinschaftsunternehmen darin zu wittern.«

»Anna«, sagte Adam kopfschüttelnd. »Ich bin wirklich beeindruckt.«

»Danke. Ich wollte einfach den bestmöglichen Job machen, um meinem Boss zu zeigen, dass er nicht ohne mich kann.«

Adam schüttelte den Kopf. »Verrückt. Aber gleichzeitig genial. Und das wissen Sie auch, oder?«

Anna strahlte und nahm eine Minipizza von einem Tablett. »Ja, das weiß ich.«

»Also«, sagte Adam und hielt den Prospekt im selben Moment hoch, als die Abendluft von festlicher Musik erfüllt wurde. »Erzähl es mir noch einmal im Detail. Beginnen wir mit Full Feast.«

»Gut. Full Feast ist das Speiseerlebnis vor Ort. Es wird die Pizzeria ersetzen. Den Kunden wird eine Auswahl aller Küchen angeboten, wie ein Buffet, *all you can eat*. Außerdem werden die Köche die Speisen direkt vor den Gästen zubereiten.«

»Gut. Und dann wäre da … Fast Feast.«

»Das ist die Take-away-Variante. Sie ersetzt die Pommesbude und den Chinaimbiss. Die Kunden bekommen eine reduzierte Version des Full Feast. Einige Gerichte fallen weg, es gibt kein Showcooking, und es werden drei Größen vollständig kompostierbarer Schachteln angeboten: Mini Feast, Midi Feast und Maxi Feast.«

»Und was hat es mit Free Feast auf sich? Klingt nach ökonomischem Unfug.«

»Ich bin froh, dass Sie das fragen«, sagte Anna und winkte einem überaus jovialen Mr Wong zu. »Eine Sache, die man Buffetrestaurants immer vorwirft, sind die vielen Speisereste, die weggeworfen werden müssen. Ich habe Mr Wong vorgeschlagen, auf ein Zero-Waste-Unternehmen umzustellen. Alle Speisereste, für die es keine Verwendung gibt, werden an wohltätige Organisationen geliefert. Die können sie dann mit ihren Lebensmittelwagen an Obdachlose und andere hungernde Menschen verteilen.

Wieder schüttelte Adam den Kopf. Anna schluckte. Sie wusste, dass sie gute Arbeit geleistet hatte, aber ein gelegentliches Nicken wäre auch mal schön. Die gewaltigen Veränderungen, die Mr Wong vornehmen musste, bereiteten ihr durchaus auch Sorge. Aber letztlich hatte sie nur Vorschläge gemacht, und er hatte sie aufgesogen wie ein durstiges Rentier.

»Ich weiß nicht, was ich sagen soll«, gestand Adam. »Sie haben sich selbst übertroffen, Anna, und ich kann Ihnen nicht einmal eine Gehaltserhöhung anbieten.«

»Ich weiß«, sagte Anna. »Andererseits sollten Sie wissen, dass Sie nicht ganz unrecht hatten: In den letzten Monaten habe ich meinem Job nicht immer den nötigen Platz eingeräumt, auch wenn das nicht unbedingt meine Schuld war.« Sie sah zu Ruthie hinüber, die auf einer Decke unter einem

Baum saß und frittierte Schweinebällchen futterte. »Aber jetzt bin ich auf den Geschmack gekommen. Wenn Sie mir also ein paar größere Kunden anvertrauen würden ... Ich hätte richtig Lust darauf.«

Endlich nickte Adam. »Unbedingt. Aber noch einmal zu den Schachteln. Versichern Sie mir bitte, dass es keine Schande ist, wenn man ein Maxi Feast bestellt und es mit niemandem teilen will.«

»Das ist absolut keine Schande. Bei der Eröffnung werde ich es selbst tun.«

Ein Schauder des Stolzes lief Anna den Rücken hinab, als sie das von Pyramiden-Heizstrahlern warmgehaltene Essen sah, dann die geladenen Gäste – vom lokalen Parlamentsabgeordneten über Jennifer Atkinson, der Direktorin von Ruthies Schule, bis hin zu ausgewählten Unternehmern, die das Feast für Veranstaltungen nutzen könnten. Dafür hatte sie den Freiluftbereich gedacht. Im Moment verzehrten hier die Fast-Feast-Gäste ihre Take-away-Gerichte, aber wenn man das Tor schloss, konnte man den Garten in ein baumbestandenes Refugium inmitten der Stadt verwandeln, um dort Geschäftstreffen oder Teambuilding-Lunches oder sogar Hochzeitsfeiern abzuhalten. Anna seufzte. Für sie würde es immer der Ort sein, an dem sie sich mit Sam zusammen ihren Fantasien hingegeben hatte. Und an dem er sie zum ersten Mal eingeladen hatte, die St Paul's Cathedral mit ihm zu besichtigen.

»Mum!«, rief Ruthie. »Wenn ich noch mehr Fleischbällchen esse, habe ich keinen Platz mehr für Neetas Tarka Dal. Und sie wird wirklich böse, wenn ich es nicht in Mengen verspeise, mit denen man einen Walrossmagen füllen kann.«

»Na gut«, sagte Anna und winkte. Zeit zu gehen.

KAPITEL
SECHZIG

Neetas und Pavinders Zuhause, Richmond

»Ruthie, möchtest du ein paar meiner rein pflanzlichen Snacks probieren?«

Pavinder, der in einen äußerst prächtigen, reich verzierten roten Sherwani gehüllt war, hielt ihr eine Schüssel mit knusprigen Teilen hin, die wie frittierte Blätter aussahen. Alle hatten weihnachtliche Kostüme angezogen, nur Neeta und Pavinder trugen wie immer ihre feinsten indischen Gewänder. Neeta hatte so viele verschiedene Saris, dass sie jedes Jahr einen anderen anziehen konnte. Die Musik war weihnachtlich, aber rein instrumental, was sich gut zum Aufwärmen für das Karaoke später eignete. Anna bemerkte, dass Ruthie die Snacks misstrauisch beäugte. Sie sperrte sich nicht dagegen, neue Lebensmittel zu probieren – anders als viele Autisten –, aber die Konsistenz wurde immer einer Prüfung unterzogen.

»Schmecken sie denn wie Pflanzen?«, fragte Ruthie, wobei die Möhrennase ihres Schneemannkostüms auf und ab wippte.

»O Gott, nein«, kicherte Pavinder. »Die sollen nach …«

»Getreide schmecken«, mischte Neeta sich ein. »Sie schmecken alle nach Getreide. Pavinder sollte sie besser als Hühnerfutter verkaufen.« Sie streckte den Arm aus, achtete dabei sorgsam darauf, Ruthie nicht zu berühren, und wollte sie in eine andere Richtung dirigieren. »Komm, nimm dir lieber etwas von meinem Tarka Dal.«

Anna sah, dass Pavinders Lächeln erlosch. Obwohl sie von ihrem Zwischenhalt beim Feast noch mehr als gesättigt war, griff sie in die Schüssel und nahm ein paar Teile. Als sie sie in den Mund steckte und darauf herumkaute, musste sie leider feststellen, dass Neeta recht hatte. Ihre Kehle war plötzlich so trocken wie die Wüste Gobi.

»Sie schmecken schrecklich, nicht wahr?«, fragte Pavinder, der Annas Miene offenbar richtig gedeutet hatte.

»Schrecklich nicht. Es ist nur … Irgendetwas fehlt, das ich noch nicht so recht benennen kann.«

»Geschmack?«, schlug Pavinder vor.

»Vielleicht.«

Er seufzte, und seine Schultern sackten herab. »Die sollten mir eigentlich ein Vermögen einbringen, damit ich weniger Zeit im Labor und mehr Zeit mit Neeta verbringen kann.«

»Oh«, sagte Anna. Abgesehen davon, dass sie grauenhaft waren, könnten sie die Antwort darauf sein, was Pavinder in all den Nächten im Labor angestellt hat.

»Jessica meinte, ich solle mich ganz auf unser Forschungsprojekt konzentrieren. Aber ich möchte noch ein paar Dinge erleben, die nichts mit meinem Beruf zu tun haben. Gelegentlich ertappe ich mich bei dem Gedanken, dass ich etwas … Wildes tun möchte. Irgendetwas, das gegen alle Regeln verstößt und etwas vollkommen Neues erschafft.«

Wow. Pavinder war eigentlich nicht der Typ, der gegen Regeln verstieß. Aber das könnte ein gutes Zeichen sein. Selbst wenn diese Jessica etwas für Pavinder empfinden sollte, erwiderte er diese Gefühle offenbar nicht. Neeta musste ihm ihre Frage gar nicht direkt stellen. Es würde reichen, wenn Anna die beiden dazu bringen könnte, miteinander zu reden.

»Schade, dass Sam nicht da ist. Vielleicht würde ich es mir dann doch überlegen, in Pauls Veteranen-Mannschaft einzutreten.«

Annas Magen tat einen gewaltigen Satz. Sie hatte geschworen, heute Kontakt zu Sam aufzunehmen. Ihr Eisköniginnen-Make-up war sogar etwas weniger kühl ausgefallen und strahlte, wie sie hoffte, eher eine frostige Hitze aus. Ein paar Drinks, um sich Mut anzutrinken, dann würde sie ihn anrufen ... vielleicht.

»Nun«, sagte sie zu Pavinder. »Ich denke nicht, dass ihr Sam braucht, um eine Rugby-Mannschaft zu gründen.«

»Aber er ist Profi und bedeutend fitter und jünger als wir«, sagte Pavinder. »Das könnte uns alle mitreißen.«

»Ich würde sagen, neuartige Chips zu entwickeln und mehr Zeit mit deiner Frau zu verbringen ist mitreißend genug«, sagte Anna.

»Ich muss es einfach schaffen, dass sie nach etwas anderem als Hirse schmecken, ohne bei den Nährwerten Abstriche zu machen.«

»Die Form gefällt mir jedenfalls«, sagte Anna.

»Verpasse ich etwas?«, erkundigte sich Lisa, die sich zu Anna gesellte und ihr mit dem Glöckchen an der Spitze ihres Elfenhütchens fast ein Auge ausstach.

Pavinder stellte die Chipsschüssel ab. »Ich hol mal die Pringles.« Mit diesen Worten verschwand er in Richtung Küche.

»Habe ich was Falsches gesagt?«, fragte Lisa und steckte die Hand in die Schale.

»Nein«, antwortete Anna. »Aber Achtung, die wirst du nicht mögen!«

Zu spät. Lisa hatte schon ein paar in den Mund gesteckt und zog genau das zu erwartende Gesicht. Ein großes Lob versteckte sich nicht dahinter.

»Äh. Was ist das denn?«

»Pscht! Die hat Pavinder kreiert. Für Neeta. Leider sind sie nicht sehr gut, aber die Absicht dahinter gefällt uns.«

»Neeta wird sie sicher nicht mögen. Die schmecken praktisch nach nichts.«

»Ich weiß«, sagte Anna. »Aber wenn Neeta wüsste, warum Pavinder das macht, könnte sie ihm vielleicht helfen. Schließlich ist sie die Königin der Gewürze.«

»Gute Idee.« Lisa nickte. »O Gott, da kommt Paul. So wie er aussieht, hat er plötzlich ein Leiden entdeckt, das sich nur mithilfe von Birra Moretti heilen lässt, sodass ich heute Abend fahren muss. Oder er wurde zu einem Notfall gerufen und muss verschwinden. Was wiederum bedeuten würde, dass mir die Aufgabe zufällt, darauf aufzupassen, dass die Kids nicht zu viele Energy Drinks in sich hineinkippen. Und dass ich ihn nach Hause fahren darf, damit er seinen Wagen holen kann.«

»Hallo, Paul«, begrüßte ihn Anna. »Du bist ein bezaubernder Grinch.«

»Hallo, Anna. Lisa findet, dass ich für die Rolle geboren bin, und ich habe immer noch nicht herausgefunden, ob das eine Beleidigung sein soll.«

»Tut mir leid, Schatz. Aber im Moment siehst du wie ein echter Grinch aus. Was ist denn los?«, fragte Lisa und legte ihm einen Arm um die Taille.

»Nichts. Nur … könntest du bitte kurz nach Kai sehen«, antwortete Paul unbehaglich.

»Ich soll nach Kai sehen?« Lisa runzelte die Stirn. »Ich sehe ihn doch von hier. Ein Meter siebzig, verkleidet als Knallbonbon, stopft Samosas in sich hinein.«

»Lisa«, drängte Paul leise.

Anna sah, dass Paul kurz in ihre Richtung schaute. Sofort begannen ihre Eingeweide zu rumoren. Es hatte etwas mit ihr zu tun.

»Was ist los?«, zwang sie sich zu fragen.

»Ich … na ja …«, begann Paul.

»Paul«, sagte Lisa. »Was ist?«

»Na ja, Kai hat etwas entdeckt. Ich wollte es dir erst später erzählen, Anna.«

»Was erzählen?«, fragte sie. Jetzt bekam sie es mit der Angst zu tun.

»Kai!«, rief Paul. »Komm mal kurz.«

»Sind alle bereit für eine Runde Karaoke?«, rief Neeta. »Ich habe einen neuen Mix von Achtziger-Jahre-Powerballaden und bin gespannt auf eure Darbietungen.«

Anna hielt die Luft an und fragte sich, was sie erwartete.

»Ich will aber nicht mit Kelsey im Duett singen, Dad«, sagte Kai, der in seinem eng anliegenden Knallbonbon-Kostüm, das er sicher nicht gern auf einem Insta-Account sehen würde, herübergewatschelt kam. »Das letzte Mal hat sie mich noch Monate später mit dem Video erpresst.«

»Es geht nicht um Karaoke, Kai. Es geht um das, was du mir gezeigt hast, als wir aus dem Wagen gestiegen sind«, sagte Paul. »Diesen Artikel. Über Sam.«

»Oh.« Kais Augen schossen zu Anna hinüber, als sei er der Hüter sämtlicher MI5-Geheimnisse. »Ich dachte, wir wollten das erst später erzählen.«

»Nun«, sagte Lisa, »was auch immer es ist, wir wollen es jetzt wissen.«

Kai holte sein Handy aus dem Ärmel seines Kostüms und drückte auf ein paar Icons auf dem Display. »Das ist vorhin aufgetaucht, als ich ihn gegoogelt habe. Ich wollte wissen, ob jemand mein Video von dem Rugby-Spiel geteilt hat. Hier.« Er reichte Anna sein Handy.

Sie blickte auf das Display. Lisa beugte sich vor, um mitlesen zu können.

Tödliche Krankheit bei NFL-Star Sam Jackman diagnostiziert.

»Du kannst nicht die ganze Nacht auf der Treppe sitzen. Ruthie macht sich Sorgen um dich. Das weiß ich, weil sie nicht Kate Bush singen will, dabei macht sie das immer so gerne«, sagte Neeta zu Anna. »Keine Party ohne ›Running Up That Hill‹ und eine Zugabe mit ›Babooshka‹.«

Anna hatte ihr Handy in der Hand, auf dem Display eine Website mit Fakten, Zahlen und Diagrammen zu Chorea Huntington. Seit mindestens vierzig Minuten saß sie nun schon auf Neetas Teppich und las und verarbeitete und weinte ein wenig und dachte angestrengt nach.

»Ich weiß nicht, was ich tun soll«, antwortete Anna. Ihrer Stimme war jedes Gramm der Angst anzuhören, die sie im Moment fühlte.

»Nun«, sagte Neeta und ließ sich auf die Stufe unter ihr sinken. »Du hast mir versprochen, Sam heute Abend zu kontaktieren.«

»Ich weiß. Und das wollte ich auch tun, aber …«

»Aber was?«, ging Neeta dazwischen. »Wenn du noch einen Grund gebraucht hättest, um den Kontakt wiederherzustellen, dann hast du ihn jetzt, oder?«

»Wirklich?«, fragte Anna. »Das muss ihn doch die ganzen letzten Wochen beschäftigt haben. Und er hat es mir nicht erzählt.«

»Anna.« Neeta schüttelte den Kopf. »Das Ganze ist

ein Drama. Selbst wenn man nur die wenigen Details dieses ziemlich mittelmäßigen Berichts nimmt, muss das doch wahnsinnig belastend sein. Noch dazu steht er kurz vor einem weltbewegenden Transfer und im Zentrum der Öffentlichkeit. Alle inneren Kräfte werden sich mit der Frage herumgequält haben, was beruflich aus ihm wird und wie seine Zukunft aussieht. Ganz zu schweigen, was los sein wird, wenn die Nachricht an die Öffentlichkeit gerät.«

Das war Anna klar. Sie konnte durchaus sehen, wie entsetzlich das sein musste. Er hatte ihr erzählt, dass der Deal geplatzt war, und jetzt kannte sie auch den Grund dafür. Er hatte sie gebeten, ihm zu vertrauen, und sie hatte es versprochen. Und dennoch … Unwillkürlich musste sie an den Tag denken, an dem bei Nanny Gwen Demenz diagnostiziert worden war. Obwohl sie so etwas geahnt hatte, war es doch ein Schock gewesen, die Bestätigung zu erhalten, dass die Vergesslichkeit ihrer Großmutter nicht einfach vom Alter herrührte. Und Sam war noch nicht mal sechsundzwanzig.

»Du hast doch selbst gesagt, dass ihr der Sache am Anfang keine große Bedeutung beigemessen habt. Ihr habt euch ein paarmal getroffen und wusstet beide, dass Sam bald wieder zurückgehen würde. Sollte er wirklich dem erstbesten Mädchen, das er in England traf, von seiner Krankheit erzählen?«

»Nein, aber …«

»Aber dann hat sich die Sache verändert und wurde ernster.«

»Und in dem Moment hätte er es mir erzählen sollen.«

»Du verstehst es nicht, Anna.« Neeta rümpfte die Nase. »Fast so, wie Lisa den hohen Ton nicht trifft. Der Mann, in den du dich verliebt hast, wurde von seiner Krankheit kalt

erwischt. Dazu muss man erst einmal eine Haltung finden.«
Neeta legte ihr die Hand auf den Arm. »Wenn du mich
fragst, ist er in die Vereinigten Staaten zurückgeflohen, damit du dich nicht damit herumschlagen musst. Das ist nicht
das Verhalten eines Mannes, der sich trennt, weil ihr ihm
gleichgültig seid. Das ist das Verhalten eines Mannes, dem
ihr so sehr am Herzen liegt, dass er eure Gefühle an die erste
Stelle gesetzt hat. Er denkt, du würdest leiden. Er denkt, es
würde dir wehtun, dass er diese Krankheit hat.«

»Tut es auch.« Anna schossen nun wieder Tränen in die
Augen. »Das tut es wirklich.«

Sie hatte ihm alles über Nanny Gwen erzählt und erklärt,
wie schrecklich das gewesen war. Und Sam hatte ihr zuge-
hört, hatte sie in den Arm genommen und erklärt, er könne
sich kaum vorstellen, was sie habe durchmachen müssen. Sie
hielt die Luft an. In ihrer Brust wütete ein wilder Schmerz.

»Was wirst du also tun?«, fragte Neeta. »Bevor du von der
Sache erfahren hast, wolltest du ihn anrufen.«

»Ich weiß.«

»Hat das jetzt etwas verändert?«

»Ich weiß es nicht.« Sie legte den Kopf in die Hände, mit
denen sie immer noch das Handy umklammerte. »Würde er
wollen, dass ich ihn anrufe, jetzt, da ich es weiß? Oder wird
er denken, ich rufe ihn nur an, weil ich es weiß?«

»Anna«, mahnte Neeta. »Du begehst schon wieder denselben Fehler. Immerzu fragst du dich, was andere wollen.
Was willst *du*?«

Darüber musste Anna nicht lange nachdenken. Seit sie den
Zeitungsartikel gelesen hatte, außerdem alle Informationen
über Huntington, die man in vierzig Minuten im Netz finden
konnte, hatte sie nur einen Wunsch: seine Stimme zu hören.

Sich von ihm in die Arme nehmen zu lassen. Sein Lächeln zu sehen. Die Distanz zu überbrücken. Es gab nur eine Antwort.

»Ich möchte ihn anrufen«, sagte Anna.

»Natürlich möchtest du das.« Neeta nickte.

Mit zitternden Händen suchte sie seine Nummer in den Kontakten. Sie tippte darauf, hielt mit geschlossenen Augen das Handy ans Ohr und dachte darüber nach, was sie sagen sollte. »Hallo« wäre schon einmal ein guter Anfang, aber danach fiel ihr schon nichts mehr ein. Sie sollte das Denken einstellen und sich auf ihren Instinkt verlassen.

Aber dann veränderte sich das Freizeichen, und eine amerikanische Frauenstimme begann zu sprechen.

»Was ist?«, fragte Neeta. »Hast du keinen guten Empfang? Ich habe noch nie hier auf der Treppe telefoniert.«

Anna schüttelte den Kopf und schluckte den Kloß in ihrem Hals hinunter. Im nächsten Moment würden ihr wieder Tränen die Wangen hinabrinnen. »Mit dem Netz hat das nichts zu tun«, teilte sie Neeta mit. »Angeblich gibt es keinen Anschluss unter dieser Nummer.«

»Das muss ein Irrtum sein«, sagte Neeta, die aussah, als wolle sie sich das Handy schnappen. »Versuch es noch mal. Oder probier es mit einem Video-Call auf Instagram. Das habe ich getan, als Pavinders Cousin meine Nummer blockiert hat.«

Anna verließ ihre Kontakte, ging auf Instagram und drückte auf das rosafarbene Kamerasymbol. Er hatte nichts gepostet, seit er verschwunden war, nicht einmal eine Story. Dafür hatte sie sich regelmäßig alte Posts von ihm angeschaut und dabei ein paar Tränen vergossen. Sie öffnete die Tastatur und begann seinen Namen zu schreiben. Normalerweise erschien er als Erstes in der Liste der kürzlich gesuchten

Personen, aber diesmal nicht. Sie ging auf »suchen« und wartete einen Moment. Sam Jackman, London. Sam Jackman, eine Frau aus Ontario. Wo war Sam Jackman mit einem blauen Häkchen aus Ontario?

»Dein Make-up sieht übrigens toll aus«, sagte Neeta. »Super für einen Video-Call. Ich bleibe an deiner Seite, bis er drangeht. Danach bringe ich Ruthie einen weiteren Teller Biryani und sage ihr, dass du gleich kommst, um sie singen zu hören.«

»Er ist nicht mehr drin«, sagte Anna. Ihre Stimmbänder waren vom Schock angegriffen. »Sein Account ist gelöscht.«

»Sei nicht albern!«, rief Neeta. »Instagram gehört doch nicht Elon Musk. Accounts verschwinden nicht einfach so. Gib her.«

Als Anna ihr das Handy reichte, hatte sie bereits den Mut verloren. Wie sollte sie ihn jetzt erreichen? Aber dann kam ihr ein Gedanke. Wie hieß noch mal seine Agentin?

KAPITEL
ZWEIUNDSECHZIG

Cincinnati

»Verdammt! Verdammt! Verdammt!«

»Tionne! Was sind das für Ausdrücke an meinem Tisch? Und warum hängst du die ganze Zeit am Handy?«

»Entschuldigung, Mom. Aber Sam … die Leute wissen es jetzt.«

Es wurde still am Tisch der Jackmans, der mitten in ihrer kleinen Wohnung stand. Die Zutaten für das Festessen türmten sich darauf. Es gab Ziege und marinierten gegrillten Truthahn, außerdem Kochbananen, grüne Bohnen, scharfe Kartoffelecken und Maisbrot, ein vorgezogenes Weihnachtsessen. Geschmückt hatten sie auch. Die hässlichen Stoffpuppen mit ihrer rot-grünen Bekleidung saßen überall im Raum verteilt, und um die Bilder herum war Lametta drapiert. Der bunte Plastikweihnachtsbaum, der auf dem Schränkchen neben dem Fernseher stand, schien seine beste Zeit um 1982 herum gehabt zu haben.

Tionnes Miene verriet, dass man sich nicht erst erkundigen musste, was die Leute jetzt wussten. Sam umklammerte seine Gabel und versuchte, Ruhe zu bewahren. Er hatte schließlich gewusst, dass es so kommen würde. Frankie hatte ihn gewarnt, dass es nur eine Frage der Zeit sei, bevor jemand Informationen über seine Diagnose verkaufte. Er hatte sich ein neues Handy gekauft, sich eine neue Telefonnummer zugelegt und seine Social-Media-Accounts deaktiviert, um dem Ganzen, so gut es ging, zu entgehen. Doch jetzt würden die Fotografen wieder aus den Löchern kriechen.

»Vielleicht solltet ihr wieder in das Hotel ziehen. Oder besser in ein anderes, da letztes Mal die Presse dort auch aufgetaucht ist«, schlug Sam vor.

»Nein«, sagte Albert mit einer solchen Entschiedenheit, dass eine Diskussion ausgeschlossen schien.

»Dad, ich möchte nicht, dass ihr Tag und Nacht verfolgt werdet«, sagte Sam trotzdem.

»Und ich möchte nicht, dass mein Leben wie deins wird«, antwortete sein Vater und legte sein Besteck hin. »Das habe ich mir nicht ausgesucht. Ich wollte ein einfaches Leben. In einer Autowerkstatt arbeiten, nach Hause kommen und bei einem Glas Rum einen Western schauen. Und das werde ich auch tun, ob nun Leute mit Kameras vor meiner Haustür stehen oder nicht.«

»Das sehe ich genauso«, sagte Dolores. »Wir müssen den Leuten zeigen, dass wir keine Angst haben. Dass wir unser Leben führen, wie wir es immer getan haben. Im Moment kommt es mir so vor, als wärst du ein gesuchter Schwerverbrecher, und wir versteckten uns aus Scham. Ich schäme mich nicht. Wegen gar nichts.«

»O Mom«, sagte Sam. »Ich möchte nicht, dass du dich so fühlst.«

»Dann werden wir uns nicht mehr mitten in der Nacht in ein Hotel schleichen, als wären wir Kriminelle, die abgeführt werden«, sagte seine Mutter. »Gibst du mir bitte die Bananen?«

Sam nahm das Tablett und reichte es seiner Mutter über den Tisch hinweg. Seine Familie war so viel stärker, als er erwartet hätte. Über allen schwebte das Damoklesschwert einer lebensverkürzenden Krankheit, und trotzdem bemühten sie sich um einen Schein von Normalität. Vielleicht war das die richtige Haltung.

»Was ist das beste Auto, das ihr im Moment in der Werkstatt habt, Pop?«, fragte Sam seinen Vater.

»Warum?«, fragte der zurück. »Willst du es kaufen, damit ich die Provision bekomme? So wie du uns damals unser jetziges Auto hingestellt hast, mit dem Kommentar, du hättest es von einem Sponsoren geschenkt bekommen?«

Sein Dad hatte es also immer gewusst. Sam wusste nicht, was er sagen sollte.

»Wir sind dir sehr dankbar, Sam«, sagte seine Mom und häufte Tionne grüne Bohnen auf den Teller, die sie ganz offensichtlich nicht wollte. »Für alles, was du für uns getan hast, seit du den großen Durchbruch geschafft hast.«

Er spürte das »Aber« kommen, hatte aber nichts anzubieten, um dieses Gespräch schnell zu beenden.

»Aber Geld ist nur Papier«, teilte Albert ihm mit. »Heutzutage nicht einmal mehr das. Heute sind es nur noch Zahlen – Zahlen, die wir anderen Menschen für Dinge hinüberschieben, nachdem man sie uns selbst hingeschoben hat. Mehr nicht.« Er nahm einen Schluck von seinem Root Beer. »Ich mag zur Arbeit gehen, damit wir Essen auf dem Tisch haben, aber das ist nicht der einzige Grund. Ich gehe hin, um ein Ziel zu haben. Ich stehe morgens auf und schaue, ob ich jemand anderem helfen kann, einen guten Tag zu haben.«

Das war genau das, was Sam vermisste, bei seiner Arbeit und in seinem Leben. Klar, er mochte seinem Team zum Sieg verhelfen, aber von dieser Art »Hilfe« hatte sein Vater nicht gesprochen. Sein Vater hatte über nackte Fürsorge gesprochen, über diesen Geist, der von altmodischen Werten herrührte. So war er von seinen Eltern erzogen worden, und so hatte er es an Sam und Tionne weitergegeben. Sam hatte gedacht, dass er, da er aus einem sehr bescheidenen Haushalt kam, unbedingt etwas erreichen müsste – dass er einen Erfolg anstreben müsste, der seinen Eltern verwehrt geblieben war. Aber sein Vater hatte ihn eines Besseren belehrt: Erfolg bemaß sich nicht an der Anzahl der Trophäen und Dollarscheine, er bemaß sich nicht einmal an harter Arbeit. Auf das Ziel und die Art und Weise, wie man andere behandelte, kam es an.

»Das ist auch der Grund, warum ich mich … den Untersuchungen nicht unterzogen habe«, erklärte Albert.

»Was?«, rief Tionne. »Was hast du da gerade gesagt? Du hast die Untersuchungen nicht gemacht?«

»Du hattest das doch gesagt, Dad«, sagte Sam, schockiert über das unerwartete Geständnis.

»Nein«, stellte Albert klar. »Ich habe nicht gesagt, dass ich die Untersuchungen gemacht habe. Ich habe gesagt, dass ich hingehe. Aber als ich dann da war, wurde mir klar, dass das alles keine Bedeutung für mich hat.« Er zuckte mit den Schultern. »Ich bin schon fast sechzig. Warum sollte ich mir Gedanken machen, ob ich es habe oder nicht? An irgendetwas werde ich eines Tages sowieso sterben, da kann es auch gut und gern dieses Gen sein.«

»Hast du das gewusst, Mom?«, fragte Tionne und stieß mit dem Ellbogen an ihr Messer, das scheppernd zu Boden fiel. »Hast du die Untersuchung etwa auch nicht gemacht?«

»Ja, ich wusste es«, gab Dolores zu. »Es war die Entscheidung deines Vaters. So wie es meine oder deine Entscheidung war, Tionne. Ich habe die Untersuchung gemacht, weil es, wenn ich es habe, sehr unwahrscheinlich ist, dass dein Vater es auch hat. Das ist doch so, oder?«

»Ganz so einfach ist es nicht, Mom.« Sam legte die Hände an die Haare und fummelte an seinen verfilzten Stoppeln herum. »Ihr könntet es beide haben. In noch selteneren Fällen könnte es auch sein, dass keiner von euch beiden es hat. Ich habe nur …«

»Mein Entschluss steht fest: Da ich ohnehin keine Kreuzfahrt in die Karibik unternehmen würde, wenn ich diese Krankheit hätte, und da ich auch weiterhin jeden Tag aufstehen und meine Autos verkaufen würde, macht das Untersuchungsergebnis keinen Unterschied für mich«, schloss Albert.

Tionne schüttelte verzweifelt den Kopf, aber Sam verstand ihn. Er selbst würde es ja auch nicht wissen, wenn die Diggers nicht jeden Zentimeter seines Körpers vermessen hätten. Wenn er alles rückgängig machen könnte, wenn er den Plan zu diesem Transfer aufgeben und sich in seliger Unwissenheit wiegen könnte, würde er sich der Untersuchung dann auch unterziehen? Einen Moment lang fragte er sich, wie es wäre, nicht diese Last auf den Schultern zu spüren. Aber dann schoss ihm in den Sinn, dass nur der Termin bei Dr. Monroe und die dort übermittelte Diagnose verantwortlich dafür waren, dass er in ein Flugzeug gestiegen war. Dezember in Richmond hätte nie in seinem Kalender gestanden. Wenn er es nicht gewusst hätte, hätte er Anna nie kennengelernt. Sich nie in sie verliebt.

»Sam«, sagte seine Mutter und beäugte ihn vom anderen Ende des Tischs her. »Ist alles in Ordnung?«

Er nickte. »Ja. Ich … ich wollte euch von etwas erzählen. Von jemandem.«

Seine Mutter setzte sich gerade hin und widmete ihm nun ihre volle Aufmerksamkeit.

»Ich habe jemanden kennengelernt«, verkündete Sam. »Sie heißt Anna.«

KAPITEL
DREIUNDSECHZIG

Annas und Ruthies Zuhause, Richmond

»Ruthie, das geht nicht. Ich kann nicht gleichzeitig Geschenke einpacken und ein Auge auf Mr Rocket und Cheesecake haben. Sie wollen sich gegenseitig auffressen, und bis es so weit ist, kegeln sie mein Klebeband durch den Raum.« Es war der 19. Dezember, die Ferien hatten bereits begonnen, und es blieb nichts zu tun, als Geschenke einzupacken und der Versuchung zu widerstehen, den Baileys zu öffnen. Morgen würde Ruthies letzte Weihnachtsaufführung stattfinden – das Spektakel der Stepptanzgruppe in der Kirche –, und dann wäre es an der Zeit, den Truthahn vorzubereiten und nach Möglichkeit nicht in eine Pralinenschachtel zu schluchzen, weil der Mann, der ihr wichtiger war als jeder andere vor ihm, sie aus seinem Leben ausgeschlossen hatte.

Anna sah von den Geschenken auf, die sie einpackte. Ruthie tanzte durch den Raum, die Arme ausgestreckt, die Miene hoch konzentriert.

»Hast du gehört?«, fragte Anna.

»Ja«, antwortete Ruthie und tanzte weiter. »Ich versuche gerade herauszufinden, wer wen fressen will und wer das Klebeband herumkegelt.«

»Cheesecake!«, rief Anna. »In beiden Fällen.«

»Mum, du klingst etwas gestresst. Möchtest du nicht ein

Räucherstäbchen anzünden? Wenn es nicht eines von denen ist, die nach Schweiß stinken, habe ich nichts dagegen.«

Anna hatte keine Ahnung, dass sie Räucherstäbchen hatte, die nach Schweiß stanken, aber Ruthie hatte eine sehr gute Nase. Und richtig, sie war gestresst. Denn das perfekte Weihnachtsfest, das sie geplant hatte, rückte in weite Ferne. Das Feast hatte sämtliche Zeit und Energie aufgesogen, die ihr geblieben waren, wenn sie nicht mit Sam auf Wolke sieben geschwebt war. Bereute sie es? Sie dachte einen Moment nach. Nein, tat sie nicht. Jede Sekunde, die sie mit Sam verbracht hatte, war unendlich viel wert gewesen. Aber sich derart abzuschotten, besonders nachdem die Presse über seinen Gesundheitszustand berichtet hatte, war unfair. Und seine Assistentin musste doch ihre Nachrichten kontrollieren. Schön, nach einem Glas Wein zu viel und mit Celine Dion in den Ohren, war es vermutlich nicht die raffinierteste Nachricht, die Anna hinterlassen hatte. Aber gar nicht zu antworten grenzte an Grausamkeit. Es sei denn, die Nummer, die sie im Netz gefunden hatte, war nicht mehr aktuell.

Sie seufzte. »Ruthie, warum legst du nicht eine Pause ein und hilfst mir bei den Geschenken?« Allmählich bereute sie es, so unförmige Geschenke besorgt zu haben.

»Ich kann keine Pause einlegen«, verkündete Ruthie, die immer noch in Kreisen herumwirbelte, die jede Tänzerin schwindelig machen würden. »Ich will morgen perfekt sein.«

»Du *bist* perfekt«, sagte Anna. »Und gerade wenn man zu viel übt, kann es auch in die Hose gehen.«

Unvermittelt blieb Ruthie stehen. »Das stimmt nicht, oder?« Der Schock stand ihr ins Gesicht geschrieben. Sofort bereute Anna ihren Kommentar. Jetzt würde sich Ruthie deswegen Sorgen machen.

»Na ja, das kann schon mal passieren. Aber nicht oft. Denke ich. Jedenfalls könnte es nicht schaden, wenn du eine kurze Pause einlegen würdest, oder? Komm, halt mal das Klebeband. Oder schnapp dir besser Cheesecake. Sie schnüffelt schon wieder an Mr Rockets Korb herum.«

»Ich denke, sie haben sich mittlerweile angefreundet«, sagte Ruthie, nahm ihre Katze hoch und setzte sich dann mit beiden Tieren hin. Sie saß im Schneidersitz, sodass sie in einer kleinen Mulde lagen, und kämmte ihnen mit den Fingern das Fell. »Sie müssen sich nur aneinander gewöhnen.«

Anna war sich da nicht so sicher.

»Ich habe Sam gestern eine Nachricht geschickt«, sagte Ruthie.

»Oh. Wirklich?«

»Er hat nicht geantwortet.«

Anna schluckte. »Ach, mein Schatz. Vielleicht … hatte er viel zu tun.« Sie hatte Ruthie nicht erzählt, dass sie Sam nicht erreichen konnte. Was würde das auch bringen?

Ruthie schüttelte den Kopf. »Das glaube ich nicht. Normalerweise antwortet er innerhalb von zwei Minuten. Ich habe noch einmal alle seine Nachrichten angeschaut, und das war die durchschnittliche Antwortzeit.« Sie sah von Cheesecake auf, die sie immer noch kämmte, und blickte Anna direkt an. »Denkst du, es hat damit zu tun, dass er krank ist? Dass er dieses Huntington hat?«

Anna brach es schon wieder das Herz. Bisher hatte sie mit Ruthie noch nicht darüber gesprochen. Ihr war zwar klar, dass sie es wahrscheinlich längst von Kai erfahren hatte, aber sie wollte, dass Ruthie sie selbst darauf ansprach, sobald sie bereit dafür war. Oft verarbeitete Ruthie etwas, indem sie es beiläufig zur Kenntnis nahm, und rettete sich dann an einen mentalen Ort, an dem sie sich wohler fühlte. Jemand war gestorben, das wusste man, das akzeptierte man, weil man es nicht ändern konnte. Die Welt drehte sich weiter, und man flüchtete sich in den Alltag.

»Ich glaube nicht, dass es ihm schon schlecht geht«, sagte Anna leise. »Aber sicher hat er viel zu tun und …«

»Aber warum ignoriert er mich dann?«, fragte Ruthie.

Was sollte sie sagen? Unter seiner Nummer war er nicht mehr zu erreichen, aber was hatte das wirklich zu bedeuten? Dasselbe galt für seine Social-Media-Accounts. Waren sie für alle deaktiviert oder nur für Anna und ihre Freunde? Nein, die Vorstellung, dass er sie blockiert haben könnte, dass er den Kontakt zu ihr und Ruthie auf diese Weise kappte, war verrückt. Das würde nicht zu dem Sam passen, den sie kennengelernt hatte. Es musste mit dem Presserummel zu tun haben. Nur dass sie jetzt keine Gelegenheit mehr hatte, Kontakt zu ihm aufzunehmen. Ruthie hingegen versuchte es weiter und wartete auf eine Antwort.

»Ich glaube nicht, dass er dich absichtlich ignoriert, Ruthie.«

»Kann man Menschen denn unabsichtlich ignorieren?«, fragte Ruthie irritiert.

»Ich glaube nicht, dass er deine Nachrichten bekommt. Sein Handy … Erinnerst du dich noch, dass der Bildschirm zersplittert war? Ich nehme an, er hat sich ein neues gekauft. Vermutlich wird er auch eine neue Telefonnummer bekommen, aber das dauert manchmal etwas.«

Sie wollte Ruthie nicht sagen, dass es vielleicht noch einen anderen Grund gab – nicht vor ihrer Weihnachtsaufführung, für die sie schon so lange probte.

»Ich habe über diese Krankheit gelesen. Es heißt, dass es den Menschen ab dem dreißigsten Lebensjahr schlecht gehen kann. Die meisten erkranken aber viel später. Und dann dauert es noch ziemlich lange, bis sie tatsächlich sterben. Ein bisschen wie bei Nanny Gwen.«

Anna holte Luft. Sam war fast sechsundzwanzig. In wenigen Jahren konnte es losgehen. Die Krankheit konnte aber auch noch sehr lange schlummern. Anna sehnte sich danach, mit Sam zu sprechen, ihm zu sagen, was er ihr bedeutete, unabhängig von jeder Diagnose. Aber es war eine Sache, solche Überzeugungen zu haben, und eine ganz andere, ständig gegen eine Wand zu rennen.

»Er kommt wirklich nicht zu meiner Stepptanzaufführung, oder?«, fragte Ruthie sachlich.

Sollte Anna um den heißen Brei herumreden? Wäre es besser, sie mit einem »Ich weiß es nicht, vielleicht ja doch« abzuspeisen oder mit einem »Wir werden ja sehen«? Oder war es besser, offen und ehrlich zu sein, wenigstens in dieser Hinsicht?

»Ich glaube es nicht, Ruthie«, gab Anna zu. »Aber Dad kommt. Und Nicolette. Und Neeta, Pavinder, Lisa, Paul, Kai und Kelsey werden auch alle da sein.«

»Die kommen aber nur wegen des Glühweins und der Hackfleischpastete«, sagte Ruthie und rollte mit den Augen. »Kai sagt, er möchte einen Weltrekord aufstellen: für die schnellste Zeit, drei Hackfleischpasteten zu verputzen. Im Moment steht der Rekord bei 52,21 Sekunden.«

»Sie kommen, weil sie sehen möchten, wie toll du und der Rest der Truppe tanzt«, versicherte Anna ihr. Dabei wusste sie, dass sie eigentlich wegen ihr selbst kamen, der alleinerziehenden Mutter, der sie beistehen wollten. Sie war so dankbar für ihre Freunde.

»Wirst du einen Film und viele Bilder machen?«, fragte Ruthie. »Wenn es Sam dann besser geht und er eine neue Telefonnummer hat, dann kann ich sie ihm schicken. Dann wird er die Show doch nicht ganz verpasst haben.«

Annas Herz zog sich zusammen, aber sie konnte noch nicken, während sich ihre Augen schon wieder mit Tränen füllten.

»Gut«, sagte Ruthie. »Jetzt habe ich aber genug pausiert.« Sehr zu Cheesecakes Ärger rappelte sie sich wieder auf. »Ich frage mich, was für Weltrekorde es im Stepptanz gibt.«

Ruthie wirbelte wieder durch den Raum. Anna löste den Blick von dem Geschenk, das sie gerade verpackte – einen Kalender und einen Becher vom AFC Wimbledon für Paul – und griff zu ihrem Handy. Keine Nachrichten. Sollte es wirklich so enden?

North Kentucky Airport, Cincinnati

»Bist du verrückt geworden, Sam? Ernsthaft, ich begreife, was du durchmachst, aber Urlaub? Jetzt? Wo du doch gerade erst wieder hier bist?«

Sam hatte geahnt, dass Frankie in die Luft gehen würde, als er sie gebeten hatte, sich am Flughafen mit ihm zu treffen. Man hatte ihm einen abgelegenen Raum zur Verfügung gestellt, aber die Presse wusste, dass er hier war. Sie belagerten immer noch sein Apartment, und er brachte einfach nicht mehr die Energie auf, sich mit ihnen auseinanderzusetzen. Alle hatten sie dieselben verdammten Fragen. *Ist Ihre Karriere jetzt vorbei, Sam? Könnten Sie einen Kommentar abgeben zu dem Interview mit – füge den Namen eines alten NFL-Stars ein –, in dem er gesagt hat, dass Sie nie wieder in der obersten Liga mitspielen werden? Wie geht es Ihrer Familie?*

»Frankie«, sagte Sam entschieden, aber müde. »Du begreifst *nicht*, was ich durchmache.«

Dieser eine Satz reichte, um ihren inneren Pitbull zu zügeln. Frankies Schultern sackten herab, ihr Mund war nicht mehr so angespannt, und auch sonst wirkte sie nicht so, als wolle sie ihm eins mit dem Baseballschläger überziehen.

»In Ordnung, falsche Wortwahl. Aber, Sam, jetzt da es an der Öffentlichkeit ist, haben wir Optionen. Ich weiß, dass du noch nicht bereit bist, Entscheidungen zu treffen, aber wir könnten doch wenigstens über verschiedene Ideen nachdenken. Die Bisons wollen mit uns sprechen.«

Tatsächlich? Chad hatte vorbeigeschaut, aber Sam wollte ihn nicht sehen. Niemanden aus seinem Team. Chad hatte sich aber nicht so leicht abwimmeln lassen. Sam hörte den Lärm der Reporter draußen, die sich einen O-Ton erhofften, und irgendwann gab er nach und ließ Chad rein. Wie sich herausstellte, brauchte er diese männliche Umarmung mehr, als er gedacht hätte, und plötzlich waren sie beide in Tränen ausgebrochen. Ein paar Biere später wurde Sam bewusst, dass wesentlich mehr als bloße Kameradschaft zwischen ihnen bestand. Wie oberflächlich auch immer sein Leben als wandelnder Werbeträger und King des Touchdown gewesen sein mochte, Chads Freundschaft hatte nicht nur mit den Spielen und dem Team zu tun. Er war immer für ihn da gewesen. Dennoch musste Sam sich eingestehen, dass Chad und die anderen ihn nun mit anderen Augen betrachteten. Und es stimmte ja auch. Er hatte sich tatsächlich verändert, wie könnte es anders sein?

»Sam, du bist der beste Spieler, das weiß die ganze Welt. Dieser Defekt da mag nicht auszumerzen sein, aber es ist doch nicht so, als wenn … keine Ahnung … du einen Arm verloren hättest. Oder nur noch wenige Wochen leben würdest.«

Sam starrte Frankie an und wartete, dass die Geschäftsfrau in ihr noch weiter zusammenschrumpfte. Klar, er war ihr Produkt, so wie er das Produkt der Bisons war. Aber hier ging es um seine Zukunft, nicht als Spieler oder Berühmtheit, sondern als Mann.

»Frankie, ich nehme Urlaub. Ich fahre auf die Bermudas. Ich muss das alles hinter mir lassen.« Er holte Luft. »Ich werde nun all die Dinge tun, die ich während des Trainings nicht tun konnte. Ich werde Cocktails trinken und alle Gerichte probieren, die es auf dieser Welt gibt, und ich werde mich von dem ganzen Rummel hier komplett abkoppeln.«

Frankie musterte ihn, in diesem abgelegenen Flughafenraum mit dem harschen Licht, wo nichts an die Weihnachtszeit erinnerte. Ihre Miene verriet, dass sie sich nicht sicher war, ob sie ihm glauben sollte.

»Wenn du ›komplett abkoppeln‹ sagst, was meinst du damit? Ich bin mir nämlich sicher, dass sich die Bisons auf ein Zoom-Meeting einlassen würden, während du deine Cocktails trinkst und alle Gerichte der Welt probierst.«

»Ich meine, dass ich nicht zu erreichen bin, Frankie. Unter keinen Umständen. Du kontaktierst mich nur, wenn etwas mit meinen Eltern sein sollte. In wenigen Tagen ist Weihnachten. Da kommt alles zum Stillstand.«

»Nur die Cocktails am Strand offenbar nicht«, sagte Frankie mit zusammengebissenen Zähnen.

Sam wartete gar nicht, bis sie noch etwas sagte. Er zog sie in seine Arme und hielt sie fest, als würde er einen Gegner angreifen.

»Was tust du da?«, hörte man Frankies gedämpfte Stimme. »Ich habe das iPad in der Innentasche meines Jacketts. Du zerquetscht es. Du zerquetschst mich.«

»Genieß die Feiertage, Frankie«, sagte Sam und hielt sie dabei immer noch fest. »Besuch deine Schwester und deine Neffen.«

»Oh, na gut. Du fährst auf die Bermudas, und ich feiere Weihnachten im Mickey-Mouse-Club.«

Sam musste lächeln und ließ sie nun endlich los. Frankie zupfte leicht derangiert an ihrem Jackett herum.

»Du hast doch nicht wirklich dein iPad da drin, oder?«, erkundigte sich Sam.

»Vielleicht«, sagte sie.

»Stell es aus«, sagte Sam. »Für ein paar Tage. Über Weihnachten. Geh raus in die Natur und verliere dich darin.«

Natur. Er konnte sich noch genau erinnern, was Anna über ihre Einstellung zur Natur erzählt hatte. Ob sie die neuesten Nachrichten gelesen hatte und *es* schon wusste? Das war genau die Form von Natur, die sie beunruhigte. Die Form, die während Ruthies Zeugung eingegriffen hatte, und auch die, die langsam ihre Großmutter dahingerafft hatte. Aber es war zu spät, jetzt darüber nachzudenken. Er hatte seine Entscheidung getroffen.

»Ich habe mal ein Holzfällerwochenende gemacht«, gab Frankie zu. »Nichts als Bäume und Sägen und … noch mehr Bäume.«

»Wow«, sagte Sam. »Wie war das? Was hast du so erlebt?«

»Ich habe Bekanntschaft mit giftigem Efeu gemacht. Es hat Wochen gedauert, bis der Ausschlag wegging.«

»Nicht gerade erstrebenswert«, antwortete Sam. »Aber besser als ein Krampf im Finger von all den Doppelklicks.«

»Okay, du fährst also auf die Bermudas, und ich werde … darüber nachdenken, meine Schwester anzurufen. Vielleicht.«

»Bestens!«

»Aber denkst du, wir könnten einen Termin finden, um uns auszutauschen? Ich habe die Klausel mit den ›außergewöhnlichen Umständen‹ geltend gemacht, du machst dich den Bisons gegenüber also nicht schuldig. Aber mich juckt es ein wenig, fast wie bei dem Ausschlag damals, wenn ich dich jetzt ziehen lasse und die Dinge nicht regeln kann.«

»Ich werde dich anrufen«, sagte Sam.

»Gut … Aber wann? Denn …«

»Ich werde dich anrufen, Frankie. Okay?«

Er sah, dass sie sich Mühe gab, die Kontrolle zu bewahren. Er griff in seine Jacketttasche und zog ein Geschenk hervor. Eingepackt von dem Geschäft in London, nicht von ihm. »Das ist für dich.«

»Sam! Du weißt doch, was ich von Geschenken halte.«

»Ich weiß. Du denkst, niemand kennt dich gut genug, um dir etwas zu schenken, das du wirklich magst. Und dann musst du den Leuten immer etwas vormachen, und das ist anstrengend, blablabla.«

»Ich bin tief getränkt. Trotzdem beeindruckt es mich, dass du mir tatsächlich zuhörst.« Frankie nahm das Päckchen und schüttelte es. »Ist es zerbrechlich?«

»Ja«, sagte er. »Aber es hat einen Flug überstanden. Wenn du es also nicht deinem Neffen gibst, damit er es in der Gegend herumwirft, dann dürfte nichts passieren.«

»Dann mal vielen Dank«, sagte Frankie. »Aber ich habe nichts für dich.«

»Doch«, sagte Sam. »Du rufst mich einfach nicht an, bis ich es tue.«

Sie lächelte kopfschüttelnd. »Nun, dann bleibt mir wohl nichts übrig, als dir schöne Feiertage zu wünschen.«

»Schöne Feiertage, Frankie«, erwiderte Sam.

KAPITEL
FÜNFUNDSECHZIG

Holy Trinity Church, Richmond

»Ich kann es kaum glauben, dass es tatsächlich schneit! Echter Schnee. In Richmond. Es ist mir sogar egal, dass er auf mein Richard-Branson-T-Shirt fällt. Es ist Schnee. Schnee!«

Ruthie war schon aufgekratzt gewesen, als sie am Tag der Stepptanzaufführung aufgewacht war, aber als sie die Vorhänge zurückgezogen und die feine Schneeschicht auf der Straße und den gegenüberliegenden Dächern gesehen hatte, war ihr ein lauter Schrei entfahren. Anna hatte schon gedacht, da sei eine große Spinne, die entfernt werden müsse, oder mit dem Stapel sauberer Wäsche sei etwas nicht in Ordnung. Beides führte normalerweise zu einer solchen Reaktion. Nein, es war das Weihnachtswetter, das ein wenig Winterzauber in ihre Straße brachte. Cecil und die anderen elektrischen Tiere in Mr Penderghasts Vorgarten schienen plötzlich in ihrem ureigensten Element zu sein.

Nun standen sie vor dieser wunderschönen Kirche, und es schneite schon wieder. Winzige Flocken, nichts, was den Verkehr zum Erliegen bringen oder für Zugausfälle sorgen würde, aber es war ein stimmungsvoller Rahmen für die Darbietungen der lokalen Chöre und Tanzgruppen. Um diese Zeit des Jahres befand sich Anna immer in Hochstimmung. Die Geschenke waren eingepackt – mehr oder weniger –, für das Essen war alles vorbereitet – obwohl Ruthie plötzlich darauf bestand, dass ihre Haustiere eine katzen- und kaninchentaugliche Version eines Weihnachtsessens bekamen –, und ihre Kunden waren glücklich.

Mr Wong war sogar mehr als glücklich. Über die Agentur hatte er ihr eine Flasche Champagner und einen Zehn-Prozent-Nachlass-Gutschein für einen Full-Feast-Besuch zukommen lassen. Das würde Ruthie vielleicht mehr begeistern als alle anderen Geschenke zusammen.

Dieses Jahr war die Stimmung allerdings getrübt. Tag um Tag war vergangen, und sie hatte keine Antwort auf die Nachricht erhalten, die sie bei Sams Agentin hinterlassen hatte. Anna fragte sich schon, ob sie je eine Antwort bekommen würde. Wann sollte sie die Hoffnung begraben? Würde Sam überhaupt je erfahren, dass sie Kontakt zu ihm aufnehmen wollte? Und würde das einen Unterschied machen?

»Ruthie! Verabschiede dich von deiner Mutter und komm her, mein Schatz«, rief die Leiterin der Stepptanzgruppe vom Eingang des denkmalgeschützten Bauwerks her, der mit Stechpalmenkränzen und Blumen geschmückt war.

»Tschüss, Mum!« Ruthie hob die Hand und war weg, bevor ihre Mutter reagieren konnte. Anna beobachtete, wie Ruthie sich den Versuchen entzog, Fäuste aneinanderzuschlagen, und den Leuten stattdessen ihren Ellbogen hinstreckte. Zum ersten Mal in ihrem Leben hatte Anna den Eindruck, dass Ruthie erwachsen wurde, selbstständiger in Gedanken und Handlungen. Man konnte sie nicht in Watte packen und vor allem schützen. Ruthie würde sich den Herausforderungen der Welt auf ihre eigene Weise stellen müssen. Erstmals hatte Anna das Gefühl, dass sie das auch schaffen würde.

»Guten Tag, Anna.«

Eds Stimme. Sie drehte sich um, in der Erwartung, ihn mit Nicolette zu erblicken. Aber er war allein.

»Hallo«, sagte sie. »Du bist …«

»Früh dran, das scheint mir das richtige Wort zu sein«, sagte Ed mit einem Strahlen. »Ich kann mich nicht erinnern, je in meinem Leben pünktlich gewesen zu sein. Das fühlt sich fast seltsam an. Aber auf eine schöne Weise.«

»Kommt Nicolette auch?«

»Dieses Mal nicht«, antwortete Ed. »Sie hat beschlossen, sich mit Ruthie … etwas Zeit zu lassen. Ganz langsam eine Beziehung aufzubauen, auch über Ruthies Lieblingssnacks, wenn sie mal wieder bei uns übernachtet.«

Anna lächelte. »Das ist eine gute Idee. Und sehr einfühlsam.«

»Ich habe aber versprochen mitzufilmen. Das ist doch erlaubt, oder?«

»Ich hoffe schon«, sagte Anna und musste daran denken, dass sie ebenfalls versprochen hatte, Ruthies Aufführung zu filmen, um sie mit Sam teilen zu können.

»Gut, na dann. Ich gehe schon mal hinein, um mir eine Bank zu sichern, von der aus ich einen besonders guten Blick habe. Soll ich dir einen Platz freihalten?«

»Danke«, sagte Anna. »Aber ich warte noch auf die anderen.«

»Na klar. Dann sehen wir uns nach der Show«, sagte Ed und ging in Richtung Torbogen.

Anna holte Luft und sog die Atmosphäre in sich auf. Es gab so viel, für das sie dankbar sein musste. Sie lebte in der Gegend, die sie immer so geliebt hatte, in Nanny Gwens Haus, das sie in ein perfektes Zuhause verwandelt hatte, mit Ruthie und zwei nervtötenden Haustieren, ohne die sie sich ein Leben überhaupt nicht mehr vorstellen konnte. Und da war auch noch Ed, der sich wirklich Mühe gab, seine Fehler einzusehen und sich einzubringen, hoffentlich auch zunehmend für seine Tochter.

Der Weihnachtsbaum am Eingang war nur halb so groß wie Malcolm, und die Kugeln wirkten uralt, aber er war hübsch erleuchtet und schien ein Treffpunkt für Eltern und Mitwirkende zu sein. Anna sah auf die Uhr.

»Wir sind nicht zu spät«, sagte Neeta, die plötzlich neben Anna stand. »Dafür habe ich gesorgt.«

»Und wir versprechen auch, dass unsere Körper nicht zu zischen und zu dampfen anfangen, wenn wir drinnen sind«, fügte Pavinder grinsend hinzu.

Anna lächelte über den alten Witz. Neeta und Pavinder kamen allein für diese Veranstaltung in die anglikanische Kirche, und Anna hatte ihnen versichern müssen, dass sie keinem falschen Gott huldigten, wenn sie Kindern zusahen, die Lametta um den Hals trugen und Rentiere nachahmten.

»Aber noch etwas anderes …«, begann Neeta.

»Erzähl es Anna noch nicht«, sagte Pavinder. »Es soll eine Überraschung sein, wenn wir an Silvester alle beisammen sind.«

Neeta verstummte und bewegte sich auch nicht mehr. Ihre Ohrringe hingen regungslos herab. Das war ungewöhnlich. Neeta ließ sich für gewöhnlich von nichts und niemandem unterbrechen.

»Nun«, sagte Anna, »was auch immer du mir mitteilen wolltest, verliere nicht diese Begeisterung. Es ist immer schön, an Silvester auf etwas anzustoßen.«

»Aber, Pavinder«, begann Neeta. »Kann ich nicht wenigstens …«

»Bitte«, sagte Pavinder. »Widerfahren die besten Dinge nicht denen, die warten?«

»Dafür habe ich noch keinen Beweis gesehen. Und was heißt schon, warten? Theoretisch warten wir alle auf den Tod, und wenn das Beste, das diesen Wartenden zustößt, der Tod ist, dann kann ich doch …«

Dieses Mal brachte Pavinder sie mit einem Kuss zum Schweigen. Es war ein zärtlicher Moment, wie Anna ihn schon lange nicht mehr erlebt hatte. Selbst wenn sie nicht wusste, was Neeta ihr mitteilen wollte, sprach diese Geste schon Bände.

»Da kommen Lisa, Paul und die Kinder«, sagte Pavinder und nahm Neetas Hand. »Lass uns einen Platz suchen, bevor du unsere Pläne ausplapperst.«

»Moment, Pavinder. Lass mich kurz mit Anna allein.« Neeta drückte seine Hand.

»Aber kein Wort.« Pavinder ließ sie los und legte einen Finger an die Lippen.

»Versprochen«, antwortete Neeta.

Anna zog ihr Wolltuch enger um sich, da nun ein eiskalter Wind die Schneeflocken in ihre Richtung trieb.

»Wie geht es dir?«, fragte Neeta. Ihre dunklen Augen erforschten sie, aber auf eine äußerst wohlwollende Weise.

»Mir geht es gut«, sagte Anna. »Die Geschenke sind alle verpackt. Ich muss mich allerdings entschuldigen, falls ihr Katzen- oder Kaninchenhaare am Klebeband findet.«

»Und wie wär's mit einer Antwort, die nicht klingt, als wäre sie aus dem Mund eines Politikers gekommen?«

Anna seufzte, die Augen auf das Portal gerichtet, wo der Pfarrer die Menschen begrüßte, die durch den wirbelnden Schnee in die Kirche drängten. »Ich bin … dankbar, dass ich

Ruthie habe und Essen auf dem Tisch und dass ich gesund bin. Ich … na ja … versuche, mich über Wasser zu halten.« Sie schluckte, weil sie einen Knoten in der Kehle zu haben schien. »Aber es ist schwer, sich über Wasser zu halten, wenn es draußen so kalt ist … und man wieder allein schwimmt, nachdem man für einen kurzen Moment das Gefühl hatte, man hätte jemanden neben sich. Dann diese Kopfstände und Drinks und Pferdekutschen … und dieses Gefühl, über Marvel-Miniserien einzuschlafen.«

»O Anna.« Neeta breitete die Arme aus und wollte sie an sich ziehen.

»Nein, wirklich, mir geht es gut. Ich verstehe das schon. Sam hat immer getan, was er für richtig hielt, von dem Moment an, als er Ruthie verteidigt hat. Und wenn er das, was er jetzt tut, für das Richtige hält, dann muss ich das respektieren.« Sie schniefte und versuchte die Tränen zu unterdrücken. »Und da er nicht mehr auf Instagram ist, kann ich auch nicht mehr seinem Feed und seinen Trauermienen folgen, wenn ich mal einen finsteren Moment habe.«

»Wisst ihr was?« Lisa platzte plötzlich wie aus dem Nichts in ihr Gespräch hinein.

Neeta verdrehte die Augen, um ihre Freundin wissen zu lassen, was sie davon hielt.

»Was denn?« Anna wischte sich mit dem Finger eine Träne aus dem Augenwinkel.

»Ich weiß, dass ich bei der Weihnachtsfeier, die keine ist, meinen Teil der Verabredung nicht eingehalten habe, aber … Ich habe es getan. Heute Morgen!«, rief Lisa.

»Ich habe keine Ahnung, wovon du redest«, sagte Neeta.

»Nächstes Wochenende und danach jedes zweite Wochenende werde *ich* die Filmauswahl treffen. Und ich kann euch versichern, dass wir uns nur noch an Statham, Momoa und Pattinson ergötzen werden.« Lisa stieß die Faust in die Luft, als hätte sie in Wimbledon gewonnen.

»Du drehst jetzt also einfach den Spieß um? Das ist doch kein Fortschritt«, schalt Neeta. »Du hättest ihm klarmachen müssen, wie es dir mit seinen Kommentaren geht. Und dann müsstet ihr einen Weg finden, wie ihr euch beide den nötigen Respekt entgegenbringen könnt.«

»O Gott«, sagte Lisa. »Was ist denn passiert? Hast du herausgefunden, was zwischen Pav und Jessica läuft?«

»Ja«, sagte Neeta. »Da läuft gar nichts. Aber über unseren weiteren gemeinsamen Weg kann ich jetzt nicht reden, weil Pavinder den richtigen Zeitpunkt abwarten will.«

Anna seufzte. Tja, den richtigen Zeitpunkt abzuwarten schien in fast allem das Erfolgsrezept zu sein. Eine Schande, dass sie diese besondere Uhr nie richtig stellen konnte.

»Dürfen Kelsey und ich draußen warten?«, fragte Kai, der nun mit Paul und Kelsey eintraf. Er hielt eine Nintendo Switch in der Hand.

»Nein«, sagte Lisa. »Du wirst Ruthie zuschauen.«

»Klar«, sagte Kai. »Aber von den anderen Millionen Kindern, die da herumsingen und herumtanzen, kenne ich doch niemanden.«

»Ein bisschen mehr Respekt, Kai. Deine Mum, deine Schwester und ich kennen auch nicht die Kinder bei deinen Rugby-Turnieren, und trotzdem kommen wir, ob strömender Regen oder Wind ... oder Schnee.« Paul streckte die Hand aus und zeigte auf die Flocken, die vom Himmel fielen.

»Na gut«, sagte Kai missmutig. »Hab verstanden.«

»Nun komm schon«, sagte Kelsey und strubbelte ihrem Zwillingsbruder durchs Haar.

»Lass das!«

»Anna«, sagte Neeta und berührte ihren Arm, als alle anderen sich in Richtung Portal begaben. »Wollen wir uns auch einen Platz suchen?«

Annas Aufmerksamkeit war auf den Kirchhof und die Straße gerichtet. Die Autos fuhren wegen der geringen Sichtweite mit Licht. Das Gras im Park auf der gegenüberliegenden Straßenseite war weiß gesprenkelt. In Mäntel gehüllte Menschen führten Hunde oder Kinder an der Leine spazieren. Ein Bild des Friedens. Ein Zuhause.

»Ja«, antwortete Anna. »Lass uns hineingehen.«

»Hast du auch den Eindruck, dass Ruthie ein wenig blass aussieht?«, fragte Anna, als Ruthies Stepptanzgruppe an der Seite auf ihren großen Auftritt wartete. Es hatte schon ein paar Tanzdarbietungen gegeben, zwei Musikgruppen waren aufgetreten, und eine Grundschule hatte ein Weihnachtsgedicht aufgesagt.

»Ich weiß nicht«, flüsterte Neeta. »Das Licht hier ist ziemlich schlecht.«

Anna versuchte, Ruthies Blick aufzufangen, aber die hielt die Augen zu Boden gesenkt und schaute auf ihre Füße. Vielleicht ging sie ihre Schritte noch einmal durch? Zählte innerlich und rekapitulierte die Muster? Aber irgendetwas stimmte nicht.

»Du denkst doch nicht, dass ihr schlecht wird?«, fragte Neeta.

»Ich hoffe nicht.« Anna fühlte, wie ihr der Atem in der Brust stockte.

Schließlich hob Ruthie den Blick und schaute ins Publikum. Aber im nächsten Moment senkte sie die Augen schon wieder. Anna drehte sich um und ließ den Blick durchs Publikum schweifen. Bohrte jemand in der Nase oder nieste auf unhygienische Weise? Das konnte schon reichen, um Ruthie aus dem Konzept zu bringen. Einige Menschen hatten ihr Handy herausgeholt und wollten Aufnahmen machen, aber das störte ihre Tochter normalerweise nicht. Urplötzlich sah sie, was ihre Tochter beunruhigte. Oder besser: wer.

»Da sind Acne Aaron und Gross Gregory«, zischte Anna Neeta zu. »Was haben die hier verloren?«

Neeta sah ebenfalls über die Schulter. »Diese schrecklichen Typen aus der Schule? O Gott, die ziehen Grimassen und machen lauter gemeine Gesten. Wo sind denn ihre Eltern? Und warum hocken sie nicht hinter einer Bushaltestelle und trinken billigen Wodka?«

»Was soll ich nur tun?«, fragte Anna. »Wenn sich Ruthie nun unwohl fühlt, wird sie sich nicht mehr auf ihre Aufführung konzentrieren können. Dabei hat sie doch so hart dafür trainiert, so hart.« Dies war wirklich das Letzte, was sie jetzt gebrauchen konnten.

»Soll ich hingehen und ihnen sagen, sie sollen damit aufhören?«, fragte Neeta. »Es ist aber schon eine Weile her, dass ich mich mit Teenagern herumgeschlagen habe.«

Anna sah wieder zu Ruthie hinüber. Aber als ihre Tochter dieses Mal zurücksah, lächelte sie. Ihre Augen strahlten förmlich, und ihre Begeisterung war unverkennbar. Ihre gesamte Körpersprache war wie ausgewechselt. Anna drehte sich wieder um und fragte sich, ob die Jungen irgendetwas taten, was zu diesem Stimmungswandel geführt hatte. Aber sie … hatten … hatten sich umgesetzt oder … waren verschwunden oder … Wurde sie allmählich verrückt? Waren sie überhaupt je da gewesen?

»Neeta, du hast sie doch auch gesehen, oder? Gregory und Aaron, ein Stück hinter uns?«

»Klar. Sie haben das Gesicht verzogen wie mittelalterliche Wasserspeier«, bestätigte Neeta.

»Wo sind sie denn hin?«, fragte Anna. Und noch wichtiger:

Würden sie zurückkommen? Es wäre schlimm, wenn diese Möglichkeit drohend über der Aufführung schweben würde.

»Ruthies Gruppe tritt auf«, rief Neeta und begann zu klatschen. »Pavinder, Video!«

Anna klatschte, so laut sie konnte, und winkte Ruthie zu, als die mit ihrem wiederhergestellten warmen Lächeln und all dem atemberaubenden Showtalent auf die Bühne schritt, während ihre dunklen Locken auf und ab wippten. *Tief durchatmen. Das hier wird umwerfend!*

»O Ruthie! Du warst überwältigend! Fantastisch! Brillant! Umwerfend! Überirdisch …«

»Neeta, lass den anderen auch noch ein paar Wörter übrig«, sagte Lisa. »Ruthie, du warst der Star der Show, oder, Kelsey?«

»Ruthie, du musst mir diesen Move beibringen, wie du dich vornüberbeugst und sofort wieder hochspringst«, sagte Kelsey.

Anna sah zu und ließ ihren Freunden diesen Moment. Es würde noch genug Zeit bleiben, die Arme um ihre Tochter zu schlingen und ihr zu sagen, was für ein Superstar sie tatsächlich war. Die Stepptanzgruppe war die Krönung des Abends gewesen, obwohl die Pyrotechnik den Pfarrer ein wenig überrascht zu haben schien. Die Gruppe hatte alles gegeben und getanzt und gesteppt – und eine magische Show abgeliefert – zu einer bunten Mischung von Weihnachtsliedern, die schließlich unmerklich in Tight Fits »The Lion Sleeps Tonight« übergegangen war.

»Ich weiß, dass wir voreingenommen sind, aber Ruthie war meiner Meinung nach wirklich die Beste«, sagte Ed, der nun neben Anna erschien.

»Klar sind wir voreingenommen«, stimmte Anna zu. »Aber das bedeutet ja nicht, dass wir falsch liegen.«

»Unbedingt«, stimmte Ed zu.

»Einen kurzen Moment habe ich mir wirklich Sorgen gemacht. Diese schrecklichen Jungen aus der Schule waren da, und Ruthie sah aus, als würde sie sich übergeben. Aber dann sind sie einfach … verschwunden.«

»Vielleicht war das eine göttliche Intervention«, gab Ed zu bedenken. »Schließlich sind wir in einer Kirche. Oder sie haben sich gelangweilt. Als ich ein Teenager war, habe ich mich in der Kirche immer zu Tode gelangweilt.«

»Dad«, begrüßte Ruthie ihn. An ihrer Stirn glänzte eine Mischung aus Glitzer und Schweiß, als sie zu ihnen trat.

Die Kirche war nun ein Tummelplatz von Eltern und Kindern, die sich umarmten und gratulierten und dabei versuchten, nicht die Kränze aus Stechpalmen und Efeu von den Bänken zu reißen. Der Organist spielte eine dröhnende Version von »Stern über Bethlehem«.

»Ruthie!«, rief Ed und wartete geduldig, ob dies ein Moment für eine Umarmung oder ein High five oder nichts von beidem war. »Ich … ich habe heute Morgen geduscht.«

Ruthie stürzte sich in seine Arme, und Anna fühlte, wie ihr Herz hüpfte. Das war wirklich bewegend.

»Ich habe gesehen, dass du zugeschaut hast«, teilte Ruthie ihm mit. »Die ganze Zeit über.«

»Ich konnte den Blick gar nicht losreißen«, gab Ed zu. »Du hast die Beine in die eine Richtung geschwungen und dich gleichzeitig in die andere bewegt und alle verzaubert. Mir gefiel diese Geschichte mit den Einhörnern, die hypnotisiert und böse gemacht wurden, bis dann am Ende alles wieder gut war.«

»Ein bisschen wie bei uns«, sagte Ruthie, als sie ihn schließlich losließ. »Nur dass man dich nicht hypnotisiert hat. Und du bist auch kein Einhorn.«

»Ich wäre auch froh, wenn du mich nicht für allzu schlecht hieltest«, sagte Ed.

»Du warst großartig, Ruthie. Ich denke, da ist in naher Zukunft ein Eis fällig«, sagte Anna.

»Mint Choc Chip?«, fragte Ruthie.

»Wie hast du das erraten?«

»Übrigens wäre ich auch nicht so großartig gewesen, wenn Acne Aaron und Gross Gregory weiterhin Grimassen in meine Richtung gezogen hätten. Gott sei Dank hat Sam sie verjagt. Wie letztes Mal.«

Anna erstarrte. Was hatte Ruthie da gesagt? Ruthie erschuf gern gedankliche Welten, in denen sie sich sicher fühlen konnte. Aber sie hatte sich noch nie eingebildet, Personen zu sehen.

»Ruthie«, sagte Anna. »Was meinst du damit?«

»Sam hat Acne Aaron und Gross Gregory an der Kapuze gepackt und sie aus der Bank gezogen. Er hat sie rausgeworfen«, erläuterte Ruthie. »Und dann ist er zurückgekommen, hat sich in die letzte Reihe gesetzt und meine Aufführung angeschaut und …«

»Hallo, Anna.«

KAPITEL

SIEBENUNDSECHZIG

Beim Klang von Sams sanfter, tiefer Stimme hätte Anna fast der Schlag getroffen. Es dauerte einen Moment, bis sie sich von dem Gefühlsschock erholt hatte und ihr Gehirn wieder seine Arbeit aufnahm. Sie fuhr herum, und da stand er dann – die ganzen zwei Meter und wer weiß wie viele Zentimeter, in einer schicken dunklen Hose und einem hellbraunen Pullover. Aber während sie ihn noch anstarrte, weigerte sich alles in ihr, die Teile zusammenzusetzen.

»Ich wusste, dass du kommst!«, rief Ruthie, rannte auf Sam zu und sprang an ihm hoch.

Anna sah, wie er sie auffing, in die Höhe hob und schließlich wieder absetzte.

»Und danke, dass du Acne Aaron und Gross Gregory verscheucht hast. Eigentlich hätte ich gern deinen Rat befolgt und das Weite gesucht, aber dann hätte Mrs Langdown geglaubt, ich würde nicht auftreten wollen. Daher …«

»Du warst fantastisch«, sagte Sam. »Diese Geschichte mit den Einhörnern fand ich ziemlich überwältigend.«

»Das habe ich auch gesagt«, erklärte Ed und streckte die Hand aus. »Schön, Sie zu sehen.«

Sam zögerte keinen Moment und schüttelte Ed die Hand. »Auch schön, Sie zu sehen.«

»Mum, warum sagst du denn nichts? Du wusstest doch, dass Sam kommt! Ich weiß, du hast mir nicht geglaubt, aber …«

»Ruthie, willst du nicht mal nachschauen, ob es draußen noch schneit? Ich weiß nicht, ob es reicht, um einen Schneeball zu machen, aber es käme auf einen Versuch an«, schlug Ed vor.

»Wirst du den Schnee für mich zusammenkratzen?«, fragte Ruthie. »Ohne meine Handschuhe kann ich ihn nämlich nicht anfassen.«

»Natürlich«, antwortete Ed und steuerte Ruthie durch den Mittelgang auf den Ausgang zu. »Nicolette hat mir auch etwas mitgegeben.« Er klopfte auf seine Jeans. »Das ist eine kleine Flasche mit Desinfektionsmittel, die ich an meinen Gürtel hängen kann.«

»Echt cool.«

Anna sah Ruthie hinterher, als sie mit ihrem Vater die Kirche verließ. Der Organist hatte zu spielen aufgehört, und die Menschenmenge lichtete sich. Alle eilten zu der Theke mit den Erfrischungen. Und da stand sie nun, mitten im Kirchenschiff, und fragte sich, wie es weiterging.

»Ich … wusste gar nicht, dass du kommst«, sagte Anna. Das war kein besonders passender Satz, aber etwas anderes fiel ihr nicht ein.

»Nein«, flüsterte er. »Ich habe ein neues Handy. Und ich habe meine Social-Media-Accounts deaktiviert. Ich wollte ein paar Dinge regeln, solange es noch geht.«

»Ruthie dachte, du ignorierst ihre Nachrichten, weil du nicht geantwortet hast.« Anna schluckte. Sie hatte »Ruthie« gesagt, aber eigentlich meinte sie »wir«. Als immer mehr Zeit verstrichen war, hatte sie sich zunehmend gefragt, ob er sie für immer aus seinem Leben gestrichen hatte.

»Ich hatte ihr versprochen zu kommen, ich weiß, aber ich war mir nicht sicher, ob ich es rechtzeitig schaffen würde.

Mein Flug hatte Verspätung, und dieses Mal ist der Taxifahrer gefahren, als habe er kein Ziel ... Ich war etwas spät dran.«

Die Stille dröhnte fast so laut, wie Annas Herz in ihren Ohren schlug. Was sollte sie nur sagen? Ein Teil von ihr wollte Sam einfach festhalten, wollte etwas von seiner Stärke aufsaugen, wollte alles andere vorerst vergessen. Ein anderer Teil wusste aber, dass es viele Fragen zu klären gab.

»Weißt du ... es?«, fragte Sam, die Stimme leicht kratzig, zögernd.

Anna öffnete den Mund, merkte aber, dass sie kein Wort herausbrachte. Er redete von seiner Krankheit. Das war ihr klar. Doch sie hatte keine Ahnung, was sie sagen sollte. Stattdessen nickte sie nur.

Er schüttelte den Kopf. »Es tut mir so leid, Anna. Ich ... hätte es dir erzählen sollen. Am besten gleich zu Beginn. Es war nicht fair, so zu tun, als sei ich ... normal.«

»Normal?«, fragte Anna, während nun die letzten Besucher das Kirchenschiff verließen.

»Schlechte Wortwahl. Absolut miserable Wortwahl.« Er schüttelte den Kopf. »Keine Ahnung. Ich bin hierhergekommen, weil mich die Diagnose so schockiert hat. Ich wusste nicht, was ich tat. Ich wusste nicht, was ich denken sollte. Und als ich dann etwas weiter war, belastete mich plötzlich die Sorge um meine Familie.« Er legte die Hand auf eine Kirchenbank. »Das ist das Schlimmste. Der Gedanke, dass sie krank werden könnten und all diese schrecklichen Dinge durchmachen müssen.«

»Ich habe mich über die Krankheit informiert«, sagte Anna. »Als ich davon erfahren habe.«

»Wirklich?«

»Ich habe versucht, dich anzurufen«, gab sie zu. »Und ich wollte dich über Instagram kontaktieren. Und hab auch alles andere probiert … na ja.« Sie zuckte mit den Schultern.

»O Gott, Anna. Wie entsetzlich.« Er schüttelte den Kopf.

»Fast hätte ich aufgegeben«, sagte sie und lehnte sich an eine Kirchenbank. »Aber Neeta und auch Ed – ob du es glaubst oder nicht – haben beide auf mich eingeredet: Wenn man davon überzeugt ist, den Richtigen gefunden zu haben, muss man dranbleiben und wirklich jede Chance nutzen.« Sie holte tief Luft. »Also habe ich bei deiner Agentin eine Nachricht hinterlassen. Bei Frankie. Jedenfalls denke ich, dass sie es war … In der Zeit hatte ich eine Menge am Hals.«

»Anna«, sagte Sam und legte eine Hand auf ihre Schulter. »Ich hätte nicht davonlaufen dürfen. Bei meiner ersten Begegnung mit Ruthie habe ich ihr gesagt, dass man sich seinen Ängsten stellen muss. In manchen Situationen läuft man besser auf sie zu, als dass man vor ihnen davonrennt.« Er pausierte einen Moment. »Ich habe meinen eigenen Rat nicht befolgt, und das … war ein Fehler.«

»Was möchtest du mir mitteilen?«, fragte Anna mit zitternden Lippen.

»Ich will sagen … ich hätte dir erzählen sollen, was mit mir los ist. Du warst vom ersten Moment an offen und ehrlich, ganz im Gegensatz zu mir.« Er holte tief Luft. »Ich weiß, dass wir gesagt haben, die Sache könne nur eine Episode sein. Aber vermutlich war uns beiden längst klar, dass mehr daraus geworden ist.« Er lächelte verhalten. »Wie eine Naturgewalt. Wie eine Sternenkollision.«

Anna wusste nicht, was sie sagen sollte. Fühlte Sam genauso wie sie? Sie schüttelte den Kopf. »Es hat wehgetan, als du gegangen bist. Mehr, als angemessen gewesen wäre.«

»Mir hat es auch wehgetan«, gestand Sam. »Um ehrlich zu sein, habe ich es in derselben Sekunde bereut, als mein Hintern Neetas beheizbaren Sitz verlassen hat und meine Füße das Straßenpflaster berührt haben.«

»Warum hast du mich dann nicht angerufen? Du hättest mir sagen können, wie es dir geht.«

»Weil ich zu meiner Familie musste. Ich musste ihnen von dem geplatzten Deal mit den Diggers und diesem … Gendefekt erzählen. Das war wie ein Ballon, der immer größer und größer wurde. Ich musste einfach etwas tun, bevor er platzt.«

Sam bekam plötzlich keine Luft mehr. Er verstummte und gab sich Mühe, die Kontrolle zurückzuerlangen, den Blick auf die großen Altarkerzen gerichtet. Sie brannten hell, mit hohen, strahlenden, gleichmäßigen Flammen. Daran sollte er sich ein Beispiel nehmen.

»Ist alles in Ordnung?«, fragte Anna.

Er holte Luft, langsam und tief. Dann schaute er sie an. Die wunderschöne Anna. Sie hatte sein Schiff stabilisiert, als er einen sicheren Hafen gesucht hatte. Und dann hatte sie es in Aufruhr gebracht, als sich unter dem Kiel ein Strudel gebildet und alles aufgewirbelt hatte. Irgendwo am Horizont mochte ein Sturm lauern, aber niemand konnte sagen, wann sich die Wolken verfinstern würden. Für den Moment wollte Sam erst einmal Segel setzen. Das war der Grund, warum er hier war. Um Anna das mitzuteilen …

»Ich liebe dich, Anna«, flüsterte er. Dass diese Worte tatsächlich seinen Mund verlassen hatten, warf ihn fast um. Aber letztlich fühlte es sich gut an, richtig. »Es ist mir egal, wenn du nicht dasselbe für mich empfindest, nicht in diesem Moment … und vielleicht nie. Du solltest einfach wissen, dass mir das, was wir vor gar nicht langer Zeit begonnen haben, mehr bedeutet als alles andere in meinem Leben zuvor.«

»Sam …«

»Lass mich ausreden«, bat er. »Ich habe meine Worte im Flugzeug auswendig gelernt, merke aber jetzt, wie schlecht sie sind. Ab sofort werde ich also frei sprechen.« Er lächelte. »Mir ist bewusst, dass die Umstände ganz anders sind als bei unserer ersten Begegnung. Und ich weiß auch, dass du eine gewisse Zeit brauchen wirst, um über alles nachzudenken – falls du nicht ohnehin längst mit mir fertig bist. Aber ich möchte, dass du weißt, was ich für dich empfinde, ob mir das nun leichtfällt oder nicht. In dieser ganzen schweren Phase hat nämlich alles in mir geschrien, dass ich zu dir rennen soll.« Er lächelte und nahm ihre Hand. »Ich möchte nicht, dass du mit mir noch einmal das durchmachen musst, was du schon mit deiner Nanny erlebt hast. Und ich möchte dich nicht zum Weinen bringen, weil ich mich so verändert habe, dass du dich kaum noch daran erinnerst, warum du dich überhaupt in mich verliebt hast.«

»Sam«, sagte Anna, als nun Tränen ihre Wangen hinabrollten. »Ich hatte so viele wunderbare Jahre mit Nanny Gwen. Das verschwindet doch nicht, nur weil ihr Ende so unfassbar traurig war. Denk doch nur an die Dinge, die ich verpasst hätte, all diese kostbaren Erinnerungen. Sie war Teil meines Alltags, war bis zu ihrem Tod jeden einzelnen Tag bei mir. Außerdem verdanke ich ihr dieses unglaubliche Haus, in dem Ruthie sicher und glücklich sein kann.« Sie drückte seine Hände. »Ich möchte doch nicht auf eine wunderbare Reise verzichten, nur weil es womöglich ein trauriges Ende gibt.«

»Wirklich?«, fragte Sam.

»Außerdem besteht immer noch die Möglichkeit, dass dieses Huntington-Gen gar keine Chance bekommt. Dir könnte jeden Tag irgendwas zustoßen. Zum Beispiel beim Kopfstand.«

»Das stimmt«, sagte er mit einem Nicken.

»Es gibt allerdings viel zu bedenken«, gab Anna zu.

»Ja.«

»Und es gibt viel zu besprechen.«

»Ja«, sagte er und sah ihr wieder in die Augen.

»Also, dann lass uns reden«, begann Anna. »Und denken. Und … das hier.«

»Was?«, fragte Sam.

Er war vollkommen überrumpelt, als sie sich auf die Zehenspitzen stellte und ihre Lippen auf seine presste. Er schlang ihr die Arme um den Leib und küsste sie zurück, vollkommen erfüllt von dem Gefühl, nach Hause gekommen zu sein. Während er sie festhielt, verspürte er eine große Ruhe. Das fühlte sich vollkommen richtig an. Egal, wohin es führen mochte, dies war der denkbar beste Beginn.

KAPITEL

ACHTUNDSECHZIG

Annas und Ruthies Zuhause, Richmond
Heiligabend

»Ich finde es super, dass uns Mr Wong Essen für Heiligabend gebracht hat!«, sagte Ruthie und schwenkte ihren Tempura-Spieß.

»Ich finde es auch ziemlich klasse«, gestand Sam und schob ihr eine andere Take-away-Schachtel hin, damit sie sich daraus bedienen konnte.

Anna wiederum genoss es in vollen Zügen, dass die beiden Menschen, die sie am meisten auf dieser Welt liebte, an ihrem Küchentisch saßen und lachten und sich liebevoll darum stritten, welches Weihnachtslied sie als Nächstes hören würden.

»Kaum zu fassen, dass du deine Visionen für das Restaurant in die Tat umsetzen kannst«, sagte Sam zu Anna. »Full Feast und Fast Feast, all die verschiedenen Schachtelgrößen. Und das Essen ist wirklich wunderbar.«

»Du hast Free Feast vergessen«, sagte Ruthie.

»Das finde ich auch großartig. Du bist ein Ass, Anna«, sagte Sam.

»Ich weiß«, sagte sie. »Mein Chef hat das Gott sei Dank auch kapiert. Im neuen Jahr werde ich mich auf ganz andere Projekte konzentrieren.« Vorerst konzentrierte sie sich aber erst einmal auf einen Hühnerspieß.

»Bleibst du über Neujahr hier?«, erkundigte sich Ruthie bei Sam.

»Das will ich doch hoffen«, sagte Sam.

»Und was ist in der Zeit danach?«, fragte Ruthie. »Februar? Ostern? Und mein Geburtstag im Mai?«

»Ruthie, immer mit der Ruhe, sonst erstickst du noch an deinen Meeresfrüchten«, forderte Anna sie auf.

In Wahrheit machte es Anna nervös, dass Ruthie alles für so einfach hielt. Sam war für Weihnachten gekommen, das war großartig. Aber es musste noch so vieles bedacht werden. In Ruthies Augen gab es keinerlei Probleme: Sam blieb einfach hier, und sie wären glücklich bis ans Ende ihrer Tage. Ende.

Cheesecake stieß im Wirtschaftsraum ein Jaulen aus.

»O nein!«, stellte Ruthie fest. »Das ist das Signal für ›Ich habe gekackt‹.«

»Soll ich mal nachschauen?«, bot Sam an.

»Nein«, sagte Ruthie. »Ich werde es selbst versuchen. Mum hat mir eine Schaufel, Handschuhe und Windelbeutel besorgt.« Sie stand auf. »Aber wenn es schiefgeht, brauche ich sofort Feuchttücher, Desinfektionsmittel und freie Bahn zum Badezimmer.«

»Ich glaube an dich, Ruthie«, sagte Anna, als Ruthie zur Tür ging.

»Noch ein Rippchen?«, fragte Sam und hielt Anna die Schachtel hin.

»Nein danke. Ich platze gleich.«

»Außerdem sausen jetzt Daten in deinem Kopf herum, stimmt's?«

Anna seufzte. »Tut mir leid wegen Ruthie. Sie mag Pläne. Nicht nur für die nahe Zukunft, sondern fürs ganze Leben.«

»Das weiß ich«, antwortete Sam.

»Und ich weiß, dass du noch nicht sagen kannst, wie lange du bleibst.«

»Kannst du den Gedanken für einen Moment zurückstellen?«

Anna war verwirrt. »Was soll das heißen?«

»Das soll heißen …« Er sah auf die Uhr. »Gib mir zwanzig Minuten.«

»Ich verstehe kein Wort.«

»Mum!«, rief Ruthie. »Tücher! Cheesecake hat Kacke im ganzen Gesicht.«

Als Anna die Tür öffnete, stand eine Gruppe Weihnachtssänger davor und grölte aus vollem Hals. Sie entdeckte Neeta und Lisa darunter und musste lachen. Ihr Lieblingsweihnachtslied war das nicht gerade– »O du Fröhliche« –, und der schräge Gesang gab ihm den Rest.

»Hast du das arrangiert?«, erkundigte sich Anna bei Sam, als sie an der Tür standen und lauschten.

»Möglich.«

»Dann muss ich dich aufklären, dass ich nicht gerade scharf auf Weihnachtssänger bin«, gestand Anna.

»Und ich muss dich darüber aufklären, dass ich das weiß.« Er grinste. »Ruthie hat es mir verraten.«

Die erschien nun hinter ihnen, eilte zur Tür hinaus und gesellte sich zu der Gruppe. Sie trug ihren Batikmantel und eine pinkfarbene Mütze.

»Ruthie, wo willst du hin?«, rief Anna ihr hinterher.

»Mitsingen«, antwortete Ruthie und stellte sich zu Neeta und Lisa.

»Keine Sorge«, rief Neeta. »Wir werden sie ins Bett gesteckt haben, bevor diese frei erfundene Figur in Rot durch den Kamin plumpst.«

»Sam«, sagte Anna und sah ihn an. »Was geht hier vor sich?«

Er schenkte ihr ein Lächeln. »So können wir noch ein wenig … reden.«

Richmond Terrace Gardens

»Nanny Gwen ist immer so gern hier spazieren gegangen«, sagte Anna und atmete tief die kalte Nachtluft ein. Immer noch lag eine weiße Kruste auf allen Dingen, obwohl es seit Ruthies Stepptanzaufführung nicht mehr geschneit hatte. Die Temperaturen waren gefallen, und der Schnee war zu Matsch geworden, der nachts verharschte. In diesen Gärten, die im Sommer ein Blumenmeer waren, ragten die Pflanzen kahl aus den Beeten auf. »Und sie mochte diese freche Figur.«

Anna hielt am Teich an. Das Wasser war finster, das Pflanzenleben erloschen. Eine große Skulptur von einer überaus üppigen Frau dominierte die Stelle.

»Für diese Kurven könnte ich mich auch begeistern«, sagte Sam.

»Das ist Aphrodite«, erläuterte Anna. »Eine moderne Version, die seinerzeit für viel Aufsehen gesorgt hat. Man hielt sie für zu realistisch, fast schon pornografisch. Die Leute nennen sie Bulbous Betty. Knollige Betty.«

»Reitet sie auf einem Delfin?«, fragte Sam.

»Ich bin mir nicht sicher«, erwiderte Anna.

»Ich glaube, sie gefällt mir.«

»Ich mag sie auch.«

Sam drückte Annas Hand. »Möchtest du dich setzen?«

»Hier mitten in die Natur?«, fragte Anna. »Nach den Weihnachtssängern?«

Er lächelte vage. »Man muss sich seinen Ängsten stellen, oder nicht?«

Sie gingen zu einer der Holzbänke. Anna wappnete sich gegen die Kälte, die sie unter dem Po verspüren würde, und setzte sich. Sam nahm neben ihr Platz und ergriff ihre Hand.

»Heiligabend«, flüsterte er.

»Ja.«

»Was wünschst du dir von den Sternen an diesem Weihnachtsfest?«, fragte Sam.

»Dasselbe, was ich mir schon länger immer wieder wünsche«, sagte Anna. »Beständigkeit. Frieden. Dass mir niemand ungefragt ein Haustier vorbeibringt.« Sie lächelte. »Und du?«

»Ich habe gleich ein paar Wünsche.« Er holte tief Luft. »Dass die Untersuchungsergebnisse meiner Mutter und meiner Schwester negativ ausfallen. Dass mein Vater diesem Schicksal auch irgendwie entgeht. Und dass du … meine nächste Frage mit Ja beantwortest.«

Sie sah zu ihm auf und wartete, dass er weiterredete.

»Anna, es gab einen Moment, in dem ich begriffen habe, worum es im Leben wirklich geht. Das war, als mein Vater mir eine Predigt gehalten hat. Er hat erzählt, dass er sein ganzes Leben lang versucht habe, das Leben anderer Menschen besser zu machen. Das ist ihm Ziel genug, um mit seinem eigenen Leben glücklich zu sein. Als er das erzählte, war ich fast neidisch.« Er legte eine kleine Pause ein. »In der Vergangenheit ging es mir um Erfolg und Geld. Nicht dass ich unbedingt steinreich werden wollte, aber ich dachte immer, ich müsste meinen Eltern aus ihrem eher armseligen Leben heraushelfen. Wie sich herausgestellt hat, mögen sie ihr Leben, so wie es ist. Geld hält mein Vater für ein soziales Konstrukt. Nicht dass er es so ausgedrückt hätte, aber letztlich hat er genau das gemeint.«

»Die Idee gefällt mir«, sagte Anna. »Seine Zeit dafür nutzen, das Leben anderer Menschen besser zu machen und daraus seine Zufriedenheit zu ziehen. Genauso war meine Nanny Gwen.«

»Mein Vater hat mir vor Augen geführt, dass es in der Zeit, die man hat und egal, wie lang die sein mag, nicht nur um einen selbst geht«, sagte Sam. »Es geht um die Menschen, denen man begegnet.«

Anna ging das Herz auf. Das war ein so schönes Gefühl. Jetzt wusste sie ohne jeden Zweifel, dass ihr Sam zu wichtig war, um noch einen Rückzieher machen zu können.

»Ich verspreche dir, Anna, und verspreche es auch Ruthie, dass ich die mir verbleibende Zeit – seien es nun drei oder vier Jahre, seien es fünfzig – damit verbringen werde, euch ein Gefühl der Sicherheit und ein bisschen Frieden zu geben und euch nach allen Kräften zu lieben … und nie ein weiteres Haustier anzuschaffen. Es sei denn Ruthie schaut mich mit diesen großen Augen an. Dann werde ich wohl kaum widerstehen können.«

»O Sam«, sagte Anna und drückte seine Hand.

»Mir ist klar, dass ich dir keine größere Familie schenken kann. Wir haben über die Risiken gesprochen, aber …«

Das hatten sie tatsächlich, in der Nacht, als er nach Richmond zurückgekehrt war und sie sich im Bett aneinandergeschmiegt hatten, sich berührt und geküsst hatten, einfach nur irrwitzig glücklich, sich im Arm halten zu können. Er hatte bekannt, dass er sich im Moment nicht vorstellen könne, das

Risiko einer Vererbung des Gens einzugehen, und sie hatte zugegeben, dass sie sich nie ein weiteres Kind gewünscht hatte. Ruthie erfülle sie als Mutter voll und ganz, ein wunderschönes, nicht ganz einfaches Kind, das einen jeden Tag zum Staunen bringen konnte. Aber die Situation war für sie beide vollkommen neu. Vielleicht würden sie es nach einer gewissen Zeit anders sehen.

Sie hatten auch darüber gesprochen, wie sich diese Krankheit auf ihrer beider Leben auswirken könne. Letztlich mussten sie abwarten, und das war in der Tat beängstigend, aber man konnte sich nicht vor dem Leben wegducken, weil man auf den Tod wartete. Im Idealfall, wenn die Ergebnisse für seine Familie erfreulich ausfielen, könnte man diese Krankheit auf dem Dachboden verstauen, bis sie selbst beschloss, dass man sie wieder ausgraben müsse.

»Ich warte noch auf die Frage, auf die ich mit Ja antworten soll«, erinnerte ihn Anna.

Er holte tief Luft. »Gut, hier ist sie.« Er sah ihr tief in die Augen. »Anna ... darf ich hierbleiben? Hier bei dir und Ruthie? Ich weiß noch nicht, wie ich Geld verdienen soll, aber auf meinem Konto liegen Millionen, das sollte mich für eine Weile über Wasser halten.«

Anna spürte, wie sich ihre Miene aufhellte. Ihre Wangen spannten sich vor Freude an, als sie sich auf der Bank drehte, ihm die Arme um den Hals warf und ihn fest an sich drückte. Dann zog sie sich wieder zurück, legte ihre Hände an sein Gesicht und verharrte so.

»Was ist?«

»Ich wollte nur auf Nummer sicher gehen. War das schon die Frage? Oder kommt noch eine? Von der Art wie: Brichst du noch einmal mit mir ins Globe Theatre ein? Oder: Sollen wir auf dem Rückweg in der Tipi-Bar Cocktails trinken?«

Sam lächelte. »Das war die Frage.«

»Die Antwort lautet Ja, auf alle drei Fragen«, sagte Anna. »Ja! Ja! Ja!« Und dann schnappte sie begeistert nach Luft, weil in ihrem Augenwinkel etwas erschien. »O Sam, schau! Rehe!«

Sie nahm seinen Arm und legte ihren Kopf an seine Schulter, als drei schlanke Rehe mit Geweih über das Gras vor ihnen trotteten. Sie schienen sich auf den Weg gemacht zu haben, um heute Abend den Schlitten des Weihnachtsmanns zu ziehen.

Sam seufzte. »Weißt du was? Ich bin jetzt schon glücklich, hier zu leben.«

KAPITEL
SIEBZIG

Annas, Ruthies und Sams Zuhause, Richmond
Erster Weihnachtsfeiertag

»Ist das ein Kaninchen, das du da in den Händen hältst? O Gott, diese Engländer sind wirklich verrückt! Esst ihr Kaninchen statt Truthahn?«

Sam beobachtete, wie das Strahlen in Ruthies Miene einem frostigen Wintersturm wich. Sie saßen mit dem Laptop am Küchentisch und hatten über FaceTime Tionne angerufen.

»Tionne meint das nicht so, Ruthie«, klärte Sam sie auf. »Das ist Mr Rocket, Ti. Er ist Ruthies Haustier.«

»Aha. Hallo, Mr Rocket.« Tionne ging mit dem Gesicht näher an den Bildschirm heran. »Du bist aber niedlich! Und überhaupt nicht saftig!«

»Tionne!«, mahnte Sam.

»Esst ihr etwa Familienmitglieder in Cincinnati?«, gab Ruthie zurück. »Oder esst ihr nur Eis? Sam hat gesagt, du würdest Eis vertilgen, bis es dir zu den Ohren rauskommt. Ich habe noch nie gesehen, dass jemandem Eis zu den Ohren rauskommt.«

»Willst du mal schauen?« Tionne drehte ihr Ohr ins Bild.

Ruthie hielt sich die Hand vor die Augen. »Iiieh!«

»Lasst uns noch einmal von vorne anfangen«, forderte Sam die beiden auf. »Frohe Weihnachten, Ti.«

»Frohe Weihnachten, Sam. Frohe Weihnachten, Ruthie. Schön, dich kennenzulernen. Sam hat mir alles über dich erzählt, und ich habe ein supercooles Tanzvideo gesehen.«

»Sam hat mir einen Zauberstab geschenkt, aus dem regenbogenfarbene Bänder herausschießen, außerdem ein glitzerndes Objekt, das aussieht wie Mr Rocket. Und er hat mir Boxhandschuhe geschenkt, damit ich meinen Feinden eine in die Fresse hauen kann«, verkündete Ruthie.

»Das habe ich nicht gesagt«, erwiderte Sam. »Ich habe gesagt, dass du dich damit verteidigen kannst.«

»Ich hole sie mal. Gib mir Mr Rocket. Er muss ein bisschen schlafen nach den ganzen Sprossen, die Mum ihm gegeben hat.« Sie nahm ihr Kaninchen und eilte aus der Küche.

»Und, Brüderchen? Wie läuft's da drüben?«, fragte Tionne.

»Es läuft ... keine Ahnung, Tionne. Wie soll man das wahre Glück beschreiben, wenn man es noch nie erlebt hat?«, sagte Sam.

»Hast du Tequila getrunken? Wie spät ist es eigentlich bei euch?«

»Es gab etwas Komisches namens Babycham. Das war das Lieblingsgetränk von Annas Großmutter, also gehört es Weihnachten dazu. Und nein, ich bin nicht betrunken, ich bin nur glücklich. Was schon komisch ist, wo doch meine Football-Karriere vorbei, mein Leben durch das Internet zerstört und meine Krankheit unheilbar ist.«

»Außerdem wirst du demnächst schon sechsundzwanzig«, sagte Tionne.

»Pscht«, sagte Sam. »Ich habe Anna noch nicht erzählt, wann ich Geburtstag habe.«

»Warum denn nicht?«

»Na ja, hier war eine Menge los.«

»Jetzt spann mich aber nicht auf die Folter! Wo ist Anna? Ich möchte die Frau sehen, wegen der mein Bruder krank vor Liebe ist.« Sie machte Geräusche, als würde sie sich erbrechen, und zog die passenden Grimassen dazu.

»Wenn ich dir erzählen würde, dass sie eine Katze badet, würdest du mir glauben?«

»Ihr habt ein Kaninchen am Esstisch, das nicht angeschnitten ist, daher ...«

»Hallo!« Anna war in den Raum getreten und legte Sam die Hände auf die Schultern. »Tut mir leid, Cheesecake hat noch nicht den Dreh raus, wie man sich selbst den Hintern putzt. Du bist also Tionne ... und *du* bist die Influencerin, mit der Sam fotografiert wurde.«

»Wie sah ich auf dem Foto aus?«, erkundigte sich Tionne.

»Umwerfend.« Anna grinste. »Und es ist wirklich schön, dich jetzt zu sehen. Frohe Weihnachten!«

»Sam hat mir davon vorgeschwärmt, wie hübsch du bist. Und er hatte recht. Deine Haare sehen traumhaft aus. Ich traue mich immer nicht, meine mal anders schneiden zu lassen.«

»Oh. Danke. Ich finde deine aber auch ganz toll. Die roten Strähnen passen wunderbar zu Weihnachten.«

»Blau fand ich irgendwann langweilig, und da dachte ich, verdammt, warum nicht? Ich könnte bald die Diagnose einer lebensverkürzenden Krankheit bekommen, daher heißt es wohl: das Leben voll auskosten oder gleich ganz aufgeben.«

Sam sah, dass Anna unsicher lächelte.

»Das ist ihr Humor«, erläuterte Sam. »Ich habe den besseren abbekommen.«

»Mum! Kannst du mir helfen, meine Hände zu binden?«, rief Ruthie aus dem anderen Zimmer.

»Ich bin gleich zurück. Trink nicht den ganzen Babycham«, sagte Anna und eilte wieder aus der Küche.

»In deinem Haus geht es ja zu wie bei uns auf dem Bahnhof«, sagte Tionne.

»Wenn Annas Freunde hier sind, wird es wirklich verrückt. Aber es ist wunderbar. Etwas ganz anderes als das Junggesellenleben mit den ewigen Buchweizen-Smoothies als Gesellschaft. Oder mit Chad, der mir ständig erzählt, die Buchweizen-Smoothies würden mich schneller umbringen als Pommes. Das ist so viel … erfüllender.« Er holte Luft. »Wie geht es Mom und Dad? Gehst du zum Weihnachtsessen rüber?«

»Ja. Mom hat auch ein paar Freunde aus der Kirche eingeladen, da ihr endlich aufgegangen ist, dass sie viel zu viel Essen besorgt hat. Was mir allerdings ein wenig Sorge bereitet, ist ein gewisser Bradley, der auch kommt. Mom hat ihn einmal zu oft erwähnt, mitsamt dem Hinweis, dass er Single ist. Für so etwas habe ich an Weihnachten wirklich keine Nerven.«

Sam lächelte. »Gib dem Jungen eine Chance.«

»Er geht in die Kirche!«

»Was bedeuten könnte, dass er ein netter Kerl ist.«

»Klar«, sagte Tionne. »Das ist ja das Problem!«

Sam lächelte wieder und sog das Bild seiner Schwester in sich auf: ihre verrückte Frisur, ihr strahlendes Lächeln, ihre Augen, die so dunkel waren wie seine, ihre Kleidung. Er würde sie vermissen, wenn er hier und sie dort war. Aber sie war ja nicht aus der Welt, und er wusste, dass sie Richmond lieben würde, und Anna und Ruthie würden sicher auch gern mal nach Ohio fliegen.

»Lass nicht zu, dass sie zu viele Gedanken an die möglichen Ergebnisse verschwenden«, sagte Sam. »Und du darfst das auch nicht tun.«

»Was für Ergebnisse?«, fragte Tionne, um ihn zu ärgern.

»Diese Warterei ist hart, ich weiß. Aber wie auch immer die Sache ausgeht, das Leben geht weiter, nicht wahr?«

»Klar«, stimmte Tionne zu. »Das habe ich auch Frankie gesagt, als sie mich gestern Abend angerufen hat.«

»Wie bitte?«, rief Sam. »Ich hatte ihr doch gesagt, dass sie sich freinehmen und ihre Schwester besuchen soll. Warum hat sie dich denn angerufen?«

»Sie sagte, sie hätte eine Voicemail-Nachricht bekommen, von ›einer gewissen Anna, die behauptet, sie hätte sich in Sam verliebt‹. Diese Nachricht hielt sie für bedeutend genug, um sie dir auf die ›Bermudas‹ weiterzuleiten.«

Auf Sams Gesicht machte sich ein Lächeln breit. In diesem Moment kehrten auch Anna und Ruthie in die Küche zurück. Ruthie trug ihre neuen Boxhandschuhe.

»Was hast du gesagt? Könntest du das noch mal wiederholen?«, fragte Sam. »Eine gewisse Anna behauptet, sie hätte sich in mich verliebt?«

Ruthie grinste und stieß ihre Boxhandschuhe in Tionnes Richtung, als sie wieder vor dem Bildschirm stand. Sam sah, dass Anna verlegen den Kopf schüttelte.

»Das waren ihre Worte«, bestätigte Tionne. »Oh, und sie sagt Danke für das rosafarbene Weinglas mit der Aufschrift ›Entspann dich mal‹.«

»Sie hat ihr Geschenk bereits geöffnet?«

»Einer ihrer Neffen ist darauf herumgeturnt, und das Papier ist gerissen. Aber es hat überlebt. Sie sagt, sie würde es mit Bourbon füllen, wenn sie noch einmal *Encanto* schauen muss.«

»Hat dir mein Geschenk gefallen?«

»Ich habe zum Frühstück Eis daraus gegessen. Wunderbar, Sam. Und wenn ich mit der Schüssel rede, ist das ein guter Ersatz für unsere Freitagstreffen. Ruthie, hau meinen Bruder fest auf die Schulter. Er verträgt das.«

»Aua!«, rief Sam, als Ruthie ihn boxte. »Okay, wir müssen Schluss machen. Ich sollte Ruthie besser Boxunterricht erteilen.«

»Na gut. Aber lass mich noch ein paar Sekunden mit Anna reden, ja?«

Anna setzte sich auf den Stuhl, den Sam geräumt hatte, und lächelte Tionne an. »Muss ich mir Sorgen machen? Du hast so ernst geklungen.«

»Ich bin ernst«, antwortete Tionne.

»Oh.«

»Du machst meinen Bruder so verdammt glücklich, und ihr habt meinen vollen Segen. So habe ich ihn noch nie erlebt, und er hat es wirklich verdient. Aber ich weiß auch, dass er viel grübelt. Ich möchte nicht, dass er sich wegen Mom oder Dad oder mir Sorgen macht. Wir kommen auch ohne ihn zurecht, das soll er wissen. Als er uns von dir erzählt hat, haben wir ihm alle zugeredet, dass er diese Chance unbedingt ergreifen muss.«

Anna nickte. »Gut.«

»Sag mir noch, dass du in diesem wunderschönen Haus ein Gästezimmer hast, damit ich meinen Besuch planen kann.«

»Ich habe ein Gästezimmer. Und bring bitte dieses Makeup mit, das alles zum Glitzern bringt. Ich schätze, Ruthie würde es lieben.«

»Sie wird es auf jeden Fall lieben«, sagte Tionne.

»Wunderbar«, sagte Anna mit einem Lächeln.

»Eins noch … aber sag Sam nicht, dass ich es dir verraten habe«, begann Tionne. »Sein Geburtstag ist an Neujahr.«

KAPITEL
EINUNDSIEBZIG

Annas, Ruthies und Sams Zuhause, Richmond
Silvester

»Seid alle mal still!«, befahl Neeta. »Dies ist die Weltpremiere einer neuen Snackerfahrung.« Sie hielt den Zipfel eines Geschirrtuchs, das über einer großen Schüssel lag, um es bei der nächsten Gelegenheit wie ein Zauberer wegzuziehen.

»Wie kann es eine Weltpremiere sein, wo wir doch bei der Weihnachtsfeier, die keine ist, schon davon probiert haben?«, fragte Ruthie.

»Ruthie«, tadelte Anna sie.

»Es handelt sich um eine neue Geschmacksrichtung«, fuhr Neeta fort. »Eine Kombination der Erfahrungen meines Ehemanns Pavinder mit Pflanzenreproduktion und -wachstum und den delikaten, über die Jahre hinweg von mir verfeinerten Gewürzen aus der Küche meiner Großmutter.«

»Schmecken sie wie Papadam?«, fragte Kai laut.

»Pscht, Kai«, mahnte Lisa ihn.

»Ich darf euch … ›Feed your need‹ präsentieren.«

»Feed your … was? Hast du ›weed‹ gesagt? Sind das Haschisch-Chips?«, fragte Kai.

»Probiert … Forest Yump!«, schloss Neeta und zog das Tuch von der Schüssel. Der Duft von Koriander, Kumin und anderen scharfen Gewürzen erfüllte die Küche.

»Forest Yump?«, fragte Kai. »Ist ›yump‹ ein Wort?«

»Es meint so etwas wie, dass man den Boden verlässt, wenn man über einen hohen Grat geht«, antwortete Neeta. »Ich dachte, das ist ein schönes Symbol für den Weg, den Pavinders und meine Ehe mit diesem Pflanzenchips-Projekt nimmt.«

»Wow«, sagte Lisa. »Und ich wollte gerade sagen, dass mich der Markenname noch nicht ganz überzeugt.«

»Bitte«, sagte Pavinder, der mit einer weiteren vollen Schüssel kam und sie allen hinhielt. »Wir sind an ehrlichen Meinungen interessiert. Aber wir haben hart an der richtigen Würzung gearbeitet, daher bin ich zuversichtlich.«

»Es wird ein neues Jahr und ein Neubeginn für uns alle sein«, sagte Neeta.

Anna langte in die Schüssel, nahm einen Chip und steckte ihn in den Mund. An ihrem Gaumen ereignete sich eine wahre Geschmacksexplosion. Diese Chips waren köstlich.

»O Neeta, Pav, die sind … unglaublich«, sagte Anna. »Ernsthaft, absolut spitze. Kann ich noch einen haben?«

Ein lächelnder Pavinder hielt ihr die Chips hin. »Wir können so gut miteinander arbeiten, Neeta und ich«, erzählte er Anna. »Das hat mir wieder in Erinnerung gerufen, warum ich Neeta so liebe. Und für sie ist es eine gute Gelegenheit, sich noch einmal vor Augen zu halten, warum sie mich nicht in der Küche sehen will.« Pavinder lachte. »Und das ist nur halb im Scherz gemeint.«

»Was habt ihr denn mit euren Chips vor? Ich kann euch mit dem Branding helfen, wenn ihr mögt, ernsthaft.«

»Wir wollen erst einmal klein starten, mit Ständen bei diversen kulinarischen Veranstaltungen. Dann schauen wir mal, wo uns das hinführt«, erläuterte Pavinder.

»Klingt nach einem Plan«, sagte Anna.

»Wer hätte gedacht, dass alles mit ein paar Samen und einer Heißluftfriteuse angefangen hat.«

Anna berührte die Kette an ihrem Hals und spürte das schwere Platin unter ihren Fingern. Ihr Weihnachtsgeschenk von Sam. Der Anhänger hatte die Form eines Lebensbaums, an dessen Ästen Sterne hingen. Passender könnte es nicht sein. So war ihre Geschichte. Natur, Leben, sich auflehnen, sich anpassen, jede Sekunde lieben lernen, Wünsche an die Zukunft richten.

»Es ist fast Mitternacht«, sagte Sam, der hinter ihr auftauchte. »Sollen wir den Champagner vorbereiten, damit wir anstoßen können?«

»Gute Idee«, sagte Anna. »Du holst die Gläser und ich … schaue mal nach Ruthie.«

»Als ich sie das letzte Mal gesehen habe, hat sie Kelsey mit ihren besten Boxschlägen imponiert«, sagte Sam.

»Ich suche sie.«

Anna wusste, dass Ruthie nicht mehr bei Kelsey war. Ruthie war in ihrem Zimmer und legte letzte Hand an etwas, das sie in der Woche nach Tionnes Hinweis eiligst entwickelt hatte. Es hatte die Anfertigung von Kostümen und eines Banners verlangt, außerdem etwas wirklich Besonderes, von dem sie hoffte, dass es Sam gefiel. Anna ging die Treppe hoch und blieb vor der offenen Tür zu Ruthies Zimmer stehen.

»Das ist alles noch nicht perfekt«, jammerte Ruthie, als sie auf das bunte Gemälde schaute, das auf dem Boden lag.

»Es *ist* perfekt, Ruthie. Weil du es für Sam getan hast.« Sie trat in den Raum und bewunderte das Kunstwerk ihrer Tochter.

»Denkst du wirklich, es wird ihm gefallen?«, fragte Ruthie.

»Ich denke, er wird es lieben«, versicherte Anna ihr. »Jetzt bring es hinunter und versteck es im Schrank im Flur. Es ist gleich so weit.«

»Bist du glücklich, Mum?«, fragte Ruthie eindringlich. »Dad hat dich so traurig gemacht, dass ich schon dachte, du würdest nie wieder lachen.«

Tränen standen in Annas Augen, als sie ihre ziemlich große Tochter ansah, die so viel wusste, aber es immer so anders vermittelte. Sie legte Ruthie eine Hand auf die Schulter und drückte sie. »Ich bin glücklich, Ruthie. Und du bringst mich ständig zum Lachen.«

»Sam bringt dich auch zum Lachen. Und mich auch. Ich hoffe, er stirbt nicht so schnell.«

»Das hoffe ich auch«, stimmte Anna zu.

»Gut, du stellst sicher, dass die Luft rein ist. Jetzt verstehe ich diese Redewendung. Früher habe ich immer an einen schönen Tag am Strand gedacht.«

»Frohes neues Jahr!«

»Frohes neues Jahr!«

»Ich trinke darauf, dass es das schönste Jahr aller Zeiten wird.«

Sam schüttelte Paul die Hand, gab Kai und Kelsey ein High five und wurde dann von Lisa in einer Umarmung erdrückt. Eigentlich aber hielt er nach Anna Ausschau. Sie hatte schnell allen ein frohes neues Jahr gewünscht und war dann durch die Küche davongeeilt, weg von ihm. Plötzlich verstummte die Partymusik, und man hörte nur noch das Feuerwerk draußen. Bis Ruthie im Türrahmen erschien … als Captain America verkleidet.

»Wo sind meine Lieutenants?«, rief sie in den Raum, mit absolut ernster Miene.

»Hier sind wir!«

Sam lachte. Das war gut. Neeta war als Thor verkleidet, Anna als Black Widow. Die Kostüme waren grandios.

»In den Nachrichten von S. H. I. E. L. D. wurde verlautbart, dass jemand unter uns Geburtstag hat.«

Sams Lächeln erlosch, aber dann wurde ihm alles klar. Das hatte er Tionne zu verdanken. Er hätte wissen müssen, dass sie den Mund nicht halten konnte.

»Würde die Person, die heute sechsundzwanzig wird, bitte in die Raummitte treten?«, sagte Ruthie.

Das hatte definitiv nicht wie eine Frage geklungen, sondern wie ein Befehl. Sam befolgte ihn und schüttelte den Kopf, als er nun im Zentrum der Aufmerksamkeit stand.

»Sam Jackman«, sagte Ruthie und konnte kaum noch etwas sehen, weil ihr die Maske über die Augen gerutscht war. »Es ist meine Pflicht, Sie darüber zu informieren, dass Sie heute offiziell Mitglied einer neuen Familie werden.«

Musik erklang, und Ruthie setzte sich in Bewegung, erst wie ein Roboter, dann zunehmend tänzerisch und ausdrucksstark. Und dann sang sie:

Anna und Ruthie gratulieren atemlos.
Die Freude ist wirklich übergroß,
dass du hier bei uns bist,
auch wenn du die Arbeit noch vermisst
und bald vielleicht stirbst, niemand weiß, wann,
aber noch kämpfst du gegen meine Feinde an.
Wir sind froh, dass du bleibst, wollen aber Fakten,
lausch also unserem Aufruf und leg's zu den Akten.

Sam dachte noch über die Worte nach, als Ruthie eine weitere Tanzeinlage begann und die Musik lauter wurde.

Wir sind jetzt alle eine Familie,
brauchen also auch einen Namen wie diese.
Wir fühlen uns nicht als Heaths, wenn wir zusammen
sind.
Lasst uns also etwas finden, das uns alle glücklich stimmt.
Willkommen, Falcons! Sam, Anna und Ruthie melden
sich zur Stelle,
wir sind mutig, wir sind stark, ich bin am schönsten und
sehr helle,
Mum kocht am besten, das sei neidlos vermeldet,
Sam hat das größte Herz und war sofort unser Held.
Erheben Sie sich, Sir Sam Falcon, seien Sie Teil unserer
Truppe.
Und nun bitten wir um den Jubel der versammelten
Gruppe.

Alle applaudierten heftig, doch davon bekam Sam kaum etwas mit. Sein Herz pochte, und es war ihm unmöglich, die Tränen noch länger zurückzuhalten. So etwas hatte er noch nie erlebt. Und es wurde nicht besser, als Ruthie den Banner entrollte, auf den sie Bilder von ihnen allen gemalt hatte. Darüber prangte der Schriftzug: »Die Familie Falcon«. Das war zu viel. Es war mehr, als er sich je für sein Leben hätte erträumen können.

»Hat es dir nicht gefallen?«, fragte Ruthie, die ihre Maske abgenommen hatte und ihn besorgt ansah.

»O Ruthie, ich bin überwältigt! Das war großartig! Das ist das Tollste, was ich je erlebt habe.« Er hatte einen Kloß im Hals und schluckte. »Darf ich dich in den Arm nehmen?«

»Wenn du meinen rechten Arm nicht berührst.« Ruthie stellte sich so hin, dass bestimmte Körperteile gar nicht erreichbar waren.

Er genoss ihre Nähe und musste daran denken, wie glücklich er war, Zeit mit diesem außergewöhnlichen Mädchen verbringen zu dürfen. Dies war das komplette Gegenteil der Zukunft, die er erwartet hatte – in jeder Hinsicht –, aber es war nicht nur anders, es war besser.

»Darf ich Sam für einen Moment entführen?«

Das war Black Widow. *Seine* Black Widow.

»Nur wenn ich ihn morgen für mindestens drei volle Stunden zurückbekomme. Er muss etliche Marvel-Folgen nachholen«, sagte Ruthie.

»Yes, Captain«, antwortete Sam und salutierte.

Anna führte ihn durch den Flur und öffnete die Haustür. Die Luft war eiskalt und der Himmel stockduster. Gelegentlich wurde er von einer Silvesterrakete erleuchtet, die sich in einem Regen aus Silber und Gold über die Stadt ergoss.

»Wahnsinn, ist das kalt«, sagte Sam, der die Tür hinter sich zuzog. »Soll ich uns Jacken holen?«

»Es wird nicht lange dauern.« Anna drehte sich auf der Schwelle zu ihm hin.

»Ist alles in Ordnung?«, fragte er. »Du zitterst ja.« Er legte ihr eine Hand an die Wange und ließ sie dort liegen.

»Mir geht es … gut«, antwortete sie, aber ihre Stimme klang unsicher. »Es ist nur … Ich hoffe, du fühlst dich nicht überfahren. Während Ruthies Aufführung hatte ich plötzlich das Gefühl, es könne zu früh sein.«

Sam lächelte. »Willst du wieder auf mein Alter anspielen? Immerhin bin ich schon fast siebenundzwanzig.«

Sie lachte. Das vertrieb ihre Nervosität.

»Ich liebe die Familie Falcon«, teilte Sam ihr mit. »Mehr als das.«

»Es geht auch nicht um etwas, das wir in unseren Ausweisen ändern müssen, oder um ein Zertifikat, das man sich an die Wand hängt. Es war nur so eine Idee, die Ruthie und ich hatten, um dich offiziell in unsere Familie aufzunehmen.«

Sie sah, dass er nachdachte.

»Nun, ein Zertifikat hätte ich schon gern«, sagte er schließlich.

»Das ließe sich vermutlich einrichten«, sagte Anna und griff in ihre Hosentasche. »Aber jetzt habe ich erst einmal etwas anderes für dich.«

»Wie bitte? Dieses hautenge Kostüm hat Taschen?« Sam wackelte mit den Augenbrauen.

Sie öffnete ihre Finger und zeigte ihm den Ring, der darin lag. Mithilfe eines überaus hilfsbereiten Goldschmieds hatte sie ihn noch rechtzeitig über Etsy bekommen. Jetzt zitterte ihre Hand, als Sam ihn aus ihrer Handfläche nahm.

»Blätter«, sagte er kopfschüttelnd. »Und Sterne. Die reinste Natur, Anna.«

Sie lächelte. »Genau. Ein bisschen wie meine Kette. Die Natur wächst mir allmählich ans Herz.«

»Der ist wunderschön«, sagte Sam leise. Er betrachtete immer noch die Gravuren und fuhr mit dem Finger darüber.

»Ich möchte mich nicht mehr vor der Natur fürchten, Sam. Wir mögen sie nicht beherrschen, aber wir können das Beste daraus machen. Wir können ihre Schönheit bestaunen und ihre Zerstörungskraft beweinen. Und während wir das tun, können wir uns entscheiden, wie wir sie wahrnehmen und auf sie reagieren.«

»Wenn man es genau nimmt«, erwiderte Sam, »hat mich die Natur zu dir geführt.«

»Dann ist die Natur wirklich meine beste Freundin«, antwortete Anna.

Sam steckte den Ring an den Mittelfinger seiner linken Hand, dann zog er Anna an sich und hielt sie fest.

»Ein frohes neues Jahr, Anna Falcon«, flüsterte er ihr ins Ohr, als weitere Feuerwerkskörper den Himmel erhellten.

Sie griff nach seiner Hand und hielt sie fest. »Herzlichen Glückwunsch zum Geburtstag, Sam.«

EPILOG

Feast, Richmond
31. Januar

Anna hätte in diesem Moment kaum stolzer sein können. Mr Wong stand in seiner schicken neuen Feast-Uniform – schwarze Hose und schwarzes Hemd mit dem orangefarbenen Logo an der linken Brust – an der Tür des komplett umgebauten Restaurants, um die Besucher zu empfangen. Sofort nach Ende der Festtage hatte sich Mr Wong in die Renovierung gestürzt. Das Innere des Gebäudes war nicht wiederzuerkennen. Verschwunden waren die Pommestheke, die billigen roten Laternen und die ausgebleichten Italienflaggen. Nun herrschte ein schicker Minimalismus vor. Üppig beladene Servierplatten unter hochmodernen Warmhaltern und einsehbare Küchen würden für Staunen sorgen. Der Takeaway-Bereich des Fast Feast war mit einer Kordel dezent vom Full Feast abgetrennt, und der Besuch vom Gesundheitsamt in der Vorwoche hatte bereits fünf Sterne für die Hygiene eingebracht.

»… und nun möchte ich meinen unendlichen Dank an das Genie richten, das hinter diesem neuen Unternehmen steht, Anna Heath, die mittlerweile auch zu einer guten Freundin geworden ist«, verkündete Mr Wong. Er klatschte übertrieben laut in die Hände, und die versammelte Menge stimmte in den Applaus ein.

»Anna Falcon«, murrte Ruthie.

»Das weiß Mr Wong doch nicht«, erinnerte Anna sie.

»Sollte er aber.« Ruthie verschränkte die Arme vor der Brust. »Ich werde es ihm sagen, sobald er seine Rede beendet hat. Falls er je ein Ende findet. Das Essen wird doch kalt, wenn er die ganze Zeit redet.«

»Nein, Ruthie«, sagte Neeta. »Mr Wong hat diese Hightech-Warmhalter, nach denen ich ewig gesucht habe. Wenn Forest Yump gut läuft, werden Pavinder und ich es vielleicht mit Gebackenem und Frittiertem aus Rosskastanie mit Mäusedorn versuchen. Der gesundheitliche Nutzen wäre enorm.«

»… und nun kommt der Moment, auf den wir alle warten. Es wird Zeit, das Band durchzuschneiden. Es ist orange wie unser Logo. Und wenn Sie das Restaurant betreten, nehmen Sie sich bitte eine Mandarine. Die wird Ihnen und dem Feast Glück und Wohlstand bringen«, schloss Mr Wong.

Wieder erhob sich Applaus.

»Und nun klatschen Sie bitte für den NFL-Superstar aus Amerika, der hier bereits gegessen und uns fünf Sterne verpasst hat – Sam Jackman.«

»Sam Falcon«, schimpfte Ruthie.

»Klatsch, Ruthie«, drängte Anna.

»Paul, jetzt kannst du gern einen deiner nervtötend lauten Pfiffe ausstoßen!«, forderte Lisa ihn auf.

Paul ließ sich nicht lange bitten, legte die Finger an die Lippen und pfiff. Kai jubelte, und Kelsey steckte die Finger zu spät in die Ohren.

Sam lächelte in die Kamera der beiden Lokalreporter und schnitt das Band durch.

»Es ist mir eine große Ehre, heute hier zu sein und dieses Restaurant zu eröffnen, das mit Sicherheit eine große Bereicherung für die Gegend sein wird. Hier gibt es wunderbares

Essen, und man kann das Essen auch mitnehmen, und was dann noch übrig bleibt, wird an Bedürftige verteilt. Ich weiß nicht, wie es Ihnen geht, aber mich macht das sehr glücklich.« Er lächelte in die Menge. »Also, lassen Sie uns eintreten. Ich erkläre das Feast für eröffnet!« Er schnitt das Band durch.

Lautstarke Begeisterungsbekundungen erhoben sich, gefolgt vom Krachen eines Feuerwerks. Urplötzlich fuhr aus dem Nichts ein windhosenähnlicher AirDancer empor und wedelte mit seinen schlaksigen Armen. Auf seinem T-Shirt stand Feast. Für heute mochte das lustig und originell sein, aber Anna würde schon dafür sorgen, dass er nicht dauerhaft blieb.

»Wenn wir immer hier essen, werde ich dieses Jahr nicht mehr zum Sexiest Man Alive gewählt«, sagte Sam, den Mund mit Cajun Chicken Wings gefüllt. »Mein Sixpack ist sicher nicht mehr konkurrenzfähig.«

»Oh, das denke ich aber doch«, sagte Anna. »Vertrau mir, heute Nacht waren sie absolut konkurrenzlos.«

»Aber ich habe trotzdem über meinen Fitnesszustand nachgedacht«, sagte Sam und angelte mit der Gabel nach den Resten in seiner recycelbaren Schachtel. Vor dem Takeaway-Tresen hatte sich bereits eine Schlange gebildet.

»Ach ja?«

»Na ja, es gibt keinerlei Forschungen zu der Frage, ob Fitness gegen das Ausbrechen der Krankheit hilft. Aber man weiß mittlerweile, dass sich die Symptome, wenn sie denn auftreten, durch einen gesunden, sportlichen Lebensstil lindern lassen.«

»O Gott«, sagte Anna. »Ich ahne, was du mir als Nächstes mitteilen willst.«

»Wirklich? Ist es schon so weit? Wir leben doch erst einen Monat zusammen.«

»Paul wird eine Rugby-Mannschaft gründen, nicht wahr? Und du wirst mitspielen«, sagte Anna.

»Anna Falcon, du kannst meine Gedanken lesen«, erwiderte Sam mit einem Grinsen.

Er hatte Frankie mitgeteilt, dass er nicht zu den Bisons zurückkehren würde. Punkt. Sie verstand das nicht. Frankie war Frankie, ihr Leben bestand darin, Geschäfte einzutüten und das Chaos in geregelte Bahnen zu führen. Für Sam hingegen stand Football nicht mehr im Mittelpunkt seines Lebens. Er entwickelte sich weiter, würde sich nun neue Ziele suchen, seine Familie hier in Richmond zum Beispiel. Und er würde schon einen Weg finden. Wie er herausgefunden hatte, gab es viele Jugendgruppen und wohltätige Organisationen, die nach ehrenamtlichen Mitarbeitern suchten, um ihre Expertise für die Stärkung von Fitness und Selbstbewusstsein zu nutzen. Sam konnte sich nichts Schöneres vorstellen. Das war jetzt sein Ziel: In der Zeit, die ihm noch blieb, wollte er sein Leben nutzen, um das von anderen zu bereichern.

Mittlerweile hatte er auch erfahren, dass seine Mom und Tionne laut Befunden den Defekt des Huntington-Gens nicht in sich trugen. Seine Gebete um ein Wunder waren erhört worden. Was seinen Vater betraf, blieb ein Fragezeichen, aber der weigerte sich weiterhin, sich den Untersuchungen zu unterziehen. Wahrscheinlich war er tatsächlich der Träger des Gens. Aber da er bereits siebenundfünfzig war und keinerlei Krankheitsanzeichen oder Warnsymptome zeigte, bestand eine winzige Möglichkeit, dass die Sache bei Sam begann und endete. Darauf richtete sich dessen ganze Hoffnung. Ein Zugeständnis hatte Albert allerdings gemacht:

Er würde regelmäßig zu Dr. Monroe gehen, und er würde Dolores berichten, wenn er mit irgendetwas Probleme bekam.

»Weißt du, dass Ruthie ihren Namen jetzt zu Ruthie Heath-Falcon-Jackman ändern möchte?«, sagte Anna, schlang ihre Arme um Sams Hüfte und sah zu ihm auf. »Sie hat beschlossen, dass sie keinen ihrer Namen verlieren möchte. Sie möchte auch so heißen wie Ed und ihr kleiner Bruder, wenn er denn irgendwann da ist.«

Sam nickte. »Tolle Idee.«

Anna lachte. »In der Tat. Aber ich weiß jetzt schon, dass ich kein Unternehmen finden werde, das diesen Namen in die Namensschilder für die Schuluniform sticken wird.«

»Wie wär's mit Ruthie HFJ? Das klingt doch abgefahren.« Sam stellte seine Schachtel an die Wand. »Wie eine Rapperin.«

Anna verzog das Gesicht. »O Gott, nein. Neeta hat es dir erzählt, oder? Wie ich gerappt habe, um auf dem Schuljahrmarkt ihren Suppenverkauf anzuheizen.«

»Nein, nein, überhaupt nicht. Es war doch kein Weihnachtsmarkt, sondern eher ein Fest«, entgegnete Sam. »Auf dem sich jemand Reime abgerungen hat.«

Sie boxte ihn gegen die Brust. »Hör sofort auf!«

»Niemals.« Er nahm ihre Hand und sah ihr in die Augen.

Nun küsste sie ihn, lange und innig, und da war es wieder, dieses reine, schöne Gefühl, das ihn mitten ins Herz traf. Richmond und Anna hatten als Urlaubsromanze begonnen, doch das Schicksal hatte sie bis zum Endspiel geführt.

BRIEF DER AUTORIN

Liebe Leserin, lieber Leser,

ich hoffe sehr, Sie haben Annas, Sams und Ruthies Geschichte genossen. Hat Sie bei Ihnen womöglich ein Gefühl der Wärme hervorgerufen oder Sie eher verwirrt? Wer war Ihre Lieblingsfigur? Ich würde mich freuen, wenn Sie Kontakt zu mir aufnehmen, um mir Ihre Eindrücke mitzuteilen.

Ich muss zugeben, dass es mir schwerfiel, dieses Buch zu schreiben. In der Zeit hatte ich den Verlust von zwei mir nahestehenden Familienmitgliedern zu beklagen. Das hat es nicht leichter gemacht, Sams Geschichte zu erzählen. Trotzdem hielt ich die Botschaft für bedeutend, für ergreifend – dass wir unser Leben wirklich auskosten sollten, solange es geht. Kosten Sie das Leben aus! Tanzen Sie im Regen! Kaufen Sie ALLE Bücher, die Sie lesen wollen!

Der Roman lenkt die Aufmerksamkeit auch auf den Autismus, und das ist ein Thema, das mir sehr am Herzen liegt. Wie Anna bin ich Mutter eines autistischen Teenagers. Viele der Erfahrungen, die Anna und Ruthie in der Geschichte machen, habe ich selbst erlebt. Ich habe mit meiner Tochter gesprochen und mich vergewissert, dass sie mit der Figur und der Darstellung ihrer Probleme einverstanden ist. Autisten können Superkräfte entfalten, aber das Verständnis in Schulen, Universitäten und Unternehmen muss besser werden, damit die Betroffenen sich sicher und integriert fühlen und das Beste aus ihrer individuellen und einzigartigen Reise machen können.

Zu guter Letzt eine Bitte: Wenn Ihnen *Winterzauber in London* gefallen hat, warum schreiben Sie dann nicht eine Rezension auf Amazon? Es müssen nur ein paar Worte sein, aber für mich würde es die Welt bedeuten, und anderen Leserinnen und Lesern hilft es, ihre Wahl zu treffen!

Alles Liebe

Mandy

Mandy Baggot in den Sozialen Medien
Twitter: @mandybaggot
Facebook: @mandybaggotauthor
Instagram: @mandybaggot
Website: www.mandybaggot.com

DANK

Meiner fantastischen Agentin Tanera danke ich für die Unterstützung in diesen wirklich schwierigen Zeiten, die ich während der Arbeit an diesem Buch durchmachen musste. Vermutlich habe ich deine Hilfe nie so dringend gebraucht. Ich bin dir sehr dankbar dafür, dass du mich immer wieder aufgebaut hast – und für all die Blumen und Karten auch.

Riesigen Dank an meine Freundinnen Sue Fortin und Rachel Lyndhurst. Immer sagt ihr die richtigen Dinge zur richtigen Zeit, und ich bin so glücklich, dass es euch gibt.

An die Ladies von Bagg – danke, dass ihr euch auf den Kopf stellt, um meine Bücher an die Leserinnen und Leser zu bringen. Ihr seid das beste Team aller Zeiten.

Dank an alle, die meine vielen Fragen zu Chorea Huntington und Genuntersuchungen beantwortet haben. Ich hoffe, ich konnte Sams Situation so wirklichkeitsgetreu wie möglich darstellen und dabei herausarbeiten, was Patienten und Familien nach einer solchen Diagnose durchmachen.

Meiner Lektorin danke ich dafür, dass sie mir noch ein bisschen Zeit gegeben hat, damit ich das Buch in diesen schwierigen Zeiten fertigstellen konnte. Danke, dass du nicht in Panik geraten bist, als ich zugeben musste, das Schreiben sei mir noch nie so schwergefallen. Vielmehr hast du meine Bedenken zerstreut. Du warst immer eine meiner wichtigsten Stützen, und das weiß ich sehr zu würdigen.

Autorin

Mandy Baggot ist preisgekrönte Autorin romantischer Frauenunterhaltung. Sie hat eine Schwäche für Kartoffelpüree und Weißwein, für Countrymusic, Reisen – und natürlich für Weihnachten. Die Autorin lebt mit ihrem Ehemann und ihren beiden Töchtern in der Nähe von Salisbury.
Weitere Informationen zu Mandy Baggot unter:
www.mandybaggot.com

Mandy Baggot im Goldmann Verlag:

Winterzauber in Manhattan. Roman
Winterzauber in Paris. Roman
Winterzauber in Notting Hill. Roman
Winterzauber im Central Park. Roman
Winterzauber in Mayfair. Roman
Winterzauber an der Seine. Roman
Winterzauber in den Hamptons. Roman
Winterzauber in London. Roman

(▪ alle auch als E-Book erhältlich)

Unsere Leseempfehlung

448 Seiten
Auch als E-Book
erhältlich

Seit mehr als drei Jahren hat Meredith ihr Haus nicht verlassen. Über das Warum spricht sie mit niemandem. Denn eigentlich ist doch alles in Ordnung: Sie arbeitet erfolgreich von zu Hause, bruncht am Küchentisch mit ihrer besten Freundin, liest in ihrem gemütlichen Ohrensessel und kocht Pasta Puttanesca. Aber dann tritt Tom in ihr Leben, und Meredith muss zugeben, dass sie nicht so glücklich ist wie sie vorgibt. Doch gerade als sie beginnt, sich Tom zu öffnen, holt ihre Vergangenheit sie ein. Und Meredith begreift: Um wirklich zu leben, braucht es mehr als einen Schritt vor die Haustür …

Unsere Leseempfehlung

464 Seiten
Auch als E-Book
erhältlich

Die Weltenbummlerin Toni ist überall und nirgends zu Hause – bis ein Anruf ihres Vaters sie zurück an die Nordsee führt. Für viele ist St. Peter-Ording das Paradies auf Erden. Doch Toni hat sich hier, wo der Wind das ganze Jahr um die Häuser pfeift, nie richtig wohlgefühlt. Auch jetzt macht ihre alte Heimat es ihr nicht leicht. Ihre Eltern werden immer schrulliger, und alles erinnert sie an ihre erste große Liebe. Während sie auf dem Ferienhof der Familie aushilft, begreift Toni, dass sie das Leben anpacken muss, um ihm eine neue Richtung zu geben. Und dabei ist sie nicht allein …

Unsere Leseempfehlung

416 Seiten
Auch als E-Book
erhältlich

Maria hat die halbe Welt bereist, nie ein Abenteuer ausgelassen. Dass sie schließlich auf der kleinen Insel Norderney landet, wäre ihr im Traum nicht eingefallen. Doch da ist sie nun – und sie ist glücklich. Maria liebt ihr kleines Strandcafé. Noch mehr liebt sie ihre Familie, die Töchter Morlen und Hannah. Und Simon, Hannahs Vater. Ihr Leben ist randvoll, für Probleme bleibt da keine Zeit. Bis Simon aus dem gemeinsamen Alltag ausbricht und mit Hannah verreist. Plötzlich hat Maria wieder Zeit. Und mit der Zeit kommen die Fragen. Steckt in ihr noch die alte Abenteurerin? Ist sie eine andere geworden? Und wenn ja –wo gehört sie wirklich hin?

 GOLDMANN